COLLECTION
FOLIO CLASSIQUE

Madame d'Aulnoy

Contes de fées

*Textes choisis, présentés, établis
et annotés par Constance Cagnat-Deboeuf*

Maître de conférences à l'Université de Paris IV

Gallimard

PRÉFACE

Lorsqu'en 1697 parurent à quelques mois d'intervalle les Histoires ou Contes du temps passé de *Charles Perrault* et les Contes des fées de *Mme d'Aulnoy*, certains critiques s'empressèrent de conclure à une même entreprise : « *Mme Daunoy ajoute un second volume aux contes de ma mère l'Oye de monsieur Perrault*», annonce l'abbé Du Bos à P. Bayle. Et d'ajouter, non sans ironie : «*Notre siècle est devenu bien enfant sur les livres, il lui faut des contes, des fables, des romans et des historiettes*[1].» L'année 1697 marque en effet l'avènement d'un genre nouveau, le conte de fées littéraire, dont le succès allait perdurer au cours des dix années suivantes ; mais nul n'est plus tenté aujourd'hui d'assimiler l'œuvre de Mme d'Aulnoy à celle de Perrault. La postérité a distingué entre eux et si chacun connaît, souvent depuis sa tendre enfance, l'auteur des Histoires ou Contes du temps passé, rares sont les contes de Mme d'Aulnoy encore lus de nos jours.

Pourtant — et c'est une première raison de s'intéresser à Mme d'Aulnoy —, elle fut sans doute une conteuse plus représentative du genre qu'elle a contribué à créer que ne le fut Charles Perrault. On oublie

---

1. Lettre du 1er mars 1697.

*en effet bien souvent que celui-ci incarne, au sein de
la mode féerique, une remarquable exception et ce, à
un double titre : auteur masculin dans un genre majo-
ritairement pratiqué par des femmes[1], il écrivit des
contes courts et d'un style simple là où dominaient
les contes longs et précieux[2]. À cet égard, l'œuvre de
Mme d'Aulnoy permet de mieux saisir le génie du
conteur et la réussite inégalée de ses contes. En outre,
elle-même connut en son temps un succès qu'on ne
peut ignorer sans méconnaître du même coup le goût,
ou l'esprit, régnant en cette fin du XVIIe siècle : en
moins de deux ans, la conteuse a offert au public huit
recueils — après les quatre volumes des* Contes des
fées *parus en 1697, les* Contes nouveaux *et leur* Suite
*paraissent en 1698, également en quatre volumes —
pour satisfaire l'engouement dont les contes de fées en
général, et les siens en particulier, faisaient désormais l'objet. Un engouement qui ne toucha d'ailleurs
pas seulement la France, mais encore l'Angleterre où
son tout premier conte — « L'Île de la Félicité[3] » — a
été traduit dès 1691, soit l'année suivant sa publication française. La traduction de ses œuvres en anglais
précédera ainsi de trente ans celle des contes de Per-*

---

1. « Ce ne sont que des femmes qui ont composé ceux qui ont paru
depuis quelque temps en si grand nombre », regrette l'abbé de Villiers
(*Entretiens sur les contes de fées et sur quelques autres ouvrages du temps,
pour servir de préservatif contre le mauvais goût*, Paris, Collombat, 1699,
p. 77). De fait, parmi les neuf auteurs de contes publiés avant 1700, trois
seulement sont des hommes : Charles Perrault, le chevalier de Mailly et
Jean de Préchac. Pour une présentation générale du conte de fées à la
fin du XVIIe siècle, on se reportera aux ouvrages de J. Barchilon et de
R. Robert cités dans la bibliographie.
2. En témoigne cette autre critique de l'abbé de Villiers : « ceux qui en
ont tant composé depuis peu [...] les ont faits si longs et d'un style si
peu naïf, que les enfants même en seraient ennuyés » (*Entretiens sur les
contes de fées..., op. cit.*, p. 75).
3. C'est le titre sous lequel on désigne habituellement le conte inséré
dans le roman *Histoire d'Hypolite, comte de Duglas*, paru en 1690, et
considéré comme le premier conte de fées littéraire.

*rault dont elle aurait comme préparé la réception
outre-Manche*[1].

   *Que reste-t-il aujourd'hui de ce premier succès? Si
quelques contes — La Belle aux Cheveux d'or, La
Biche au Bois — ont échappé à l'oubli, de la plupart
la mémoire collective ne connaît plus que quelques
épisodes isolés, maintes fois remaniés, qui lui sont
parvenus au travers de diverses versions populaires.
Une désaffection qu'explique pour partie seulement la
destination enfantine que les deux derniers siècles ont
cru devoir réserver à ces textes pourtant composés à
l'intention d'un public d'adultes cultivés. Car assurément le romanesque de Mme d'Aulnoy, l'exubérance
de son merveilleux, peuvent surprendre et même agacer le lecteur d'aujourd'hui dont le goût en matière de
féerie a été façonné par la sobriété d'un Perrault. Mais
gageons que la conception résolument ludique de ces
contes, ainsi que les prétentions féministes qui les
habitent, en convaincront plus d'un de la modernité
d'une œuvre qu'on se réjouira d'avoir à redécouvrir*[2].

UN ART DE LA BAGATELLE

   *Jeu d'adultes à la mode dès les années 1670,
comme en témoigne Mme de Sévigné dans une lettre
qu'elle adresse à sa fille pour lui donner un aperçu
«des contes avec quoi l'on amuse les dames de Ver-*

---

1. Voir l'article de G. Verdier, « De ma Mère l'Oye à *Mother Goose* : la
fortune des contes de fées littéraires français en Angleterre », dans Yves
Giraud (dir.), *Contacts culturels et échanges linguistiques au XVIIᵉ siècle
en France*, Actes du 3ᵉ colloque du CIR 17, Papers on French Seventeenth Century Literature, *Biblio 17*, 1997, p. 186.
2. Une redécouverte que permettront d'approfondir les deux ouvrages
également incontournables de N. Jasmin, à savoir sa thèse, intitulée *Naissance du conte féminin. Mots et merveilles : les Contes de fées de
Mme d'Aulnoy (1690-1698)*, Paris, Champion, 2002, et son édition complète et critique des contes, publiée en 2004.

sailles[1]», le conte relève d'abord de cette pratique
mondaine des genres brefs qui anime la vie des salons.
De même que l'on échange énigmes et proverbes, que
l'on soumet au cercle restreint de ses amis le portrait
de l'un d'entre eux, de même qu'à l'occasion d'un
fait divers on rivalise d'histoires tragiques, on s'amuse
à conter; et le genre écrit héritera de cet «esprit de
joie» qui fait l'âme des conversations salonnières,
inspirant — selon les propres termes de Mlle de Scudéry — «dans le cœur de tous ceux de la compagnie,
une disposition à se divertir de tout, et à ne s'ennuyer
de rien[2]». À en croire son amie Mme de Murat, elle-
même conteuse, Mme d'Aulnoy écrivait au milieu de
ses invités à qui sans doute elle donnait lecture de ses
contes au fur et à mesure de leur avancement: elle
«ne faisait pas une étude d'écrire, elle écrivait comme
je fais par fantaisie, au milieu et au bruit de mille
gens qui venaient chez elle, et elle ne donnait d'application à ses ouvrages qu'autant que cela la diver-
tissait[3]». Entre le jeu de salon et le conte écrit, la
continuité est patente, qu'atteste l'esprit d'amicale
rivalité qui poussera plusieurs conteurs à se saisir
d'un même thème pour en offrir chacun sa propre
version[4], qu'atteste encore l'inspiration ouvertement
ludique des contes de Mme d'Aulnoy.

Celle-ci ne dit-elle pas considérer le conte comme

1. Mme de Sévigné, lettre du 6 août 1677.
2. Mlle de Scudéry, «De la conversation» («*De l'air galant*» *et autres
conversations (1653-1684). Pour une étude de l'archive galante*, éd. établie
par D. Denis, Paris, Champion, 1998, p. 74).
3. Extrait du *Journal* de Mme de Murat.
4. En ce qui concerne Mme d'Aulnoy, deux de ses contes *(Le Prince
Marcassin* et *Le Dauphin)* ont le même argument — emprunté peut-être
aux *Nuits facétieuses* de Straparole — qu'un conte de Mme de Murat *(Le
Roi Porc* et *Le Turbot)*. Quant à sa *Finette Cendron*, elle croise deux scé-
narios traités séparément par Perrault, dans *Cendrillon* et *Le Petit Pou-
cet*. Pour d'autres exemples de cette rivalité entre conteurs, voir R. Robert,
«L'Âge d'or du conte de fées», dans Mme d'Aulnoy, *Contes des fées*, éd.
N. Jasmin, Paris, Champion, 2004, p. 57.

« *une bagatelle où l'auditeur a seul droit de mettre le prix* [1] » ? *D'ailleurs, à la différence d'un Perrault qui au même moment revendique pour ses contes « une morale très sensée et qui se découvre plus ou moins, selon le degré de pénétration de ceux qui les lisent* [2] », *l'auteur des* Contes des fées *ne cache pas sa volonté de rompre avec l'impératif classique de l'*utile dulci. *La seconde dédicace à Madame, loin de procéder à la légitimation morale de son entreprise, l'apparente à un pur divertissement : « Vous n'offrez que des jeux, et votre unique affaire / N'est que de divertir en tâchant de lui plaire* [3]. » *Derrière la double restriction, nulle fausse modestie, mais la ferme conviction qu'il y a, dans la littérature comme dans la vie de Madame, belle-sœur du roi, une place pour le jeu.*

Fantaisie et burlesque

Servie, si l'on en croit son amie, par des qualités d'improvisation et de négligence conformes à l'idéal du temps, Mme d'Aulnoy a livré au public, en l'espace d'à peine deux ans, vingt-quatre contes dont la gaieté et la fantaisie font aujourd'hui encore le principal attrait. Des jeux de mots de toutes sortes émaillent le récit, dont les métamorphoses animales sont souvent l'occasion : si l'Oiseau Bleu devient « sa majesté emplumée », la conteuse ne recule ni devant le néologisme — la princesse Désirée chaque soir « se

1. « Don Gabriel Ponce de Léon », cité dans le Dossier, p. 353. Faut-il alors l'identifier à cette Dame dont parle Pierre de Villiers, « qui a fait de ces contes de fées, et qui est la première à se moquer et des libraires et des lecteurs qui les ont achetés. Elle dit partout que c'est la plus mauvaise marchandise du monde ; mais enfin, on en veut, dit-elle, on me les paie bien, j'en donnerai tant qu'on voudra » (P. de Villiers, *Entretiens sur les contes de fées…, op. cit.*, p. 71) ?
2. Ch. Perrault, *Histoires ou Contes du temps passé, avec des moralités*, « à Mademoiselle ». Le terme de « bagatelles » figure également sous la plume de Perrault pour désigner les contes.
3. Voir le dossier, en fin de volume, où figure l'intégralité de l'épître dédicatoire de la *Suite des Contes nouveaux*.

débichonne», et une fée n'est définitivement pas
«étranglable» — ni même devant le calembour[1]. Des
répétitions enjouées scandent le récit («un grand paon
[...] qui lui parut si beau, si beau, si beau»), lequel
accueille aussi des onomatopées de toutes sortes: le
petit chien de la princesse Rosette «allait devant elle,
faisant jap, jap, jap[2]»; «le tire-bourre d'or [tomba]
qui fit tin, tin près de Trognon[3]». Ces derniers procédés participent à l'évidence de l'imitation d'un style
oral: ils donnent corps à la voix de la conteuse, simu-
lent une recherche de l'effet, à l'intention d'un auditoire imaginaire dont la prise à parti sur un mode
familier contribue encore à l'enjouement du récit:
«Dame! Qui fut bien aise? Je vous le laisse à penser[4].» Mais la feinte oralité des contes ne saurait seule
expliquer l'espèce de jubilation verbale, si caractéristique de la manière de Mme d'Aulnoy, dont relèvent
aussi bien sa verve néologiste, ses dérivations en série
(«Cabriole [...] cabriola», «nous sommes tous bien
fâchés de votre fâcherie»), que certaines énuméra-
tions juxtaposant avec cocasserie des éléments dispa-
rates, telle cette charge sonnée par l'amiral de **La
Princesse Printanière**: «l'amiral fit battre les tambours, les timbales; l'on sonne les trompettes, l'on
joue du hautbois, de la flûte, du violon, de la vielle,
des orgues, de la guitare[5]». Perce un plaisir du mot
qui fait fi des contraintes de correction ou même de
cohérence régissant la langue ordinaire, et qui a pu
faire songer à Rabelais.
   Une même liberté se manifeste à travers la diversité
des formes qu'emprunte la conteuse. Vers et chansons

---

   1. Truitonne, ainsi nommée pour sa ressemblance avec une truite, ne
deviendra-t-elle pas truie à seule fin que son nom conserve sa valeur
signifiante?
   2. *La Princesse Rosette*, p. 161.
   3. *Le Rameau d'Or*, p. 190.
   4. *La Belle aux Cheveux d'or*, p. 87.
   5. *La Princesse Printanière*, p. 153.

se fondent à la prose, selon une rhétorique du mélange qui doit sans doute beaucoup à la pratique mondaine de la conversation. Si les pièces galantes sont les plus fréquentes qui peuvent atteindre jusqu'à une vingtaine de vers, l'on rencontre aussi bien de courts refrains, d'une naïve simplicité — «Oiseau Bleu couleur du temps, / Vole à moi promptement[1]» —, ou d'un comique presque enfantin — «Où sont les petits enfants, / Que je les croque à belles dents[2]?». Une variété qui vise moins à susciter l'admiration du lecteur qu'à égayer le récit, la conteuse n'hésitant pas à se moquer elle-même de la pauvreté de certaines de ses pièces: «les rimes n'étaient pas bien régulières, mais il fit la chanson fort vite[3]», avoue-t-elle à propos d'Avenant. L'intrusion d'auteur est souvent comme ici le moyen choisi par la conteuse pour manifester envers son texte une distance amusée, dont les personnages ne sont pas seuls à faire les frais: l'histoire, les événements, le merveilleux lui-même sont si souvent montrés du doigt — «cet événement est assez propre à surprendre[4]», concède-t-elle, consciente de parfois passer la mesure — qu'une certaine méfiance s'empare peu à peu du lecteur le moins averti.

Il faut dire que, d'un conte à l'autre et d'un paragraphe à l'autre, Mme d'Aulnoy multiplie les ruptures de ton les plus inattendues, dans une recherche de la disconvenance qui invite encore au sourire et à la distance. De l'exclamatif «vertuchou» que lâche avec une rare élégance le roi père de Gracieuse à la vue des trésors de Grognon, aux titres familiers de «compère» et «commère» que s'échange le personnel féerique dans L'Oiseau Bleu, *un mot suffit souvent, en décalage avec la noblesse du sujet, à faire naître la sur-*

1. *L'Oiseau Bleu,* p. 113.
2. *La Belle aux Cheveux d'or,* p. 84.
3. *Ibid.,* p. 85.
4. *Le Nain Jaune,* p. 235.

prise. Tel conte qui paraît ressusciter un temps L'As-
trée, ses paysages champêtres, ses bergers oisifs et
amoureux, au lyrisme souvent emphatique, sombre
soudain dans un burlesque pour le moins dissonant :
«Ah ! ma jatte, ma chère jatte, qu'êtes-vous devenue ?»
s'écrie la princesse Brillante qui vient d'être transfor-
mée en une vulgaire sauterelle. Cette recherche du
«décalage stylistique et tonal[1]» est celle-là même
qu'a constatée Jules Brody à propos de l'art de Per-
rault ; mais il est certain que Mme d'Aulnoy l'a pous-
sée plus loin encore que l'auteur de La Belle au bois
dormant. Le même effet est obtenu par ce style enfan-
tin qu'adopte par endroits la conteuse, laquelle serait
d'ailleurs responsable de l'apparition en littérature
de certains vocables du langage des petits enfants,
composés à partir de redoublements, comme «jou-
jou», «bonbon» ou «dodo». L'irruption de ces termes,
comme de certains archaïsmes, provoque toujours un
fort effet de contraste[2], et contribue encore au bur-
lesque qui s'affirme ainsi comme la tonalité domi-
nante des contes. Impossible, dès lors, de lire ces
textes sans adopter la distance amusée qui fut d'abord
celle de leur auteur.

Comme Perrault encore[3], mais avec peut-être moins
de discrétion, la conteuse s'ingénie à miner l'impres-
sion d'intemporalité qui selon les lois du genre carac-

---

1. Voir J. Brody, «Charles Perrault, conteur (du) moderne», dans R. Duchêne (dir.), *D'un siècle à l'autre. Anciens et modernes*, Actes du 16e colloque du CMR 17, Marseille, CMR, 1987, p. 84. Pour un autre exemple, on se reportera au dénouement du *Nain Jaune*, lequel s'ouvre dans la pure tradition des romans précieux sur la réconciliation attendue des amants ; mais la seule mention de leur adversaire «caché sous une laitue» — élément cocasse parfaitement incongru dans le contexte — suffit à modifier radicalement le ton et l'atmosphère de ce dénouement.
2. Voir par exemple la description du palais de la Belle aux Cheveux d'or : «Tout y était admirable ; l'on y voyait les diamants entassés comme des pierres, les beaux habits, le bonbon, l'argent, c'était des choses merveilleuses» (p. 80).
3. Voir encore J. Brody, «Charles Perrault, conteur (du) moderne», *op. cit.*

térise le récit féerique. De fait, faut-il rappeler ici que, derrière la promesse de rêve et d'évasion que recèle l'incipit bien connu du conte, dont la valeur est à l'évidence celle d'une antiphrase («Il était une fois», c'est-à-dire «il ne fut jamais»), se scelle un pacte de lecture dans lequel le lecteur s'engage à accepter les faits merveilleux, à condition toutefois de voir respecter l'indétermination spatio-temporelle du genre annoncée par la formule? Or force est de reconnaître que, si la plupart des contes de Mme d'Aulnoy se trouvent bien introduits par la célèbre formule, la conteuse ne respecte pas pour autant l'illusion ainsi créée, et qu'elle s'amuse au contraire à multiplier les ruptures de pacte. C'est l'effet obtenu par les diverses allusions à l'actualité qui renvoient le lecteur à l'univers du réel : qu'elle mentionne les boutiques alors à la mode, comme la pâtisserie Le Coq d'où proviennent les dragées dont se régale la princesse Printanière, ou, dans L'Oiseau Bleu, *les foires Saint-Germain ou Saint-Laurent, qu'elle célèbre, dans* La Biche au Bois, *Louis XIV et la duchesse de Bourgogne, qu'elle fasse assister son héroïne Gracieuse à une pièce de Molière,* Psyché, *l'effet de ces allusions est toujours de rompre le pacte de lecture propre au merveilleux. Et le lecteur qui ne s'attendait sans doute pas, en s'emparant d'un volume de contes, à être ainsi malmené, de découvrir du même coup l'ironie de la conteuse et sa conception étrangement moderne du genre.*

L'ironie de la conteuse

Il est ainsi tout à fait remarquable que, dès le premier conte du premier recueil, à savoir Gracieuse et Percinet, *la conteuse manifeste une évidente intention parodique. Les allusions au mythe de Psyché sont suffisamment nombreuses et transparentes pour que le lecteur comprenne qu'il doit voir en Gracieuse*

*une nouvelle Psyché dont le défaut majeur ne sera
plus la curiosité, mais au contraire une passivité qui
défie l'entendement, en Percinet une image diminuée
du dieu de l'Amour, comme le suggère d'ailleurs le
diminutif dont il est affublé, et surtout en Grognon
une incarnation moins effrayante que hautement ridicule de Vénus. La morale même du conte paraît des
plus ambiguës : que penser ainsi de ces leçons à l'usage
des jeunes filles, toujours formulées sur un ton naïf,
enfantin, qui confine, semble-t-il, à la dérision («on
lui avait toujours dit qu'il ne fallait pas demeurer
seule avec les garçons* [1] »)? Que penser surtout de l'attitude de l'héroïne qui contribue par sa soumission et
son refus de l'amour à son propre malheur?*

*Ce premier conte s'avère essentiel pour comprendre,
ou approcher, les intentions de la conteuse, sa conception du conte de fées : au moment même où elle contribue à fonder le genre féerique, elle le pervertit donc
par une pratique singulière, où la dérision et l'instabilité l'emportent — et de loin — sur l'enchantement.
D'ailleurs, au début du conte, Gracieuse, qu'accablent
les malheurs, s'en va conter son histoire à sa nourrice: «elle se mit au lit et commanda qu'il ne restât
auprès d'elle que sa nourrice, à qui elle conta toute
son aventure; à force de conter, elle s'endormit [2] ».
Comment ne pas être sensible à l'inversion du schéma
traditionnel — auquel se réfère Perrault — des contes
de ma Mère l'Oye [3]? Doit-on y voir comme une déclaration d'intentions? Car ce premier conte ne constitue pas une exception, et l'intention parodique se
retrouve, plus évidente encore, dans* La Princesse Printanière, *sorte de conte à l'envers, où non seulement
l'héroïne se jette au cou d'un godelureau, mais où*

1. *Gracieuse et Percinet*, p. 57.
2. *Ibid.*
3. C'est sous ce titre que dès 1695 circulaient en une version encore
manuscrite cinq des contes de Perrault.

*abondent les indices d'une écriture ironique. L'ono-
mastique à elle seule convainc le lecteur de la volonté
de «dénigrement systématique[1]» qui anime l'auteur:
le prince que l'on a à peine le temps de croire charmant s'appelle Fanfarinet, le chancelier Gambille,
l'amiral Chapeau-Pointu, et son courrier Jean Caquet;
le burlesque est omniprésent, et affecte aussi bien les
personnages, tous risibles (ainsi le roi qui «n'avait
pas eu le temps de préparer sa harangue, [...] demeura
trois heures sans rien dire»), leurs discours («ma petite
brebiette», dit-il à sa fille), que la narration elle-même
qui joue de divers procédés emphatiques, comme
l'énumération, l'hyperbole, ou la réactivation de méta-
phores usées («les ruisseaux de larmes coulaient sur
le plancher[2]»). Quant à la morale de l'histoire, elle
laisse perplexe: si la moralité invite, non sans bana-
lité, le lecteur à rester dans les règles du devoir, un
dénouement expéditif assure tout de même le bonheur
conjugal de l'héroïne à la faveur d'un mariage bâclé
et de l'occultation de toute l'histoire qui l'a précédé,
mensonge que ruine d'ailleurs l'existence même du
conte.*

*Si tous les contes ne poussent pas aussi loin
l'intention parodique, tous interdisent au lecteur la
position confortable de celui qui désire se laisser plai-
samment duper, pour lui faire découvrir des textes
travaillés par une inquiétante instabilité l'invitant à
un déplacement permanent. Le jeu n'est parfois pas
loin d'agacer, comme lorsque la conteuse nous montre
les suivantes de Grognon s'acharnant à fouetter la
malheureuse Gracieuse: «Il n'y a personne qui ne
croie après cela que la princesse était écorchée depuis
la tête jusqu'aux pieds; l'on se trompe quelquefois,*

---

1. R. Robert, *Le Conte de fées littéraire en France de la fin du
XVIIe siècle à la fin du XVIIIe siècle*, Nancy, Presses universitaires de
Nancy, 1982, p. 204.
2. *La Princesse Printanière*, p. 146.

car le galant Percinet avait fasciné les yeux de ces femmes : elles pensaient avoir des verges à la main, c'était des plumes de mille couleurs[1] ». Comment prendre au sérieux un récit qui se récuse ainsi lui-même ? Non seulement tout est possible, mais l'impossible même se déplace. Ainsi dans cette page de La Princesse Rosette *où les deux princes, après avoir longuement sympathisé avec un hanneton, s'interrogent : « si le Roi des Paons est un paon lui-même, comment notre sœur prétend-elle l'épouser ? » En quoi est-il plus difficile d'épouser un paon que de sympathiser avec un hanneton ? s'interroge le lecteur. À peine le merveilleux a-t-il été admis qu'il est mis à distance, et le charme aussitôt rompu. Ailleurs, la conteuse confie à l'un de ces personnages la voix de la raison, pour lui faire condamner la féerie : « "est-il possible que vous vous arrêtiez à des bagatelles comme sont les prédictions des fées ?" [...] il prenait la liberté de les avertir qu'une si grande crédulité pour de si petites fées faisait tort à la majesté royale[2] ». Cet avertissement ne s'adresse-t-il pas à ceux, parmi les lecteurs de Mme d'Aulnoy, que tenterait une écoute trop naïve des contes de fées ? Plus souvent, c'est la présence d'un rieur[3] — narrateur ou personnage — qui vient briser l'illusion, en rappelant qu'il y a toujours une perspective selon laquelle ce qui est raconté peut faire rire, ou sourire. Car, derrière l'innocence feinte des contes et le voile romanesque qui les habille, se dissimule parfois un propos audacieux, volontiers licencieux, qui suggère dans la naïveté du conteur l'œuvre de la mauvaise foi et impose une lecture plurielle du*

---

1. *Gracieuse et Percinet*, p. 57.
2. *La Biche au Bois*, p. 251 et 256.
3. Voir sur ce point l'ouvrage de J. Mainil, *Mme d'Aulnoy et le rire des fées. Essai sur la subversion féerique et le merveilleux comique sous l'Ancien Régime*, Paris, Kimé, 2001.

conte[1]. *Alors, devant le double sens habilement ménagé par la conteuse, le lecteur ne sait plus que croire de l'histoire qu'on lui raconte.*

Brouiller l'interprétation, multiplier les perspectives, n'est-ce pas aussi la fonction assignée aux moralités, qui commentent le conte d'une manière si souvent décalée ? Ainsi, louer Charmant pour avoir préféré «être Oiseau Bleu» plutôt que «d'éprouver la peine extrême d'avoir ce que l'on hait toujours devant les yeux» occulte étrangement toute la seconde partie du conte où le prince précisément se résigne à épouser Truitonne, avec une lâcheté que fait valoir par contraste la persévérance de la seule Florine, dont la moralité pourtant ne dira mot. Non moins étonnante, la moralité de La Princesse Rosette *qui commente dans un style élevé et sur un registre pathétique un épisode tout à fait secondaire du conte, traité précédemment sur un mode uniquement comique. Autant de glissements suscitant la surprise du lecteur*[2], *autant d'indices d'une conception singulière du conte de fées dans laquelle la parodie et l'ironie s'inscrivent, dès l'origine, comme des lois constitutives du genre*[3].

1. Le début de *La Biche au Bois* voit ainsi la conduite de la reine recevoir deux explications concurrentes : l'officielle, selon laquelle la reine partie aux eaux s'est trouvée invitée à séjourner dans le palais des fées ; l'officieuse, filée comme en sourdine, qui associe l'absence prolongée de la reine à la présence de ces nombreux étrangers venus prendre les eaux (voir la note 3, p. 239).

2. Au nombre de ces lecteurs frappés par la bizarrerie des moralités, l'abbé de Villiers, qui s'interroge en ces termes : « avez-vous toujours trouvé beaucoup de rapport entre les maximes et les contes qui y aboutissent ? [...] Vous auriez eu beau vous y appliquer, vous n'auriez jamais trouvé ce rapport aussi juste et aussi naturel qu'il doit être » (*Entretiens sur les contes de fées, op. cit.*, p. 88-89).

3. À propos de *La Belle au Bois dormant* de Perrault, J. Brody affirmait déjà que le conte « se pose comme une réécriture radicale — pour ne pas dire une franche parodie — sur un mode nouveau et moderne de motifs bien connus du folklore et de la littérature populaire » (« Charles Perrault, conteur (du) moderne », *op. cit.*, p. 81). Voir encore l'article de J.-P. Sermain, « La parodie dans les contes de fées (1693-1713) : une loi du genre », Actes du colloque de l'Université du Maine, Le Mans, *Bur-*

Le plaisir de la reconnaissance

L'importance de la parodie dans les contes de Mme d'Aulnoy, et plus généralement de la réécriture sous toutes ses formes, témoigne d'une volonté de mettre à distance sa propre culture, d'en jouer pour amuser son auditoire. Au plaisir enfantin de se laisser bercer par le conte, la conteuse substitue ainsi un plaisir d'adultes cultivés, fondé sur le partage de références communes.

Dans La Belle aux Cheveux d'or, *le choix des premiers animaux qui viennent au secours d'Avenant (la carpe et le corbeau), comme dans* La Princesse Printanière *la mort de la nourrice, causée par la chute d'une tortue qu'un aigle tenait en ses serres, sont autant d'hommages rendus comme en passant à l'un des maîtres de la conteuse: Jean de La Fontaine[1]. Entre la manière du fabuliste et celle de la conteuse, les similitudes sont nombreuses, depuis cette analogie constante entre l'homme et l'animal qu'illustrent métamorphoses animales et animaux parlants, à une esthétique de la diversité et un certain art du récit qui «veut de la nouveauté et de la gaieté[2]». La manière du conteur se retrouve aussi dans certaines allusions grivoises, ou passages à double entente, qui relèvent de cet art de l'«équivoque enjouée[3]» également pratiqué par Perrault. Du petit trou auquel la princesse Printanière ne se lasse pas de regarder, à la chanson que Brillante apprend «avec plaisir» aux côtés de son*

lesque et formes parodiques dans la littérature et les arts, *Papers on French Seventeenth Century Literature*, 1987.
   1. Voir les fables «Le Héron. La Fille» (livre VII, fable 4), «Le Corbeau et le Renard» (livre I, fable 2) et «L'Horoscope» (livre VIII, fable 16).
   2. La Fontaine, *Fables*, «Préface».
   3. Nous renvoyons à l'article de J. Chupeau, «Sur l'équivoque enjouée au Grand Siècle. L'exemple du *Petit Chaperon rouge* de Charles Perrault», *XVIIᵉ Siècle*, janvier-février 1986, p. 35-42.

amant, il est pour le lecteur de nombreuses occasions
de céder à la tentation du mauvais esprit, avec l'entière assurance que les contemporains de Mme d'Aulnoy le précédèrent dans cette voie.

Le clin d'œil est parfois plus développé, et s'apparente alors à un véritable pastiche, que l'intrusion du
burlesque fait souvent sombrer dans la parodie : Le
Rameau d'Or en serait un exemple, qui ressuscite
d'abord l'atmosphère médiévale du roman chevaleresque, avec son donjon bien gardé et sa princesse
endormie, avant d'offrir tous les poncifs du roman
pastoral, du décor délicieusement ombragé que rafraî-
chit l'onde transparente d'une rivière, aux costumes
galants des bergers portant houlette, lesquels n'ont
d'autre occupation que la danse, la musique et l'ana-
lyse de leurs sentiments, le conte accueillant même,
à l'exemple de L'Astrée, plusieurs pièces versifiées,
pour finalement, au détour d'une nouvelle métamorphose des héros, tourner à l'imitation de La Fontaine.
Le lecteur se voit ainsi invité à goûter dans le conte
les divers « exercices de style[1] » qui le composent, et
à reconnaître comme autant de topoï les situations
traversées par les personnages. Loin de prétendre à
l'originalité, la conteuse joue des stéréotypes, mêle
ostensiblement les sources d'inspiration et laisse au
lecteur le plaisir de goûter la réécriture. À cet égard, la
chanson qu'Avenant compose à partir de celle de
Galifron dont il reprend les rimes et quelques mots
pour s'en moquer[2] pourrait bien figurer l'art de la
conteuse, qui requiert, pour être perçu, la connaissance d'un avant-texte qui aujourd'hui nous échappe
parfois.

C'est ce jeu dont le degré d'évidence variera selon

---

1. Voir sur ce point l'ouvrage de N. Jasmin, *Naissance du conte féminin, op. cit.*, p. 601-636.
2. Voir *La Belle aux Cheveux d'or*, p. 84-85.

*les lecteurs qui justifie la définition du conte comme
une «bagatelle où l'auditeur a seul droit de mettre le
prix». Car qu'est-ce qu'une bagatelle si ce n'est, comme
le rappelle Furetière, une «petite bague», c'est-à-dire
un petit bijou? Loin de dénigrer les contes, ce terme
auquel recourt souvent Mme d'Aulnoy révèle une
conception étonnamment moderne de la littérature,
dans laquelle le lecteur se voit reconnaître un rôle
essentiel, celui de donner au texte, au travers d'une
lecture active, son juste «prix»; un prix si dépendant
d'une culture et de l'époque qui l'a incarnée, qu'il a
nécessairement varié au cours des siècles. Ainsi s'explique qu'après le succès remporté par la conteuse,
l'oubli puisse la guetter aujourd'hui.*

FÉES, MÉTAMORPHOSES ET AUTRES MERVEILLES

*À tant manier le burlesque et l'ironie, à pratiquer
l'art risqué, parce que daté, de l'allusion, les contes de
Mme d'Aulnoy ont-ils renoncé à susciter l'émerveillement du lecteur? La merveille pourtant s'y déploie
sans mesure: créatures féeriques, animaux fabuleux,
palais enchantés, métamorphoses animales, autant
de* mirabilia *suscitant l'étonnement répété des personnages, comme l'amusement du lecteur. Car la féerie
elle-même est au service d'une imagination ludique,
qui se plaît à inventer des objets délirants comme un
portrait parlant ou un char volant à la vitesse folle de
«quarante lieues à l'heure». Si la conteuse ne fait ici
que devancer de quelques siècles les découvertes tech-
niques de l'âge industriel, le délire est parfois poussé
plus loin encore, comme lorsqu'elle imagine*[1] *ces*

---

1. D'après R. Robert, Mme d'Aulnoy serait en effet à l'origine de ce
motif «des œufs merveilleux confiés au héros par un être secourable et
dont, une fois qu'ils seront brisés, sortiront les objets les plus inatten-
dus» (R. Robert, *Le Conte de fées littéraire..., op. cit.*).

quatre œufs magiques au contenu aussi extraordinaire que farfelu, depuis les crampons d'or qui per-
mettent à la princesse Florine de gravir la montagne
d'ivoire, au «pâté» parlant et chantant dont la mie
Souillon appâte littéralement Truitonne. Le merveilleux participe d'une esthétique de la surprise, où trouvent à s'exprimer à la fois la préciosité de la conteuse
et sa conception enjouée du conte.

«Toutes les fées de mille lieues à la ronde»

À côté d'un nain et de quelques rares enchanteurs,
le personnel féerique de Mme d'Aulnoy se compose
essentiellement de fées : incarnation d'un pouvoir
féminin quasi absolu, les fées de Mme d'Aulnoy ne
cachent pas leur filiation avec les Parques de l'Antiquité ; ce sont des fileuses à qui l'on offre à l'occasion
d'une naissance ciseaux et aiguilles (La Princesse
Printanière), et qui offrent en retour, selon leur
humeur, broderies fines (La Biche au Bois) ou écharpe
en toile d'araignée (La Princesse Printanière), quand
ce n'est pas un «écheveau de fil [...] si mêlé qu'il était
en un tapon sans commencement ni fin[1]». Le fuseau,
ou la quenouille, figure parmi leurs attributs, au même
titre que la fameuse baguette magique. Ainsi cette
«grande vieille femme d'une horrible maigreur» que
rencontre le chevalier Sans-Pair : «ses yeux ressemblaient à deux lampes éteintes, on voyait le jour au
travers de ses joues, ses bras étaient comme des lattes,
ses doigts comme des fuseaux, une peau de chagrin
noir couvrait son squelette ; avec cela elle avait du
rouge, des mouches, des rubans verts et couleur de
rose, un manteau de brocart d'argent, une couronne
de diamants sur la tête et des pierreries partout[2]». Une
description qui éclaire l'idéal féminin de Mme d'Aul-

---

1. *Gracieuse et Percinet*, p. 66.
2. *Le Rameau d'Or*, p. 207.

*noy, où grandeur et maigreur sont également condam-
nées, comme sont fustigés le mauvais goût et la coquetterie du personnage. Certains détails — le costume
noir, l'absence de regard, les doigts en fuseaux — font
à l'évidence de cette vieille fée une allégorie de la
mort, une incarnation de la troisième des Parques,
Atropos, chargée de trancher le fil de l'existence
humaine.*

    *Parmi ces fées, le lecteur s'étonnera peut-être de
l'importance à la fois numérique et symbolique prise
par les méchantes fées, celles-là dont le rôle est de
venir agresser le couple héroïque. Le terme de «fée»
n'a pas à l'époque la valeur positive qu'on lui donne
aujourd'hui, et s'emploie comme un synonyme «honnête de sorcières ou d'enchanteresses [1]». De fait, les
fées de Mme d'Aulnoy doivent aussi beaucoup aux
enchanteresses épiques, telles Circé et Armide, avec
lesquelles elles partagent, outre des pouvoirs malé-
fiques, une passion désordonnée de l'amour. La
cruauté, et parfois la lubricité, caractérisent ainsi
Soussio, Carabosse et autre Fée du Désert. Un bestiaire, souvent effrayant (serpents, griffons et dragons),
parfois cocasse (dindon ou singe), les accompagne,
qui offre une sorte de surenchère symbolique à la description du personnage. Et si sont parfois évoquées, le
temps d'une magnifique description, les demeures des
fées, le lieu où se célèbre leur épiphanie est toujours
aérien. Volant dans un char que tirent des animaux
plus ou moins fabuleux, la fée — et sans doute est-ce
là la manifestation la plus évidente de sa toute-puissance, qu'elle hérite des divinités antiques — échappe
aux lois très humaines de la gravitation: «chacune
avait son chariot de différente manière: l'un était
d'ébène tiré par des pigeons blancs, l'autre d'ivoire
que de petits corbeaux traînaient, d'autres encore de*

---

1. Furetière, article «fée».

cèdre et de calambour. C'était là leur équipage d'al-
liance et de paix, car lorsqu'elles étaient fâchées, ce
n'étaient que des dragons volants, que couleuvres qui
jetaient le feu par la gueule et par les yeux, que lions,
que léopards, que panthères [1]*... ». Est-ce à dire que*
« bonheur et malheur descendent également du ciel [2] *»,*
selon un partage dont décide seule l'humeur imprévi-
sible des fées ? Car s'il est un trait de caractère que
partagent toutes les fées des contes, c'est bien l'humeur
capricieuse : susceptibles au dernier degré — une plai-
santerie d'enfant suffit à faire de Carabosse l'ennemie
irréconciliable du roi —, versatiles sans état d'âme
— la fée qui secondait Grognon s'en va au dénoue-
ment étrangler sa complice sans raison apparente —,
les fées, bonnes ou méchantes, incarnent un pouvoir
arbitraire, aux décisions irraisonnées, dont la faveur
— ou défaveur — semble aussi changeante que l'est,
dans L'Oiseau Bleu, *l'amitié entre Soussio et l'En-*
chanteur : « ils se connaiss[ai]ent depuis cinq ou six
cents ans, et dans cet espace de temps ils avaient été
mille fois bien et mal ensemble [3] *».*

Quoi qu'il en soit, ce merveilleux, avec ses appari-
tions de fées volantes, entretient d'évidentes relations
avec le théâtre à machines, et plus particulièrement
avec les opéras de Lully et de Quinault qui triomphent
dans la seconde moitié du siècle [4]*. Si cette connivence*
entre la féerie et l'opéra est suggérée dès Gracieuse *et*
Percinet *— l'héroïne assistant dans le Palais de Fée-*

1. *La Biche au Bois*, p. 243.
2. *Dictionnaire des symboles*, article « char », p. 210.
3. *L'Oiseau Bleu*, p. 119.
4. Vingt ans plus tôt, Mme de Sévigné révélait déjà les affinités existant entre ces deux genres à succès, lorsque, résumant à sa fille un conte
qu'on lui avait fait, elle achevait son récit sur une citation de l'*Atys* de
Quinault : « Ils arrivèrent dans une boule de cristal, alors qu'on y pensait
le moins. Ce fut un spectacle admirable. Chacun regardait en l'air, et
chantait sans doute : *"Allons, allons, accourons tous, Cybèle va des-*
cendre" » (lettre du 6 août 1677). Sur « les contes de fées et l'opéra », voir
R. Robert, *Le Conte de fées littéraire..., op. cit.*, p. 366 *sq.*

rie à la représentation des «Amours de Psyché et de
Cupidon, mêlés de danses et de petites chansons[1]» —,
l'influence n'est nulle part aussi manifeste que dans
Le Nain Jaune, *au nombre d'événements qui se dérou-*
lent dans les airs, à l'instar de ce que permettaient, au
théâtre, les machines dissimulées dans les cintres.
Nouvelle source à laquelle puisent les contes, nouvel
exemple du jeu culturel dont ils sont l'occasion,
l'opéra n'échappe d'ailleurs pas davantage que le
roman chevaleresque ou la pastorale à la réécriture
parodique: en témoigne l'affrontement des deux fées à
grands coups de lance dorée et de pique rouillée, à la
fin de La Princesse Printanière.

Métamorphoses en tout genre

S'il ne peut s'agir d'étudier ici toutes les formes
prises par l'intervention des fées dans le cours de l'exis-
tence héroïque, il en est une toutefois que sa seule
récurrence dans l'œuvre de Mme d'Aulnoy signale à
l'attention du lecteur. Non contentes de sans cesse se
transformer elles-mêmes — et c'est là un nouvel
exemple de l'inquiétante instabilité qui les caracté-
rise —, les fées font encore fréquemment subir aux
mortels les caprices d'une imagination toute-puis-
sante, en les métamorphosant.

De ces diverses métamorphoses qu'ordonnent les
fées, certaines ont la valeur d'un châtiment, d'autres
récompensent au contraire un comportement vertueux,
d'autres encore paraissent parfaitement inutiles dans
l'économie du conte. Tel est le cas de la métamor-
phose en écrevisse de la fée de La Biche au Bois.
Pourtant le lecteur, qu'aura évidemment surpris un
temps cette apparence pour le moins incongrue, enten-
dra bientôt de la bouche même de la fée la raison de

1. *Gracieuse et Percinet,* p. 62.

*ce choix, qui n'est autre que d'annoncer l'ingratitude
à venir de la reine: «il est certain que j'en avais un
pressentiment, et c'est ce qui m'obligea de prendre la
figure d'une écrevisse, lorsque je vous parlai pour la
première fois, voulant marquer par là, que notre amitié au lieu d'avancer reculerait*[1]*». La métamorphose
répond à une logique symbolique que Mme d'Aulnoy
aime à faire valoir, la présentant souvent à son lecteur comme une sorte de devinette dont elle tarde à
délivrer l'explication. Ainsi, l'enchanteur du* Rameau
d'Or *se justifie si longuement avant de procéder à
la métamorphose de Brillante, qu'il faut sans doute
reconnaître dans son discours l'énoncé d'une énigme,
genre précieux encore à la mode*[2]*: «puisque tu ne
veux pas aimer, tu dois être d'une espèce particulière:
tu ne seras donc à l'avenir ni chair ni poisson, tu
n'auras ni sang ni os, tu seras verte parce que tu es
encore dans ta verte jeunesse, tu seras légère et fringante, tu vivras dans les prairies comme tu vivais».
Et, pour le lecteur qui n'aurait pas compris, vient la
clé: «on t'appellera Sauterelle*[3]*». Une logique ingé-
nieuse, clairement revendiquée par l'auteur, préside
donc au choix de la métamorphose. À tel point que,
dans les rares cas où cette logique de la métamorphose n'est pas explicitée, le lecteur se prend au jeu et
tente de la retrouver dans les secrets du texte*[4]*.

1. *La Biche au Bois*, p. 244.
2. Le succès de ces genres précieux que sont la métamorphose
et l'énigme perdura en réalité tout au long du siècle. Sur cette
parenté entre le conte de fées et l'énigme, voir l'article de T. Geerhaert sur
la *Cendrillon* de Perrault («Une allégorie de la civilité. *Cendrillon* ou l'art
de plaire à la Cour», *XVII*[e] *Siècle*, juillet-septembre 2000, p. 488).
3. *Le Rameau d'Or*, p. 204. «Puisque ton cœur est rempli de tant de
flammes, tu seras un grillon, ami de la chaleur et du feu», annonce de
même la méchante fée au prince Sans-Pair (p. 208).
4. Faut-il ainsi expliquer la transformation de Charmant en Oiseau
Bleu par l'invective de Truitonne qui, de fait, la précède de peu: «je
vous trouve un plaisant *roitelet* avec votre équipage marécageux, de
venir jusqu'en mon pays me dire des injures» (*L'Oiseau Bleu*, p. 101.
C'est nous qui soulignons)?

Parfois le mystère demeure, et ce que le conte perd alors en ingéniosité, il le gagne en poésie. Tel est le cas de La Biche au Bois, où la métamorphose de l'héroïne n'est nulle part justifiée : après la peine de l'enfermement dans la tour, c'est pour la princesse une nouvelle épreuve, qui ajoute à la souffrance de l'exclusion celle d'une régression symbolisée par le monde sauvage de la forêt et l'impossibilité nouvelle de communiquer. Pour dire cette épreuve, Mme d'Aulnoy choisit un symbole essentiellement féminin, la biche, qui, selon la psychanalyse, évoque, dans les rêves d'une femme, « sa propre féminité, encore mal différenciée (parfois mal acceptée), à l'état encore primitif et instinctif, qui ne s'est pas pleinement révélée [1] ». Que la métamorphose en biche soit en effet pour la princesse le lieu d'une révélation, le conte le dit assez : non seulement elle ne se lasse pas d'admirer la lumière du jour, mais la métaphore de la chasse parcourt le texte, qui dit, en même temps qu'une découverte réciproque de l'amour, une libération des corps : « il prit la biche entre ses bras, il appuya sa tête sur son cou et vint la coucher doucement sur ses ramées ». La conteuse s'est-elle souvenue d'un lai de Marie de France, Guigemar, dans lequel le même animal merveilleux, une biche blanche, se voit aussi poursuivi par le plus adroit des chasseurs ? Le symbolisme latent de la métamorphose, le langage des corps, l'intertextualité sous-jacente, font de ce conte le plus poétique du recueil.

Mais d'une poésie qui coexiste sans heurt avec l'humour que la métamorphose est toujours pour la conteuse l'occasion d'instiller dans son récit. Telles la biche blanche s'écriant avec angoisse « comment pourrai-je manger de l'herbe ? » ou la princesse Brillante nouvellement sauterelle s'affligeant d'avoir à

---

1. *Dictionnaire des symboles*, article « biche ».

*chanter « jour et nuit », les personnages expriment avec
cocasserie les contraintes qu'impose à leur être premier la forme nouvelle qui est la leur. Qu'on songe
encore aux mésaventures subies par Charmant devenu
Oiseau Bleu, lequel est successivement victime de la
chute de sa cage, des assauts d'un chat et d'une crise
de pépie : elles fonctionnent comme une sorte de
parenthèse humoristique dont la gratuité au sein du
conte révèle l'intention ludique de l'auteur.*

« Il n'a jamais été rien de plus magnifique »

*L'univers des contes de Mme d'Aulnoy se caractérise
par sa merveilleuse magnificence : somptuosité des
palais, tout de marbre et d'or, quand ce n'est pas de
diamant, raffinement inégalable des costumes, qu'accompagne une débauche de pierres précieuses. Une
thématique — celle de l'éclat, de la brillance — et une
rhétorique — celle de l'emphase — informent les descriptions : « ses yeux furent frappés par l'éclat sans
pareil d'un palais tout de diamants : les murs et les
toits, les plafonds, les planchers, les degrés, les balcons, jusqu'aux terrasses, tout était de diamants[1] ».
Répétition et énumération sont parmi les procédés les
plus fréquents pour dire l'émerveillement du personnage devant le chef-d'œuvre imaginé par la conteuse.
Ailleurs, la surenchère procède par additions succes-
sives : « Enfin il trouva une petite clef faite d'une seule
émeraude, avec laquelle il ouvrit un guichet d'or qui
était dans le fond ; il fut ébloui d'une brillante escarboucle qui formait une grande boîte[2]. » Phrase à tiroirs,
qui mime les étonnements successifs du prince, et où
l'or succède à l'émeraude, et la mythique escarboucle
à ces deux matières par trop réelles. Car, si le merveilleux quantitatif est souvent premier, la conteuse*

1. *La Biche au Bois,* p. 240-241.
2. *Le Rameau d'Or,* p. 181-182.

*aime à clore ses descriptions sur l'évocation d'un
ornement irréel qui surgit, telle la pointe: de Toute-
Belle, au jour de ses noces, on lit que «ce n'était que
diamants jusqu'à ses souliers, ils en étaient faits; sa
robe de brocart d'argent était chamarrée d'une douzaine de rayons du soleil que l'on avait achetés bien
cher*[1]». Quant au jardin des fées, il réserve à la reine,
mère de Désirée, des surprises de plus en plus merveilleuses: «il n'a jamais été de si beaux fruits. Les
abricots étaient plus gros que la tête, et l'on ne pouvait manger une cerise sans la couper en quatre, d'un
goût si exquis qu'après que la reine en eut mangé, elle
ne voulut de sa vie en manger d'autres. Il y avait un
verger tout d'arbres confits, qui ne laissaient pas
d'avoir vie, et de croître comme les autres*[2]». Après la
double exagération concernant la taille des fruits et
leur goût, la description s'achève sur l'impossible
devenu réalité: un verger de fruits confits.*

*On a pu rapprocher l'univers merveilleux décrit par
Mme d'Aulnoy de ces fêtes grandioses dont Versailles
avait été le théâtre au début du règne*[3]*: les palais
enchantés, les somptueux costumes rebrodés de pierres
précieuses, les apparitions surprenantes de créatures
imaginaires y étaient effectivement mis en scène, agré-
mentés de nombre d'effets spéciaux, dans l'intention
avouée de créer de la féerie aux yeux de spectateurs
éblouis. Que le merveilleux des contes reflète à son
tour le faste de Versailles et des festivités sans précédent voulues par Louis XIV est avéré par* La Biche au
Bois *dont les fées, nous dit-on, «avaient pris pour
bâtir [leur palais] l'architecte du Soleil. Il avait fait*

1. *Le Nain Jaune*, p. 223.
2. *La Biche au Bois*, p. 241-242.
3. Sur ce rapport entre le merveilleux des contes et la féerie ver-
saillaise, voir R. Robert, *Le Conte de fées littéraire…, op. cit.*, p. 370;
J. Mainil, *Mme d'Aulnoy et le rire des fées, op. cit.*, p. 46 *sq.*; et N. Jasmin,
Naissance du conte féminin, op. cit., p. 261 *sq.*

en petit ce que celui du Soleil est en grand[1]». Transparente allusion au château de Versailles, que la féerie ne pourrait ainsi qu'imiter sans même prétendre
l'égaler. Et lorsque Gracieuse assiste à la soudaine
transformation de la forêt hostile où elle a été abandonnée en un jardin illuminé, ne la croit-on pas arrivée à l'une des ces somptueuses fêtes décrites par
Félibien? Elle «vit tout d'un coup la plus belle et la
plus surprenante chose du monde: c'était une illumi-
nation si magnifique, qu'il n'y avait pas un arbre
dans la forêt où il n'y eût plusieurs lustres remplis de
bougies; et dans le fond d'une allée elle aperçut
un palais tout de cristal qui brillait autant que le
soleil[2]». Si la comparaison finale est trop usée pour
qu'on puisse y voir une allusion certaine au Roi-
Soleil, l'extrait illustre à merveille cette tentative
«pour effacer les frontières entre nature et artifice[3]»
que poursuivent semblablement les contes de fées et
les fêtes des princes.

Dans cet univers tout de splendeurs, on remarquera
l'intérêt porté au minuscule. Par trois fois, il est question dans un conte d'un objet qu'une fée a concocté
avant de le confier à un mortel: une boîte interdite
qu'on ouvre par curiosité — en une évidente réécriture
des mythes antiques —, un œuf que l'on casse en
désespoir de cause, un livre que l'on feuillette pour
passer le temps, trois contenants différents qui abri-
tent une même merveille, un univers en miniature:
«elle l'ouvrit: et aussitôt il en sort tant de petits
hommes et de petites femmes, de violons, d'instruments, de petites tables, petits cuisiniers, petits plats;
enfin le géant de la troupe était haut comme le doigt.
Ils sautent dans le pré, ils se séparent en plusieurs

1. *La Biche au Bois*, p. 241.
2. *Gracieuse et Percinet*, p. 60.
3. R. Robert, *Le Conte de fées littéraire...*, op. cit., p. 378.

bandes, et commencent le plus joli bal que l'on ait jamais vu[1]*». Si cette petitesse suffit à faire de la réalité décrite une merveilleuse «curiosité», il est à remarquer qu'elle donne surtout lieu à des effets de contraste très appuyés : au lieu de l'inanimé attendu dans une boîte, la vie, et une vie si remuante même qu'elle échappe à tout contrôle ; au lieu d'un objet de taille modeste, une présence qui se dilate jusqu'à en devenir menaçante. Cette pulvérisation des clivages est sans doute le principe même du merveilleux ; mais ne caractérise-t-elle pas aussi le travail de la lecture, au cours de laquelle l'imagination opère de même par animation et dilatation ? Que l'un des contenants soit un livre, l'autre une boîte, symbole lié à l'imagination «qui prête à l'inconnu, recelé dans la boîte, toutes les richesses de nos désirs*[2]*», que le dernier enfin, avec son carrosse, ses six souris et ses rats, fasse surgir en nous le souvenir de* Cendrillon, *laisse à penser qu'il pourrait être question ici du livre et de la lecture : l'émerveillement mêlé d'inquiétude du personnage devant cet univers en réduction qui s'anime sous ses yeux ne figurerait-il pas l'attitude du lecteur lorsque prend vie le monde renfermé dans l'ouvrage dont il s'est saisi, comme le héros des contes, par curiosité, désespoir ou ennui*[3] *?*

1. *Gracieuse et Percinet*, p. 70. Voir aussi *L'Oiseau Bleu* : «aussitôt il en sortit un petit carrosse d'acier poli, garni d'or de rapport ; il était attelé de six souris vertes, conduites par un raton couleur de rose, et le postillon, qui était aussi de famille ratonienne, était gris-de-lin» (p. 127) ; et *Le Rameau d'Or* : «dans un des feuillets où l'on représentait des musiciens : ils se mirent à chanter et dans un autre feuillet, où il y avait des joueurs de bassette et de tric-trac, les cartes et les dés allaient et venaient [...] ; il tourna encore le feuillet, il sentit l'odeur d'un excellent repas. C'était les petites figures qui mangeaient : la plus grande n'avait pas un quartier de haut» (p. 180).
2. *Dictionnaire des symboles*, article «boîte».
3. Sur «la joyeuse multiplication de l'animé miniaturisé [qui compense], à sa manière, l'expansion obsessionnelle de la monstruosité», voir aussi N. Jasmin, *Naissance du conte féminin, op. cit.*, p. 171.

CONTES DE FÉES, CONTES DE FEMMES

Mme d'Aulnoy est la première à utiliser comme titre d'un recueil l'expression «Contes des fées» dont il est difficile aujourd'hui de percevoir l'originalité tant elle s'est depuis banalisée sous sa forme plus connue de «contes de fées[1]». Un tel titre présente pourtant la singularité d'attirer l'attention sur ce personnage féminin, effectivement omniprésent dans les contes de Mme d'Aulnoy, qu'est la fée, dont la présence semble de ce fait entrer dans les traits définitoires du genre, ou sous-genre, ici pratiqué. Œuvre d'une femme — Mme D...[2] —, dédiée à une autre femme — Madame[3] —, les contes seraient d'abord des histoires racontant des aventures de femmes — les fées. En outre, à en croire les contes eux-mêmes, leur public est d'abord féminin. De Giroflée qui, pour divertir la princesse Désirée, se propose de lui lire «les contes nouveaux que l'on a faits sur les fées[4]», à l'enchanteur du Rameau d'Or *qui tente de convaincre Brillante de l'épouser — «Je te nourrirai à merveille; je te ferai des contes; je te donnerai les plus beaux habits du monde[5]» —, la destinataire des contes est d'abord une femme. Et force est de reconnaître qu'en effet les contes trahissent, à maints choix narratifs, des préoccupations féminines. La glorification du sexe féminin, comme le discours qui y est tenu sur le*

1. C'est Mme de Murat qui, la première, l'utilisera l'année suivante comme titre de son recueil.
2. C'est sous ce nom lacunaire que Mme d'Aulnoy choisit de publier ses contes : si elle manifeste ainsi sa volonté de conserver l'anonymat, conformément à la pratique aristocratique alors en vigueur, elle n'entend pas pour autant dissimuler son appartenance au sexe féminin.
3. Élisabeth-Charlotte de Bavière (1652-1722), seconde épouse de Philippe d'Orléans, duc d'Orléans, frère du roi, qu'on appelait «Madame» (voir n. 1, p. 355).
4. *La Biche au Bois*, p. 269.
5. *Le Rameau d'Or*, p. 204.

*mariage, manifeste le point de vue d'une femme libre
qui n'entendait pas se contenter de la place ordinairement dévolue aux femmes, que ce soit par les canons
littéraires en vigueur ou par les usages du temps* [1].

D'Atalante en amazone :
des princesses de caractère

*On assiste en effet au fil des contes à la glorifica-
tion des figures féminines dont le corollaire est l'abais-
sement, voire l'effacement des figures masculines : à
côté du tyrannique roi Brun du* Rameau d'Or, *que de
rois faibles, marqués par une impuissance qui affecte
aussi bien la gestion des affaires publiques que la
sphère privée : du père de Gracieuse qui se laisse acheter et cède sa fille à l'épouvantable Grognon — attitude reproduite par le roi, père de Florine, dans*
L'Oiseau Bleu — *au ridicule père de la princesse
Printanière, en passant par le roi de* La Belle aux
Cheveux d'or, *«enfant jaloux et versatile* [2]*», il n'est
pas un conte qui n'offre un exemple de semblable
défection masculine. Dans* Belle Belle, *le roi est à la
fois, dès l'ouverture du conte, vaincu par l'empereur
Matapa, son voisin, et manipulé par sa sœur, la reine
douairière ; et cette figure de l'échec est comme redou-
blée, au second plan du récit, par le père de Belle
Belle lui-même, vieillard dépossédé, et de ce fait doublement réduit à l'impuissance, en raison de son âge
et de sa pauvreté. Cette démission des personnages*

1. Le féminisme des contes de Mme d'Aulnoy a fait l'objet de nombreuses études dont nous reprenons ici les conclusions : outre la thèse
de N. Jasmin (*Naissance du conte féminin, op. cit.,* p. 350 *sq.*), on se
reportera, entre autres, aux articles de F. Assaf («L'impossible souveraineté. Le roi-prétexte dans les contes de Mme d'Aulnoy»), de R. Robert
(«Animaux fabuleux et jeux érotiques. Les fantasmes zoologiques dans
les contes de fées des XVIIe et XVIIIe siècles»), de M.-A. Thirard («Le féminisme dans les contes de Mme d'Aulnoy») et de M. Welch («La femme,
le mariage et l'amour») cités dans la bibliographie.
2. N. Jasmin, *Naissance du conte féminin, op. cit.,* p. 35.

masculins, dont aucun ne semble approcher de la perfection traditionnellement requise d'un héros de conte, favorise la valorisation d'héroïnes qui, étrangement, viennent occuper le terrain que leur cèdent les hommes, en cumulant qualités féminines et prérogatives masculines : si là encore le conte de **Belle Belle** constitue à l'évidence l'exemple le plus frappant puisque l'héroïne, tout en se distinguant par sa grâce et sa beauté, parvient, en véritable amazone, à jouer le rôle d'un homme sans que personne réussisse à percer son secret, si Florine, dans **L'Oiseau Bleu**, arrive à reconquérir, non sans peine, son amant au moment où il se résigne lâchement à en épouser une autre, se droguant même à l'opium pour oublier son malheur, il est un personnage qui concentre, de manière peut-être plus symbolique qu'explicite, tous ces avantages : c'est la Belle aux Cheveux d'or. Jouissant d'une liberté exceptionnelle, dotée de toutes les qualités attendues d'une princesse de conte de fées, elle est l'un des rares personnages féminins à pouvoir décider de son mariage. Elle commande donc aux hommes, par les refus qu'elle oppose aux diverses demandes qui lui sont faites, comme par les missions qu'elle impose au malheureux Avenant. Enfin, à l'heure où il lui faut tenir sa parole et se rendre, elle s'offre à Avenant — «si vous aviez voulu, je vous aurais fait roi» —, qui la refuse par soumission à son roi. Mais la fin du conte permettra à l'héroïne de réaliser son souhait sans que la parole soit même donnée à son amant : «je vous fais roi, et vous prends pour mon époux[1]». Personnage indépendant et volontaire, dont l'intériorité échappe, elle incarne par excellence un pouvoir féminin d'autant plus efficace que celui des hommes qui l'entourent est défaillant.

En même temps qu'ils révisent le traditionnel par-

1. *La Belle aux Cheveux d'or*, p. 90.

*tage des rôles entre l'homme et la femme au profit de la
seule héroïne, les contes de Mme d'Aulnoy concentrent
l'intrigue sur un événement qui non seulement constitue, ici comme ailleurs, le dénouement attendu de
l'histoire, mais qui est cette fois promu au rang d'objet
de la quête héroïque, à savoir le mariage. C'est adopter
une perspective évidemment féminine, à une époque où
l'avenir de la femme se résume dans bien des cas au
mariage que ses parents lui feront contracter. Au fil
des contes s'élabore ainsi un discours sur le mariage
qu'on qualifierait volontiers aujourd'hui de féministe,
jadis de précieux, un discours en tout cas critique dont
la virulence revêt des accents très personnels.*

« Un funeste esclavage [1] »

   *Étant donné la promotion héroïque que connaît le
sexe faible dans les contes, on ne sera pas surpris
de voir Mme d'Aulnoy prendre position, après tant
d'autres, contre le mariage forcé. L'indignation de
Toute-Belle apprenant que sa mère l'a promise en
secret résonne ainsi comme un véritable manifeste:
«Ah! sans doute vous vous trompez [...], et j'y ai trop
d'intérêt, pour qu'elle m'engage sans mon consentement[2].» Mais la conteuse dénonce encore des formes
de contrainte plus subtiles que celle exercée par une
autorité tyrannique. Deux contes qui, dès le premier
recueil de Mme d'Aulnoy, se présentaient à la suite
l'un de l'autre, racontent à peu près la même histoire.
La similitude des titres invitait d'ailleurs manifestement au rapprochement: il s'agit de* La Princesse
Rosette *et de* La Princesse Printanière. *Dans les deux
cas, l'héroïne, enfermée dans une tour depuis sa naissance en raison de la prophétie sinistre d'une fée,
s'éprend du premier être qu'elle voit lorsque lui est*

---

   1. Voir la moralité de *L'Oiseau Bleu*, p. 131.
   2. *Le Nain Jaune*, p. 220.

*enfin donné d'apercevoir la lumière du jour. La force
du désir éprouvé pour l'inconnu étant à l'évidence
proportionnelle à la contrainte exercée jusqu'alors
sur la jeune fille, et que symbolise la tour. Or les deux
contes révèlent ce qu'a de dangereux une telle exacer-
bation du désir par l'ennui, puisque l'une tombe on
ne peut plus mal et s'éprend d'un godelureau, l'autre
d'un paon, ou plutôt,* via *le paon aperçu, du roi des
paons : amour* a priori *absurde, même dans la logique
merveilleuse du conte : « Si le Roi des Paons est un
paon lui-même, comment notre sœur prétend-elle
l'épouser ? Il faudrait être fous pour y consentir* [1]. » *Or
la folie qu'entend dénoncer Mme d'Aulnoy n'est pas
celle-ci, puisque le mariage aura bien lieu, mais celle
qui l'a précédée, celle des parents incarcérant leur
fille jusqu'à ses quinze ou vingt ans, qui marquent
l'année du mariage. Faut-il rappeler que Mme d'Aulnoy a été elle-même mariée à quinze ans à un homme
de trente ans plus âgé qu'elle ? Mariage malheureux
s'il en fut, dont le douloureux souvenir se dissimule
sans doute derrière le mariage de ses héroïnes.*

*Il n'y a pas jusqu'au parti pris d'infantilisation
souvent évoqué à propos de l'œuvre de Mme d'Aulnoy
qui ne reçoive, au sein de ce discours tenu sur le
mariage, une possible explication. Car les deux contes
précédemment évoqués sont précisément ceux où le
choix de la puérilité est poussé le plus loin. Ainsi
Rosette, malgré ses quinze ans, fait figure de petite
fille qu'on guide en lui donnant du bonbon — « Le
prince avait tout plein ses poches de dragées qu'il
donna à Rosette : "Allons, lui dit-il, sortons de cette
vilaine tour [...]* [2]*" » — qu'on exhibe et récompense*

---

1. *La Princesse Rosette*, p. 163-164. Rappelons que le paon est l'attribut de Junon, déesse du mariage. À travers le coup de foudre de la princesse pour l'animal, s'exprimerait surtout un désir de l'amour et du
mariage né des années de captivité qui ont précédé.
2. *Ibid.*, p. 161.

*pour ses bonnes manières — «on la régalait partout,
et elle était si bien apprise, si civile, baisant la main,
faisant la révérence quand on lui donnait quelque
belle chose, qu'il n'y avait ni monsieur ni madame
qui ne s'en retournassent contents [1]» — et que guette
même encore l'incontinence nocturne : «Rosette sentant de l'eau, elle eut peur d'avoir fait pipi au dodo, et
d'être grondée [2]». Simple jeu, à verser aux procédés
d'enjouement du récit ? Pas seulement. En révélant
dans ses héroïnes des adolescentes encore proches de
l'enfance, Mme d'Aulnoy n'entendait-elle pas attirer
l'attention sur une réalité du temps — du moins dans
les milieux aristocratiques —, celle des mariages précoces, dont l'actualité allait offrir un royal exemple
avec le mariage en cette même année 1697 du duc
de Bourgogne avec Adélaïde de Savoie, alors âgée de
douze ans et dont le charme enfantin avait immédiatement séduit la cour de France, à commencer par le
roi lui-même [3] ?*

*Que Mme d'Aulnoy ait poursuivi au travers des
contes le dessein d'interroger ses contemporains sur
cette réalité, pour nous choquante, mais combien
banale à l'époque, des mariages forcés ou précoces, ne
fait pas de doute. Une réalité que n'entendait d'ailleurs pas édulcorer le détour par l'humour ou le mode
symbolique : derrière la monstruosité du Nain Jaune,
dont les grandes oreilles, par leur évidente signification phallique, rappellent celles du loup de Perrault,
affleure une représentation tout aussi monstrueuse de*

1. *Ibid.*, p. 162.
2. *Ibid.*, p. 167.
3. Que la figure de la duchesse de Bourgogne ait suscité l'intérêt de
la conteuse est confirmé par le conte de *La Biche au Bois*, qui non seulement fait directement allusion à la princesse — laquelle est ainsi la
seule personnalité féminine à être mentionnée au sein d'un conte —,
mais dont l'histoire tout entière pourrait se lire comme une sorte de
variation sur la destinée de la princesse de Savoie, dont le mariage ne
sera consommé que deux ans après sa célébration (pour un avis diffé-
rent, voir R. Robert, *Le Conte de fées littéraire..., op. cit.*, p. 438).

la sexualité. *Et la demande en mariage qu'il adresse à la mère de la princesse résonne comme la pire des menaces :* « *enfin elle m'aura jour et nuit auprès d'elle, beau, dispos et gaillard comme vous me voyez* ». *La reine,* « *ne pouvant soutenir une idée si terrible[1]* », *s'évanouit.*

Face aux diverses pratiques évoquées dans les contes, l'auteur manifestement entend ouvrir d'autres voies. Parmi celles-ci, comment ne pas prêter l'oreille aux déclarations de telle ou telle héroïne vantant les charmes du célibat ? À sa mère qui la presse de se résoudre au mariage, la princesse Toute-Belle rétorque : « *je suis si heureuse* […] *; permettez, Madame, que je demeure dans une tranquille indifférence[2]* ». Quant à la princesse Trognon, elle préfère assumer seule sa laideur et ne s'en cache pas : « *Mais je chérirai mes disgrâces, si je les souffre toute seule[3].* » Que ni l'une ni l'autre ne persévère dans cette voie n'importe pas ici : s'est fait entendre, le temps d'un court dialogue auquel le style direct donne tout son relief, une déclaration de principe qui n'est pas sans rappeler certaine prétention des précieuses. À l'inverse, on ne restera pas insensible aux scènes de séduction amoureuse dont sont l'occasion certaines métamorphoses animales subies par les héros. Que ce soit dans L'Oiseau Bleu ou dans La Biche au Bois, la métamorphose animale favorise entre les amants une découverte progressive de l'autre dont la conteuse célèbre les plaisirs : « *Deux années s'écoulèrent ainsi sans que Florine se plaignît une seule fois de sa captivité. Et comment s'en serait-elle plainte ? Elle avait la satisfaction de parler toute la nuit à ce qu'elle aimait ; il ne s'est*

---

1. *Le Nain Jaune*, p. 218. Sur ce thème du « fiancé monstrueux », voir M.-A. Thirard, « Le féminisme dans les contes de Mme d'Aulnoy », *XVIIe Siècle*, 2000, p. 501-514.
2. *Le Nain Jaune*, p. 215.
3. *Le Rameau d'Or*, p. 178.

jamais tant dit de jolies choses [1]. » *Paradoxalement, la métamorphose animale qu'impose au héros le mauvais sort jeté par une fée s'avère un bienfait : elle libère les amants — comme la conteuse — du respect des convenances, et se prête à dire une initiation à l'amour où affleure un érotisme discret* [2]. *Au travers de ces quelques scènes d'amour, comme des déclarations de plusieurs héroïnes contre le mariage, se devine la voix d'une femme blessée, qui ne saurait se satisfaire dans ce domaine des usages de son temps.*

Lieu d'expression d'un certain féminisme avant la lettre, les contes de Mme d'Aulnoy témoignent d'une volonté d'émancipation, dont les revendications gagnent jusqu'au champ littéraire. Car la formulation « *contes des fées* » *qu'elle est la première à employer dissimule une plaisante ambiguïté, qui révèle un auteur en quête de légitimité.*

L'ouvrage des fées

Si les contes méritent d'être appelés Contes des fées, *c'est aussi parce qu'ils se présentent, non sans insistance, comme l'œuvre d'une femme-fée, celle-là même dont Mme de Murat écrira, quelques années plus tard, qu'elle est* « *une fée moderne plus savante et plus polie que celles de l'Antiquité* [3] ».

Lorsque la fée paraît à l'ouverture du conte, dans une scène si récurrente qu'on a pu la juger « *embléma-*

---

1. *L'Oiseau Bleu*, p. 109.
2. Comme dans cette scène de *La Biche au Bois*, où la biche contemple son amant endormi : « Elle se coucha à quelques pas de lui, et ses yeux ravis de le voir, ne pouvaient s'en détourner un moment : elle soupirait, elle poussait de petits gémissements ; enfin devenant plus hardie, elle s'approcha encore davantage, et elle le touchait lorsqu'il s'éveilla » (p. 270).
3. Mme de Murat, « Anguillette », *Les Nouveaux Contes de fées*, 1699. N. Jasmin remarque judicieusement qu'« aucun conteur n'emploie l'expression emblématique "conte de(s) fées" : hautement symbolique, elle semble réservée aux seules conteuses » (*Naissance du conte féminin*, *op. cit.*, p. 448).

tique[1] » *du genre, c'est tantôt pour douer un nouveau-*
né, tantôt pour prophétiser à son sujet, dans tous les
cas, pour témoigner d'une prescience qui n'a alors pas
d'autre équivalent que celle de l'auteur ; en outre elle
dispose généralement pour ce faire d'objets magiques
— la baguette et le grimoire — qui rappellent étrange-
ment ces attributs de la figure auctoriale que sont la
plume et le livre. C'est dire que cette scène inaugurale,
attendue du lecteur, suggère une assimilation entre le
personnage de la fée et la figure de la conteuse dont La
Biche au Bois *offre peut-être l'illustration la plus*
achevée, à travers la description du présent des fées :

> Après qu'elles eurent [...] baisé la petite princesse,
> elles déployèrent sa layette dont la toile était si fine et
> si bonne qu'on pouvait s'en servir cent ans sans l'user.
> Les fées la filaient à leurs heures de loisir. Pour les
> dentelles, elles surpassaient encore ce que j'ai dit de
> la toile : toute l'histoire du monde y était représentée,
> soit à l'aiguille, ou au fuseau. Après cela, elles mon-
> trèrent les langes et les couvertures qu'elles avaient
> brodés exprès : l'on voyait représentés mille jeux dif-
> férents auxquels les enfants s'amusent. Depuis qu'il y
> a des brodeurs et des brodeuses, il ne s'est rien vu de
> si merveilleux[2].

L'ouvrage des fées est la merveille pour laquelle est
requise l'admiration du lecteur. Une merveille si soi-
gneusement décrite que se devine sans peine sa signi-
fication métaphorique. Dentelles et broderies sont en
effet le support d'une représentation (« l'histoire du
monde », les « jeux » des enfants), et les termes utilisés
— « broder », « représenter » — ne renvoient-ils pas
aussi bien à une activité scripturale[3] ? Comment le

1. R. Robert, « Les fées autour des berceaux », *op. cit.*, p. 53.
2. *La Biche au Bois*, p. 243.
3. « Broder, se dit figurément des embellissements qu'on ajoute à
quelque sujet, à quelque matière, et particulièrement à un conte, quand
on en altère la vérité pour le rendre plus agréable » (Furetière). Pour un

*lecteur ne serait-il pas tenté de rapprocher ces «jeux
auxquels les enfants s'amusent» de ces autres «jeux¹»
que Mme d'Aulnoy destine à Madame et qui, dans sa
bouche, désignent les* Contes des fées*? Ces lignes
revêtent une signification autoréférentielle évidente:
composés aux «heures de loisir» de leur auteur, les
contes peuvent prétendre, selon elle, à un succès
durable («on pouvait s'en servir cent ans sans l'user»).
S'ils narrent bien des histoires enfantines, c'est selon
un goût d'adulte, un goût si «merveilleux» que seule
une fée en est capable. Pour autant, les fées n'ont pas
fait usage de leur baguette magique, mais seulement
de leur quenouille, dont est suggéré le lent travail,
semblable à celui qu'effectue l'auteur, munie de sa
plume. Il n'y a pas jusqu'à la mention, sur un pied
d'égalité, «des brodeurs et brodeuses» qui ne puisse
recevoir ainsi une explication, par allusion à la pratique masculine des contes que venait d'illustrer Perrault, avec les* Histoires ou Contes du temps passé².

---

autre exemple de cette acception, voir la préface du conte *Marmoisan*
(1695) de Mlle Lhéritier: «Je me trouvai [...] dans une compagnie de
personnes d'un mérite distingué, où la conversation tomba sur les
poèmes, les contes, et les nouvelles. [...] Il fallut en dire un à mon tour.
Je contai celui de Marmoisan, avec quelque broderie qui me vint sur-le-
champ dans l'esprit» (Mlle Lhéritier, *Contes*, Paris, Champion, coll.
«Bibliothèque des génies et des fées», 2005, p. 43-44).

   1. Voir l'«Épître à Madame» des *Suites des Contes nouveaux* («Vous
n'offrez que des jeux, et votre unique affaire / N'est que de divertir en
tâchant de lui plaire»). L.C. Siefert a montré que les conteuses de la
fin du xviiᵉ siècle témoignaient, «entre elles, d'une conscience d'entreprise collective» («Création et réception des conteuses. Du xviiᵉ au
xviiiᵉ siècle», dans J. Perrot (dir.), *Tricentenaire Charles Perrault. Les
grands contes du xviiᵉ siècle et leur fortune littéraire*, Paris, In Press, 1998,
p. 194). On en trouverait peut-être un reflet dans cette représentation
d'un travail collectif, dont l'auteur est ici un groupe de six fées. Toutefois
l'allusion à la représentation de scènes historiques peut aussi faire songer aux œuvres (pseudo-) historiques de Mme d'Aulnoy, déjà publiées à
cette date.

   2. Et quand on se souvient qu'au milieu du siècle, Guez de Balzac,
regrettant le nombre de femmes «qui jugent aussi hardiment de nos vers
et de notre prose, que de leurs points de Gênes et de leurs dentelles», se
proposait d'envoyer «filer toutes les femmes qui veulent faire des livres»

À travers le personnage de la fée se devine ainsi une représentation à la fois valorisante et distanciée de l'auteur dont les contes offrent maints autres exemples. Choisir de camper une fée qui, au travers de ses différentes métamorphoses, ne parvient pas à se défaire de ses pattes de griffon s'explique moins par le souci de la conteuse de dévaloriser un personnage hostile au couple héroïque que par son désir de révéler, à l'occasion d'un jeu de mots, sa signification symbolique: «c'était toujours à cela qu'on reconnaissait la fée dans ses différentes métamorphoses: car, à l'égard de ce griffonnage, elle ne pouvait le changer[1]». Le calembour sur le terme de «griffonnage» est d'autant plus explicite que le conte en question — Le Nain Jaune — est précisément une «métamorphose» à la manière ovidienne. Dans Gracieuse et Percinet, la «reine de la féerie» n'a d'autre utilité au sein du conte que de permettre la transcription des événements vécus par l'héroïne sur les murs en «cristal de roche» de son Palais: Gracieuse «y remarqua avec beaucoup d'étonnement que son histoire jusqu'à ce jour y était gravée, et même la promenade qu'elle venait de faire avec le prince dans le traîneau; mais cela était d'un travail si fini, que les Phidias et tout ce que l'ancienne Grèce nous vante, n'en auraient pu approcher[2]». Une mise en abyme d'une transparence toute cristalline: c'est à la «reine de la féerie» qu'il incombait de transformer l'histoire de Gracieuse en œuvre d'art. En précieuse qu'obsède le désir de «se tirer du commun des

---

(lettre de Balzac à Chapelain, datée du 30 septembre 1638), le double sens du passage, à savoir la revendication, via la description de l'ouvrage des fées, d'une réussite littéraire féminine, gagne encore en évidence.

1. *Le Nain Jaune*, p. 227.
2. *Gracieuse et Percinet*, p. 61. *Le Rameau d'Or* offre un autre exemple de mise en abyme, dont le support est cette fois constitué par les vitres de la tour où le prince, puis la princesse sont maintenus prisonniers (p. 179-188).

femmes[1] », Mme d'Aulnoy fait à tout propos valoir sa propre capacité créatrice dont la toute-puissance féerique constitue à ses yeux la plus éloquente des figures[2]. Quant à l'étonnement amusé qu'en éprouve le lecteur, n'est-il pas lui-même voulu par la conteuse, tant elle manie, jusque dans la revendication de sa supériorité, désinvolture et autodérision ?

Sans doute le féminisme des Contes s'est-il finalement avéré un frein à leur succès, en les privant de l'universalité à laquelle atteint l'œuvre de Perrault. En outre, il est évident que l'art de l'allusion et de la parodie qui y est partout pratiqué rend difficile la juste compréhension de l'œuvre par le public d'aujourd'hui, et que l'esthétique précieuse, mais aussi burlesque, que déploie la conteuse désoriente le lecteur qui croyait trouver dans un conte de fées du XVIIᵉ siècle le charme plus sobre d'un Perrault. Mais cette comparaison rend-elle justice à Mme d'Aulnoy ? N'est-ce pas en effet la manière de conter du XVIIIᵉ siècle qu'elle annonce, moins par le contenu volontiers licencieux de certains contes, que développera au demeurant la veine libertine du genre, que par leur intention foncièrement ironique ? L'absence de morale, l'impossibilité souvent avérée d'une lecture univoque, leur vocation enfin à n'être que « jeux », en font une œuvre à peine moins subversive que ne le seront les contes mystificateurs de Diderot.

CONSTANCE CAGNAT-DEBŒUF

1. Nous renvoyons ici à l'article de Ph. Sellier, « "Se tirer du commun des femmes" : la constellation précieuse », dans Ralph Heyndels et Barbara Woshinsky (dir.), *L'Autre au XVIIᵉ siècle*, Tübingen, Narr, 1999, p. 313-329.
2. Voir Anne Defrance, *Les Contes de fées et les nouvelles de Mme d'Aulnoy (1690-1698). L'imaginaire féminin à rebours de la tradition*, Genève, Droz, 1998, p. 110.

Contes de fées

À SON ALTESSE ROYALE
MADAME[1]

Madame,

Voici des reines et des fées, qui après avoir fait le bonheur de ce qu'il y avait de plus charmant et de plus recommandable dans leur temps, viennent chercher à la cour de Votre Altesse Royale ce qu'il y a de plus illustre et de plus aimable dans le nôtre. Elles savent que la France possède une grande princesse, dont toutes les actions doivent servir d'exemple, et qui joint à la noblesse du plus auguste sang, une bonté et une générosité merveilleuse. Elles savent, Madame, que toutes les vertus ont également concouru à former le cœur, l'esprit et la personne de Votre Altesse Royale. Ce sont sans doute de grandes princesses comme vous, Madame, qui ont donné lieu d'imaginer le royaume de Féerie : on s'est persuadé qu'il fallait qu'il y eût des génies particuliers qui eussent pris soin de ces personnes incomparables, en qui tout est merveilleux. Si cela est, comme il n'en faut point douter, vous voyez, Madame, par combien de raisons je me suis vue engagée de dédier ce qu'on raconte des fées à Votre Altesse Royale. Je viens avec elles vous rendre de très humbles actions de grâces, pour la permission que vous m'en avez accordée, et si j'avais à présent quelque chose à désirer, ce ne serait ni le chapeau ni les roses du Prince Lutin, ni la jeunesse de Florine, ni la beauté de Gracieuse[1] ; ce serait, Madame, assez d'esprit pour amuser agréablement Votre Altesse Royale. Cet honneur remplirait mes désirs, satisferait ma vanité et me rendrait plus heureuse que si toutes les fées de l'univers m'avaient fait part de leurs précieux dons. Je suis avec toute la reconnaissance et la respectueuse soumission que je dois,

Madame, de Votre Altesse Royale,

la très humble, très obéissante
et très obligée servante.

GRACIEUSE ET PERCINET

Conte [1]

Il y avait une fois un roi et une reine qui n'avaient qu'une fille : sa beauté, sa douceur et son esprit qui étaient incomparables, la firent nommer Gracieuse. Elle faisait toute la joie de sa mère : il n'y avait point de matin qu'on ne lui apportât une belle robe, tantôt de brocart d'or, de velours ou de satin. Elle était parée à merveille, sans être ni plus fière ni plus glorieuse. Elle passait la matinée avec des personnes savantes, qui lui apprenaient toutes sortes de sciences ; et l'après-dîner, elle travaillait auprès de la reine. Quand il était temps de faire collation, on lui servait des bassins pleins de dragées, et plus de vingt pots de confitures : aussi disait-on partout qu'elle était la plus heureuse princesse de l'univers [2].

Il y avait dans cette même Cour une vieille fille fort riche, appelée la duchesse Grognon, qui était affreuse de tout point : ses cheveux étaient d'un roux couleur de feu [3] ; elle avait le visage épouvantablement gros, et couvert de boutons ; de deux yeux qu'elle avait eus autrefois, il ne lui en restait qu'un chassieux [4] ; sa bouche était si grande qu'on eût dit qu'elle voulait manger tout le monde ; mais comme elle n'avait point de dents, on ne la craignait pas. Elle était bossue devant et derrière, et boiteuse des deux côtés. Ces sortes de monstres portent envie à

toutes les belles personnes : elle haïssait mortelle-
ment Gracieuse, et se retira de la Cour pour n'en
entendre plus dire du bien. Elle fut dans un château
à elle, qui n'était pas éloigné. Quand quelqu'un l'allait voir, et qu'on lui racontait des merveilles de la
princesse, elle s'écriait en colère : «Vous mentez,
vous mentez, elle n'est point aimable ; j'ai plus de
charmes dans mon petit doigt, qu'elle n'en a dans
toute sa personne.»

Cependant la reine tomba malade et mourut : la
princesse Gracieuse pensa mourir aussi de douleur
d'avoir perdu une si bonne mère ; le roi regrettait
beaucoup une si bonne femme. Il demeura près
d'un an enfermé dans son palais ; enfin les médecins
craignant qu'il ne tombât malade, lui ordonnèrent
de se promener et de se divertir : il fut à la chasse ;
et comme la chaleur était grande, en passant par un
gros château qu'il trouva sur son chemin, il y entra
pour se reposer.

Aussitôt la duchesse Grognon, avertie de l'arrivée
du roi (car c'était son château), vint le recevoir, et lui
dit que l'endroit le plus frais de la maison, c'était une
grande cave bien voûtée, fort propre, où elle le priait
de descendre. Le roi y fut avec elle ; et voyant deux
cents tonneaux rangés les uns sur les autres, il lui
demanda si c'était pour elle qu'elle faisait une si
grosse provision. «Oui, Sire, dit-elle, c'est pour moi
seule ; je serai bien aise de vous en faire goûter :
voilà du Canarie, du Saint-Laurent, du Champagne,
de l'Hermitage, du Rivesaltes, du Rossolis, Persicot,
Fenouillet[1] : duquel voulez-vous ? — Franchement,
dit le roi, je tiens que le vin de Champagne vaut mieux
que tous les autres.» Aussitôt Grognon prit un petit
marteau, et frappa : *toc*, *toc*. Il sort du tonneau un mil-
lier de pistoles. «Qu'est-ce que cela signifie ?» dit-elle,
en souriant. Elle cogne l'autre tonneau : *toc*, *toc*. Il en
sort un boisseau de doubles louis d'or[2]. «Je n'entends

rien à cela! », dit-elle encore en souriant plus fort. Elle
passe à un troisième tonneau, et cogne : *toc, toc*. Il en
sort tant de perles et de diamants, que la terre en était
toute couverte. «Ah! s'écria-t-elle, je n'y comprends
rien, Sire; il faut qu'on m'ait volé mon bon vin et
qu'on ait mis à la place des bagatelles. — Bagatelles!
dit le roi, qui était bien étonné; vertuchou[1], madame
Grognon, appelez-vous cela des bagatelles? Il y en a
pour acheter dix royaumes grands comme Paris. —
Eh bien, dit-elle, sachez que tous ces tonneaux sont
pleins d'or et de pierreries : je vous en ferai le maître à
condition que vous m'épouserez. — Ah! répliqua le
roi, qui aimait uniquement l'argent, je ne demande pas
mieux, dès demain si vous voulez. — Mais, dit-elle, il y
a encore une condition, c'est que je veux être maîtresse de votre fille, comme l'était sa mère; qu'elle
dépende entièrement de moi, et que vous m'en laissiez la disposition. — Vous en serez la maîtresse, dit le
roi; touchez là. » Grognon mit la main dans la sienne;
ils sortirent ensemble de la riche cave, dont elle lui
donna la clef.

Aussitôt il revint à son palais : Gracieuse, entendant le roi son père, courut au-devant de lui; elle
l'embrassa, et lui demanda s'il avait fait une bonne
chasse. «J'ai pris, dit-il, une colombe toute en vie.
— Ah, Sire! dit la princesse, donnez-la-moi, je la
nourrirai. — Cela ne se peut, continua-t-il, car pour
m'expliquer plus intelligiblement, il faut vous dire
que j'ai rencontré la duchesse Grognon, et que je l'ai
prise pour ma femme. — Ô Ciel! s'écria Gracieuse
dans son premier mouvement, peut-on l'appeler une
colombe? C'est bien plutôt une chouette. — Taisez-
vous, dit le roi en se fâchant; je prétends que vous
l'aimiez et la respectiez autant que si elle était votre
mère : allez promptement vous parer, car je veux
retourner dès aujourd'hui au-devant d'elle. »

La princesse était fort obéissante; elle entra dans

sa chambre afin de s'habiller. Sa nourrice connut
bien sa douleur à ses yeux : « Qu'avez-vous, ma chère
petite ? lui dit-elle. Vous pleurez. — Hélas, ma pauvre
nourrice, répliqua Gracieuse, qui ne pleurerait ? Le
roi me va donner une marâtre ; et pour comble de
disgrâce, c'est ma plus cruelle ennemie ; c'est en un
mot l'affreuse Grognon. Quel moyen de la voir dans
ces beaux lits[1] que la reine ma bonne mère avait si
délicatement brodés de ses mains ? Quel moyen de
caresser une magote[2] qui voudrait m'avoir donné la
mort ? — Ma chère enfant, répliqua la nourrice, il
faut que votre esprit vous élève autant que votre
naissance ; les princesses comme vous doivent de
plus grands exemples que les autres : et quel plus
bel exemple y a-t-il que d'obéir à votre père, et de se
faire violence pour lui plaire ? Promettez-moi donc
que vous ne témoignerez point à Grognon la peine
que vous avez. » La princesse ne pouvait s'y résoudre :
mais la sage nourrice lui dit tant de raisons, qu'enfin elle s'engagea de faire bon visage, et d'en bien
user avec sa belle-mère.

Elle s'habilla aussitôt d'une robe verte[3] à fond
d'or ; elle laissa tomber ses blonds cheveux sur ses
épaules, flottant au gré du vent, comme c'était la
mode en ce temps-là ; et elle mit sur sa tête une
légère couronne de roses et de jasmins, dont toutes
les feuilles étaient d'émeraudes. En cet état Vénus,
mère des Amours, aurait été moins belle ; cependant
la tristesse qu'elle ne pouvait surmonter paraissait
sur son visage.

Mais pour revenir à Grognon, cette laide créature
était bien occupée à se parer ; elle se fit faire un sou-
lier plus haut de demi-coudée[4] que l'autre, pour
paraître un peu moins boiteuse ; elle se fit faire un
corps[5] rembourré sur une épaule, pour cacher sa
bosse ; elle mit un œil d'émail le mieux fait qu'elle
pût trouver ; elle se farda pour se blanchir ; elle tei-

gnit ses cheveux roux en noir, puis elle mit une robe
de satin amarante doublée de bleu, avec une jupe
jaune et des rubans violets. Elle voulut faire son
entrée à cheval, parce qu'elle avait ouï dire que les
reines d'Espagne faisaient ainsi la leur[1].

Pendant que le roi donnait ses ordres, et que Gracieuse attendait le moment de partir pour aller au-
devant de Grognon, elle descendit toute seule dans
le jardin et passa dans un petit bois fort sombre, où
elle s'assit sur l'herbe : «Enfin, dit-elle, me voici en
liberté ; je peux pleurer tant que je voudrai sans
qu'on s'y oppose». Aussitôt elle se prit à soupirer et
pleurer tant et tant que ses yeux paraissaient deux
fontaines d'eau vive. En cet état elle ne songeait
plus à retourner au palais, quand elle vit venir un
page vêtu de satin vert, qui avait des plumes blanches
et la plus belle tête du monde ; il mit un genou en
terre et lui dit : «Princesse, le roi vous attend». Elle
demeura surprise de tous les agréments qu'elle
remarquait en ce jeune page, et comme elle ne le
connaissait point, elle crut qu'il devait être du train
de Grognon : «Depuis quand, lui dit-elle, le roi vous
a-t-il reçu au nombre de ses pages ? — Je ne suis pas
au roi, Madame, lui dit-il ; je suis à vous et je ne
veux être qu'à vous. — Vous êtes à moi ? répliqua-
t-elle tout étonnée, et je ne vous connais point.
— Ah ! Princesse, lui dit-il, je n'ai encore osé me
faire connaître ; mais les malheurs dont vous êtes
menacée par le mariage du roi, m'obligent à vous
parler plus tôt que je n'aurais fait : j'avais résolu de
laisser au temps et à mes services le soin de vous
déclarer ma passion et... — Quoi ? un page ! s'écria
la princesse. Un page a l'audace de me dire qu'il
m'aime ! Voici le comble à mes disgrâces ! — Ne
vous effrayez point, belle Gracieuse, lui dit-il d'un
air tendre et respectueux. Je suis Percinet[2], prince
assez connu par mes richesses et mon savoir, pour

que vous ne trouviez point d'inégalité entre nous. Il
n'y a que votre mérite et votre beauté qui puissent y
en mettre ; je vous aime depuis longtemps ; je suis
souvent dans les lieux où vous êtes, sans que vous
me voyiez. Le don de féerie que j'ai reçu en naissant
m'a été d'un grand secours, pour me procurer le
plaisir de vous voir : je vous accompagnerai aujour-
d'hui partout sous cet habit, et j'espère ne vous être
pas tout à fait inutile. » À mesure qu'il parlait, la
princesse le regardait dans un étonnement dont elle
ne pouvait revenir : « C'est vous, beau Percinet, lui
dit-elle ; c'est vous que j'avais tant d'envie de voir, et
dont on raconte des choses si surprenantes ! Que
j'ai de joie que vous vouliez être de mes amis ! Je
ne crains plus la méchante Grognon, puisque vous
entrez dans mes intérêts. » Ils se dirent encore
quelques paroles, et puis Gracieuse fut au palais, où
elle trouva un cheval tout harnaché et caparaçonné
que Percinet avait fait entrer dans l'écurie et que
l'on crut qui était pour elle : elle monta dessus ;
comme c'était un grand sauteur, le page le prit par
la bride et le conduisait, se tournant à tout moment
vers la princesse, pour avoir le plaisir de la regarder.

Quand le cheval qu'on menait à Grognon parut
auprès de celui de Gracieuse, il avait l'air d'une
franche rosse ; et la housse du beau cheval était si
éclatante de pierreries, que celle de l'autre ne pouvait entrer en comparaison. Le roi, qui était occupé
de mille choses, n'y prit pas garde ; mais tous les seigneurs n'avaient des yeux que pour la princesse,
dont ils admiraient la beauté, et pour son page vert,
qui était lui seul plus joli que tous ceux de la Cour.

On trouva Grognon en chemin, dans une calèche
découverte, plus laide et plus mal bâtie qu'une paysanne. Le roi et la princesse l'embrassèrent ; on lui
présenta son cheval pour monter dessus, mais voyant
celui de Gracieuse : « Comment ? dit-elle, cette créa-

ture aura un plus beau cheval que moi? J'aimerais
mieux n'être jamais reine et retourner à mon riche
château, que d'être traitée d'une telle manière.» Le
roi aussitôt commanda à la princesse de mettre pied
à terre, et de prier Grognon de lui faire l'honneur
de monter sur son cheval. La princesse obéit sans
répliquer. Grognon ne la regarda ni ne la remercia:
elle se fit guinder¹ sur le beau cheval: elle ressemblait à un paquet de linge sale. Il y avait huit gentilshommes qui la tenaient, de peur qu'elle ne tombât.
Elle n'était pas encore contente; elle grommelait
des menaces entre ses dents. On lui demanda ce
qu'elle avait: «J'ai, dit-elle, qu'étant la maîtresse, je
veux que le page vert tienne la bride de mon cheval,
comme il faisait quand Gracieuse le montait.» Le
roi ordonna au page vert de conduire le cheval de la
reine. Percinet jeta les yeux sur sa princesse, et elle
sur lui, sans dire un pauvre mot: il obéit, et toute la
cour se mit en marche; lès tambours et les trompettes faisaient un bruit désespéré. Grognon était
ravie: avec son nez plat et sa bouche de travers, elle
ne se serait pas changée pour Gracieuse.

Mais dans le temps que l'on y pensait le moins,
voilà le beau cheval qui se met à sauter, à ruer et à
courir si vite, que personne ne pouvant l'arrêter, il
emporta Grognon: elle se tenait à la selle et aux
crins; elle criait de toute sa force; enfin elle tomba
le pied pris dans l'étrier; il la traîna bien loin, sur
des pierres, sur des épines et dans la boue où elle
resta presque ensevelie. Comme chacun la suivait,
on l'eut bientôt jointe: elle était tout écorchée, sa
tête cassée en quatre ou cinq endroits, un bras
rompu; il n'a jamais été une mariée en plus mauvais état.

Le roi paraissait au désespoir. On la ramassa
comme un verre brisé en pièces; son bonnet était
d'un côté, ses souliers de l'autre: on la porta dans la

ville, on la coucha, et l'on fit venir les meilleurs chi-
rurgiens. Toute malade qu'elle était, elle ne laissait
pas de tempêter : «Voilà un tour de Gracieuse,
disait-elle : je suis certaine qu'elle n'a pris ce beau et
méchant cheval, que pour m'en faire envie et qu'il
me tuât ; si le roi ne m'en fait pas raison, je retour-
nerai dans mon riche château, et je ne le verrai de
mes jours.» L'on fut dire au roi la colère de Grognon : comme sa passion dominante était l'intérêt,
la seule idée de perdre les mille tonneaux d'or et de
diamants le fit frémir et l'aurait porté à tout : il
accourut auprès de la crasseuse malade ; il se mit à
ses pieds, et lui jura qu'elle n'avait qu'à prescrire
une punition proportionnée à la faute de Gracieuse,
et qu'il l'abandonnait à son ressentiment. Elle lui dit
que cela suffisait ; qu'elle l'allait envoyer quérir.

En effet on vint dire à la princesse que Grognon
la demandait : elle devint pâle et tremblante, se doutant bien que ce n'était pas pour la caresser ; elle
regarda de tous côtés si Percinet ne paraissait point ;
elle ne le vit pas, et elle s'achemina bien triste vers
l'appartement de Grognon. À peine y fut-elle entrée
qu'on ferma les portes, puis quatre femmes qui ressemblaient à quatre furies se jetèrent sur elle par
l'ordre de leur maîtresse, lui arrachèrent ses beaux
habits et déchirèrent sa chemise. Quand ses épaules
furent découvertes, ces cruelles mégères ne pouvaient soutenir l'éclat de leur blancheur ; elles fermaient les yeux, comme si elles eussent regardé
longtemps de la neige. «Allons, allons, courage ! criait
l'impitoyable Grognon du fond de son lit, qu'on me
l'écorche, et qu'il ne lui reste pas un petit morceau
de cette peau blanche qu'elle croit si belle.»

En toute autre détresse, Gracieuse aurait souhaité
le beau Percinet ; mais se voyant presque nue, elle
était trop modeste pour vouloir que ce prince en fût
témoin ; et elle se préparait à tout souffrir comme un

pauvre mouton. Les quatre furies tenaient chacune une poignée de verges épouvantable. Elles avaient encore de gros balais pour en prendre de nouvelles; de sorte qu'elles l'assommaient sans quartier; et à chaque coup, la Grognon disait: «Plus fort, plus fort! Vous l'épargnez.»

Il n'y a personne qui ne croie après cela que la princesse était écorchée depuis la tête jusqu'aux pieds; l'on se trompe quelquefois, car le galant Percinet avait fasciné les yeux de ces femmes: elles pensaient avoir des verges à la main, c'était des plumes de mille couleurs; et dès qu'elles commencèrent, Gracieuse les vit et cessa d'avoir peur, disant tout bas: «Ah! Percinet, vous m'êtes venu secourir bien généreusement! Qu'aurais-je fait sans vous?» Les fouetteuses se lassèrent tant qu'elles ne pouvaient plus remuer les bras: elles la tamponnèrent dans ses habits, et la mirent dehors avec mille injures[1].

Elle revint dans sa chambre, feignant d'être bien malade: elle se mit au lit, et commanda qu'il ne restât auprès d'elle que sa nourrice, à qui elle conta toute son aventure; à force de conter elle s'endormit: la nourrice s'en alla, et en se réveillant, elle vit dans un petit coin le page vert, qui n'osait par respect s'approcher; elle lui dit qu'elle n'oublierait de sa vie les obligations qu'elle lui avait; qu'elle le conjurait de ne la pas abandonner à la fureur de son ennemie et de vouloir se retirer, parce qu'on lui avait toujours dit qu'il ne fallait pas demeurer seule avec les garçons. Il répliqua qu'elle pouvait remarquer avec quel respect il en usait; qu'il était bien juste, puisqu'elle était sa maîtresse, qu'il lui obéît en toutes choses, même aux dépens de sa propre satisfaction. Là-dessus, il la quitta, après lui avoir conseillé de feindre d'être malade du mauvais traitement qu'elle avait reçu.

Grognon fut si aise de savoir Gracieuse en cet
état, qu'elle en guérit la moitié plus tôt qu'elle n'aurait fait; et les noces s'achevèrent avec une grande
magnificence. Mais comme le roi savait que par-
dessus toutes choses Grognon aimait à être vantée
pour belle, il fit faire son portrait et ordonna un
tournoi, où six des plus adroits chevaliers de la Cour
devaient soutenir envers et contre tous, que la reine
Grognon était la plus belle princesse de l'univers. Il
vint beaucoup de chevaliers et d'étrangers pour soutenir le contraire : cette magote était présente à tout,
placée sur un grand balcon tout couvert de brocart
d'or ; et elle avait le plaisir de voir que l'adresse
de ses chevaliers lui faisait gagner sa méchante
cause. Gracieuse était derrière elle, qui s'attirait mille
regards ; Grognon, folle et vaine, croyait qu'on n'avait
des yeux que pour elle.

Il n'y avait presque plus personne qui osât disputer sur la beauté de Grognon, lorsqu'on vit arriver
un jeune chevalier qui tenait un portrait dans une
boîte de diamants : il dit qu'il soutenait que Grognon était la plus laide de toutes les femmes et que
celle qui était peinte dans sa boîte était la plus belle
de toutes les filles. En même temps il court contre
les six chevaliers, qu'il jette par terre ; il s'en présente six autres et jusqu'à vingt-quatre, qu'il abattit
tous ; puis il ouvrit sa boîte, et il leur dit que pour les
consoler, il allait leur montrer ce beau portrait.
Chacun le reconnut pour être celui de la princesse
Gracieuse : il lui fit une profonde révérence et se
retira sans avoir voulu dire son nom ; mais elle ne
douta point que ce ne fût Percinet.

La colère pensa suffoquer Grognon : la gorge lui
enfla, elle ne pouvait prononcer une parole : elle faisait signe que c'était à Gracieuse qu'elle en voulait ;
et quand elle put s'en expliquer, elle se mit à faire
une vie désespérée[1] : « Comment ? disait-elle, oser

me disputer le prix de la beauté[1]! Faire recevoir un
pareil affront à mes chevaliers! Non, je ne puis
le souffrir; il faut que je me venge ou que je meure.
— Madame, lui dit la princesse, je vous proteste que
je n'ai aucune part à ce qui vient d'arriver: je signe-
rai de mon sang (si vous voulez) que vous êtes la
plus belle personne du monde, et que je suis un
monstre de laideur. — Ah! vous plaisantez, ma petite
mignonne, répliqua Grognon; mais j'aurai mon tour
avant peu.» L'on alla dire au roi les fureurs de sa
femme, et que la princesse mourait de peur; qu'elle
le suppliait d'avoir pitié d'elle, parce que s'il l'abandonnait à la reine elle lui ferait mille maux. Il ne
s'en émut pas davantage et répondit seulement: «Je
l'ai donnée à sa belle-mère, elle en fera comme il lui
plaira.»

La méchante Grognon attendait la nuit impatiemment; dès qu'elle fut venue, elle fit mettre les chevaux à sa chaise roulante[2]; l'on obligea Gracieuse
d'y monter; et sous une grosse escorte on la conduisit à cent lieues de là, dans une grande forêt où personne n'osait passer, parce qu'elle était pleine de
lions, d'ours, de tigres et de loups. Quand ils eurent
percé jusqu'au milieu de cette horrible forêt, ils
la firent descendre et l'abandonnèrent, quelque
prière qu'elle pût leur faire d'avoir pitié d'elle.
«Je ne vous demande pas la vie, leur disait-elle; je
ne vous demande qu'une prompte mort; tuez-moi
pour m'épargner tous les maux qui vont m'arriver.»
C'était parler à des sourds: ils ne daignèrent pas lui
répondre et, s'éloignant d'elle d'une grande vitesse,
ils laissèrent cette belle et malheureuse fille toute
seule. Elle marcha quelque temps sans savoir où
elle allait, tantôt se heurtant contre un arbre, tantôt tombant, tantôt embarrassée dans les buissons:
enfin, accablée de douleur, elle se jeta par terre sans
avoir la force de se relever. «Percinet, s'écriait-elle

quelquefois, Percinet, où êtes-vous? Est-il possible
que vous m'ayez abandonnée?» Comme elle disait
ces mots, elle vit tout d'un coup la plus belle et la
plus surprenante chose du monde: c'était une illu-
mination si magnifique, qu'il n'y avait pas un arbre
dans la forêt où il n'y eût plusieurs lustres remplis
de bougies; et dans le fond d'une allée elle aperçut
un palais tout de cristal qui brillait autant que le
soleil. Elle commença de croire qu'il entrait du Percinet dans ce nouvel enchantement: elle sentit une
joie mêlée de crainte. «Je suis seule, disait-elle: ce
prince est jeune, aimable, amoureux; je lui dois la
vie. Ah! c'en est trop! Éloignons-nous de lui: il vaut
mieux mourir que de l'aimer.» En disant ces mots,
elle se leva malgré sa lassitude et sa faiblesse; et
sans tourner les yeux vers le beau château, elle marcha d'un autre côté, si troublée et si confuse dans les
différentes pensées qui l'agitaient, qu'elle ne savait
pas ce qu'elle faisait.

Dans ce moment, elle entendit du bruit derrière
elle; la peur la saisit, elle crut que c'était quelque
bête féroce qui l'allait dévorer. Elle regarda en
tremblant, et elle vit le prince Percinet aussi beau
que l'on dépeint l'Amour[1]: «Vous me fuyez, lui dit-
il, ma princesse: vous me craignez quand je vous
adore. Est-il possible que vous soyez si peu instruite
de mon respect, que de me croire capable d'en manquer pour vous? Venez, venez sans alarme dans le
Palais de Féerie, je n'y entrerai pas si vous me le
défendez; vous y trouverez la reine ma mère et mes
sœurs, qui vous aiment déjà tendrement, sur ce que
je leur ai dit de vous.» Gracieuse, charmée de la
manière soumise et engageante dont lui parlait son
jeune amant, ne put refuser d'entrer avec lui dans
un petit traîneau peint et doré, que deux cerfs tiraient
d'une vitesse prodigieuse; de sorte qu'en très peu de
temps il la conduisit en mille endroits de cette forêt,

qui lui semblèrent admirables. On voyait clair partout; il y avait des bergers et des bergères vêtus
galamment, qui dansaient au son des flûtes et des
musettes. Elle voyait en d'autres lieux, sur le bord
des fontaines, des villageois avec leurs maîtresses,
qui mangeaient et qui chantaient gaiement. «Je
croyais, lui dit-elle, cette forêt inhabitée; mais tout
m'y paraît peuplé et dans la joie. — Depuis que vous
y êtes, ma princesse, répliqua Percinet, il n'y a plus
dans cette sombre solitude que des plaisirs et
d'agréables amusements: les Amours vous accom-
pagnent; les fleurs naissent sous vos pas.» Gracieuse
n'osa répondre: elle ne voulait point s'embarquer
dans ces sortes de conversations, et elle pria le
prince de la mener auprès de la reine sa mère.

Aussitôt il dit à ses cerfs d'aller au Palais de Féerie[1]. Elle entendit en arrivant une musique admirable; et la reine avec deux de ses filles, qui étaient
toutes charmantes, vinrent au-devant d'elle, l'embrassèrent et la menèrent dans une grande salle
dont les murs étaient de cristal de roche[2]; elle y
remarqua avec beaucoup d'étonnement que son histoire jusqu'à ce jour y était gravée, et même la promenade qu'elle venait de faire avec le prince dans le
traîneau; mais cela était d'un travail si fini, que les
Phidias et tout ce que l'ancienne Grèce nous vante,
n'en auraient pu approcher. «Vous avez des ouvriers
bien diligents, dit Gracieuse à Percinet; à mesure
que je fais une action et un geste, je le vois gravé.
— C'est que je ne veux rien perdre de tout ce qui a
quelque rapport à vous, ma princesse, répliqua-t-il,
hélas! En aucun endroit je ne suis ni heureux ni
content.» Elle ne lui répondit rien, et remercia la
reine de la manière dont elle la recevait. On servit
un grand repas, où Gracieuse mangea de bon appétit: car elle était ravie d'avoir trouvé Percinet au
lieu des ours et des lions qu'elle craignait dans la

forêt[1]. Quoiqu'elle fût bien lasse, il l'engagea de passer dans un salon tout brillant d'or et de peintures,
où l'on représenta un opéra. C'étaient les Amours
de Psyché et de Cupidon, mêlés de danses et de
petites chansons[2]. Un jeune berger vint chanter ces
paroles :

L'on vous aime, Gracieuse, et le dieu d'Amour même
Ne saurait pas aimer au point que l'on vous aime.
Imitez pour le moins les tigres et les ours,
Qui se laissent dompter aux plus petits Amours.
Des plus fiers animaux le naturel sauvage
S'adoucit aux plaisirs où l'amour les engage :
Tous parlent de l'amour et s'en laissent charmer ;
Vous seule êtes farouche et refusez d'aimer.

Elle rougit de s'être ainsi entendu nommer devant
la reine et les princesses : elle dit à Percinet qu'elle
avait quelque peine que tout le monde entrât dans
leurs secrets : «Je me souviens là-dessus d'une
maxime, continua-t-elle, qui m'agrée fort :

Ne faites point de confidence,
Et soyez sûr que le silence
A pour moi des charmes puissants :
Le monde a d'étranges maximes ;
Les plaisirs les plus innocents
Passent quelquefois pour des crimes.»

Il lui demanda pardon d'avoir fait une chose qui
lui avait déplu. L'opéra finit, et la reine l'envoya
conduire dans son appartement par les deux princesses. Il n'a jamais été rien de plus magnifique que
les meubles, ni de si galant que le lit et la chambre où
elle devait coucher. Elle fut servie par vingt-quatre
filles vêtues en nymphes ; la plus vieille avait dix-huit
ans ; et chacune paraissait un miracle de beauté.
Quand on l'eut mise au lit, l'on commença une

musique ravissante pour l'endormir; mais elle était si surprise qu'elle ne pouvait fermer les yeux. «Tout ce que j'ai vu, disait-elle, sont des enchantements: qu'un prince si aimable et si habile est à redouter! Je ne peux m'éloigner trop tôt de ces lieux.» Cet éloignement lui faisait beaucoup de peine: quitter un palais si magnifique pour se mettre entre les mains de la barbare Grognon, la différence était grande; on hésiterait à moins. D'ailleurs[1] elle trouvait Percinet si engageant, qu'elle ne voulait pas demeurer dans un palais dont il était le maître.

Lorsqu'elle fut levée, on lui présenta des robes de toutes les couleurs, des garnitures de pierreries de toutes les manières, des dentelles, des rubans, des gants et des bas de soie, tout cela d'un goût merveilleux; rien n'y manquait. On lui mit une toilette d'or ciselé: elle n'avait jamais été si bien parée, et n'avait jamais paru si belle. Percinet entra dans sa chambre, vêtu d'un drap d'or et vert (car le vert était sa couleur, parce que Gracieuse l'aimait). Tout ce qu'on nous vante de mieux fait et de plus aimable n'approchait pas de ce jeune prince. Gracieuse lui dit qu'elle n'avait pu dormir; que le souvenir de ses malheurs la tourmentait, et qu'elle ne savait s'empêcher d'en appréhender les suites. «Qu'est-ce qui peut vous alarmer, Madame? lui dit-il. Vous êtes souveraine ici; vous y êtes adorée: voudriez-vous m'abandonner pour votre plus cruelle ennemie? — Si j'étais la maîtresse de ma destinée, lui dit-elle, le parti que vous me proposez serait celui que j'accepterais: mais je suis comptable de mes actions au roi mon père; il vaut mieux souffrir que manquer à mon devoir.» Percinet lui dit tout ce qu'il put au monde pour la persuader de l'épouser: elle n'y voulut point consentir; et ce fut presque malgré elle qu'il la retint huit jours, pendant lesquels il imagina mille nouveaux plaisirs pour la divertir.

Elle disait souvent au prince : « Je voudrais bien savoir ce qui se passe à la cour de Grognon et comment elle s'est expliquée de la pièce[1] qu'elle m'a faite. » Percinet lui dit qu'il y enverrait son écuyer, qui était homme d'esprit. Elle répliqua qu'elle était persuadée qu'il n'avait besoin de personne pour être informé de ce qui se passait, et qu'ainsi il pouvait le lui dire. « Venez donc avec moi, lui dit-il, dans la grande tour, et vous le verrez vous-même. » Là-dessus il la mena au haut d'une tour prodigieusement haute, qui était toute de cristal de roche comme le reste du château ; il lui dit de mettre son pied sur le sien, et son petit doigt dans sa bouche[2], puis de regarder du côté de la ville. Elle aperçut aussitôt que la vilaine Grognon était avec le roi, et qu'elle lui disait : « Cette misérable princesse s'est pendue dans la cave ; je viens de la voir, elle fait horreur ; il faut vitement l'enterrer, et vous consoler d'une si petite perte. » Le roi se mit à pleurer la mort de sa fille ; Grognon lui tournant le dos, se retira dans sa chambre, et fit prendre une bûche que l'on ajusta de cornettes[3], et bien enveloppée on la mit dans le cercueil, puis par l'ordre du roi, on lui fit un grand enterrement, où tout le monde assista en pleurant et maudissant la marâtre qu'ils accusaient de cette mort. Chacun prit le grand deuil : elle entendait les regrets qu'on faisait de sa perte ; qu'on disait tout bas : « Quel dommage, que cette jeune et belle princesse soit périe[4] par les cruautés d'une si mauvaise créature ! Il faudrait la hacher et en faire un pâté[5]. » Le roi ne pouvait ni boire ni manger, il pleurait de tout son cœur.

Gracieuse voyant son père si affligé : « Ah ! Percinet, dit-elle, je ne puis souffrir que mon père me croie plus longtemps morte ; si vous m'aimez remenez-moi. » Quelque chose qu'il pût lui dire, il fallut obéir, quoique avec une répugnance extrême : « Ma

princesse, lui disait-il, vous regretterez plus d'une
fois le Palais de Féerie ; car pour moi, je n'ose croire
que vous me regrettiez, vous m'êtes plus inhumaine
que Grognon ne vous l'est. » Quoi qu'il sût lui dire,
elle s'entêta de partir ; elle prit congé de la mère et
des sœurs du prince. Il monta avec elle dans le traîneau ; les cerfs se mirent à courir ; et comme elle
sortait du palais, elle entendit un grand bruit : elle
regarda derrière elle, c'était tout l'édifice qui tombait en mille morceaux. « Que vois-je ? s'écria-t-elle :
il n'y a plus ici de palais ? — Non, lui répliqua Percinet : mon palais sera parmi les morts ; vous n'y
entrerez qu'après votre enterrement. — Vous êtes
en colère, lui dit Gracieuse, en essayant de le radou-
cir : mais au fond, ne suis-je pas plus à plaindre que
vous ? »

Quand ils arrivèrent, Percinet fit que la princesse,
lui et le traîneau devinrent invisibles ; elle monta
dans la chambre du roi, et fut se jeter à ses pieds.
Lorsqu'il la vit, il eut peur et voulut fuir, la prenant
pour un fantôme. Elle le retint et lui dit qu'elle
n'était point morte ; que Grognon l'avait fait conduire
dans la forêt sauvage, qu'elle était montée au haut
d'un arbre où elle avait vécu de fruits ; qu'elle[1] avait
fait enterrer une bûche à sa place et qu'elle lui
demandait en grâce de l'envoyer dans quelqu'un de
ses châteaux, où elle ne fût plus exposée aux fureurs
de sa marâtre.

Le roi incertain si elle lui disait vrai, envoya déter-
rer la bûche, et demeura bien étonné de la malice
de Grognon. Tout autre que lui l'aurait fait mettre à
la place ; mais c'était un pauvre homme faible, qui
n'avait pas le courage de se fâcher tout de bon : il
caressa beaucoup sa fille, et la fit souper avec lui.
Quand les créatures de Grognon allèrent lui dire le
retour de la princesse, et qu'elle soupait avec le roi,
elle commença de faire la forcenée : et courant chez

lui, elle lui dit qu'il n'y avait point à balancer, qu'il
fallait lui abandonner cette friponne, ou la voir partir dans le même moment pour ne revenir de sa vie :
que c'était une supposition[1] de croire qu'elle fût la
princesse Gracieuse ; qu'à la vérité elle lui ressemblait un peu, mais que Gracieuse s'était pendue ;
qu'elle l'avait vue de ses yeux ; et que, si l'on ajoutait
foi aux impostures de celle-ci, c'était manquer de
considération et de confiance pour elle. Le roi, sans
dire un mot, lui abandonna l'infortunée princesse,
croyant ou feignant de croire que ce n'était pas sa
fille.

Grognon, transportée de joie, la traîna, avec le
secours de ses femmes, dans un cachot où elle la fit
déshabiller : on lui ôta ses riches habits et on la couvrit d'un pauvre guenillon de grosse toile, avec des
sabots dans ses pieds et un capuchon de bure sur sa
tête ; à peine lui donna-t-on un peu de paille pour se
coucher, et du pain bis[2].

Dans cette détresse, elle se prit à pleurer amèrement, et à regretter le château de Féerie ; mais elle
n'osait appeler Percinet à son secours, trouvant
qu'elle en avait trop mal usé pour lui ; et ne pouvant se promettre qu'il l'aimât assez pour lui aider[3]
encore. Cependant la mauvaise Grognon avait
envoyé quérir une fée qui n'était guère moins malicieuse qu'elle : «Je tiens, lui dit-elle, ici une petite
coquine dont j'ai sujet de me plaindre : je veux la
faire souffrir, et lui donner toujours des ouvrages difficiles dont elle ne puisse venir à bout, afin de la
pouvoir rouer de coups sans qu'elle ait lieu de s'en
plaindre : aidez-moi à lui trouver chaque jour de
nouvelles peines.» La fée répliqua qu'elle y rêve-
rait[4], et qu'elle reviendrait le lendemain. Elle n'y
manqua pas ; elle apporta un écheveau de fil, gros
comme quatre personnes, si délié que le fil se cassait
à souffler dessus, et si mêlé qu'il était en un tapon

sans commencement ni fin. Grognon, ravie, envoya
quérir sa belle prisonnière, et lui dit : « Çà, ma bonne
commère[1], apprêtez vos grosses pattes pour dévider
ce fil, et soyez assurée que si vous en rompez un seul
brin, vous êtes perdue, car je vous écorcherai moi-
même ; commencez quand il vous plaira, mais je veux
l'avoir dévidé avant que le soleil se couche. » Puis elle
l'enferma sous trois clefs dans une chambre.

La princesse n'y fut pas plus tôt, que regardant ce
gros écheveau, le tournant et retournant, cassant
mille fils pour un, elle demeura si interdite, qu'elle
ne voulut pas seulement tenter d'en rien dévider ; et
le jetant au milieu de la place : « Va, dit-elle, fil fatal,
tu seras cause de ma mort. Ah ! Percinet, Percinet !
si mes rigueurs ne vous ont point trop rebuté, je ne
demande pas que vous me veniez secourir ; mais
tout au moins, venez recevoir mon dernier adieu. »
Là-dessus elle se mit à pleurer si amèrement que
quelque chose [de] moins sensible qu'un amant aurait
été touché. Percinet ouvrit la porte avec la même
facilité que s'il en eût gardé la clef dans sa poche.
« Me voici, ma princesse, lui dit-il, toujours prêt
à vous servir ; je ne suis point capable de vous
abandonner, quoique vous reconnaissiez mal ma
passion. » Il frappa trois coups de sa baguette sur
l'écheveau, les fils aussitôt se rejoignirent les uns
aux autres ; et en deux autres coups tout fut dévidé
d'une propreté surprenante ; il lui demanda si elle
souhaitait encore quelque chose de lui, et si elle ne
l'appellerait jamais que dans ses détresses. « Ne me
faites point de reproches, beau Percinet, dit-elle, je
suis déjà assez malheureuse. — Mais, ma princesse,
il ne tient qu'à vous de vous affranchir de la tyrannie dont vous êtes la victime ; venez avec moi, faisons notre commune félicité ; que craignez-vous ?
— Que vous ne m'aimiez pas assez, répliqua-t-elle :
je veux que le temps me confirme vos sentiments. »

Percinet outré de ses soupçons, prit congé d'elle, et la quitta.

Le soleil était sur le point de se coucher, Grognon en attendait l'heure avec mille impatiences ; enfin elle la devança, et vint avec ses quatre furies, qui l'accompagnaient partout ; elle mit les trois clefs dans les trois serrures, et disait en ouvrant la porte : « Je gage que cette belle paresseuse n'aura fait œuvre de ses dix doigts ; elle aura bien mieux aimé dormir pour avoir le teint frais. »

Quand elle fut entrée, Gracieuse lui présenta le peloton de fil où rien ne manquait : elle n'eut pas autre chose à dire, sinon qu'elle l'avait sali, qu'elle était une malpropre, et pour cela elle lui donna deux soufflets, dont ses joues blanches et incarnates devinrent bleues et jaunes. L'infortunée Gracieuse souffrit patiemment une insulte qu'elle n'était pas en état de repousser ; on la ramena dans son cachot, où elle fut bien enfermée.

Grognon chagrine de n'avoir pas réussi avec l'écheveau de fil, envoya quérir la fée et la chargea de reproches : « Trouvez, lui dit-elle, quelque chose [de] plus malaisé pour qu'elle n'en puisse venir à bout. » La fée s'en alla, et le lendemain elle fit apporter une grande tonne[1] pleine de plumes : il y en avait de toutes sortes d'oiseaux : de rossignols, de serins, de tarins, de chardonnerets, linottes, fauvettes, perroquets, hiboux, moineaux, colombes, autruches, outardes, paons, alouettes, perdrix, je n'aurais jamais fait[2] si je voulais tout nommer. Ces plumes étaient mêlées les unes parmi les autres, les oiseaux mêmes n'auraient pu les reconnaître. « Voici, dit la fée en parlant à Grognon, de quoi éprouver l'adresse et la patience de votre prisonnière ; commandez-lui de trier ces plumes, de mettre celles des paons à part, des rossignols à part, et ainsi de chacune elle fasse un monceau : une fée y serait assez nouvelle[3]. » Grognon pâma de joie[1] en se figurant l'embarras de la malheureuse princesse : elle l'envoya quérir, lui fit ses menaces ordinaires, et l'enferma avec la tonne dans la chambre des trois serrures, lui ordonnant que tout l'ouvrage fût fini au coucher du soleil.

Gracieuse prit quelques plumes : mais il lui était impossible de connaître la différence des unes aux autres, elle les rejeta dans la tonne. Elle les prit encore, elle essaya plusieurs fois ; et voyant qu'elle tentait une chose impossible : «Mourons, dit-elle d'un ton et d'un air désespérés ; c'est ma mort que l'on souhaite, c'est elle qui finira mes malheurs : il ne faut plus appeler Percinet à mon secours, s'il m'aimait, il serait déjà ici. — J'y suis, ma princesse, s'écria Percinet en sortant du fond de la tonne où il était caché ; j'y suis pour vous tirer de l'embarras où vous êtes ; doutez, après tant de preuves de mon attention, que je vous aime plus que ma vie.» Aussitôt, il frappa trois coups de sa baguette, et les plumes sortant à milliers de la tonne, se rangeaient d'elles-mêmes par petits monceaux tout autour de la chambre. «Que ne vous dois-je point, Seigneur ? lui dit Gracieuse. Sans vous j'allais succomber ; soyez certain de toute ma reconnaissance.» Le prince n'oublia rien pour lui persuader de prendre une ferme résolution en sa faveur : elle lui demanda du temps ; et quelque violence qu'il se fît, il lui accorda ce qu'elle voulait.

Grognon vint ; elle demeura si surprise de ce qu'elle voyait, qu'elle ne savait plus qu'imaginer pour désoler Gracieuse : elle ne laissa pas de la battre, disant que les plumes étaient mal arrangées. Elle envoya quérir la fée, et se mit dans une colère horrible contre elle. La fée ne savait que lui répondre, elle demeurait confondue. Enfin, elle lui dit qu'elle allait employer toute son industrie à faire une boîte qui embarrasserait bien sa prisonnière si elle s'avisait de l'ouvrir ; et quelques jours après, elle lui apporta une boîte assez grande. «Tenez, dit-elle à Grognon, envoyez porter cela quelque part par votre esclave; défendez-lui bien de l'ouvrir, elle ne pourra s'empêcher, et vous serez contente.» Grognon ne manqua à rien: «Portez cette boîte, dit-elle, à mon riche château et la mettez sur la table du cabinet; mais je vous défends, sur peine de mourir, de regarder ce qui est dedans.»

Gracieuse partit, avec ses sabots, son habit de toile et son capuchon de laine; ceux qui la rencontraient disait: «Voilà quelque déesse déguisée», car elle ne laissait pas d'être d'une beauté merveilleuse. Elle ne marcha guère sans se lasser beaucoup; en passant dans un petit bois qui était bordé d'une prairie agréable, elle s'assit pour respirer un peu; elle tenait la boîte sur ses genoux, et tout d'un coup l'envie la prit de l'ouvrir: «Qu'est-ce qui m'en peut arriver? disait-elle. Je n'y prendrai rien, mais tout au moins je verrai ce qui est dedans[1].» Elle ne réfléchit pas davantage aux conséquences, elle l'ouvrit: et aussitôt il en sort tant de petits hommes et de petites femmes, de violons, d'instruments, de petites tables, petits cuisiniers, petits plats; enfin le géant de la troupe était haut comme le doigt. Ils sautent dans le pré, ils se séparent en plusieurs bandes, et commencent le plus joli bal que l'on ait jamais vu: les uns dansaient, les autres faisaient la cuisine, et les autres mangeaient; les petits violons jouaient à merveille. Gracieuse prit d'abord quelque plaisir à voir une chose si extraordinaire; mais quand elle fut un peu délassée, et qu'elle voulut les obliger de rentrer dans la boîte, pas un seul ne le voulut: les petits messieurs et les petites dames s'enfuyaient, les violons de même, et les cuisiniers avec leurs marmites sur leurs têtes et les broches sur l'épaule, gagnaient le bois quand elle entrait dans le pré, et passaient dans le pré quand elle venait dans le bois:

«Curiosité trop indiscrète, disait Gracieuse en pleurant, tu vas être bien favorable à mon ennemie! Le
seul malheur dont je pouvais me garantir, m'arrive
par ma faute : non, je ne puis assez me le reprocher!
Percinet, s'écria-t-elle, Percinet, s'il est possible que
vous aimiez encore une princesse si imprudente,
venez m'aider dans le rencontre[1] le plus fâcheux de
ma vie.» Percinet ne se fit pas appeler jusqu'à trois
fois ; elle l'aperçut avec son riche habit vert. «Sans
la méchante Grognon, lui dit-il, belle princesse, vous
ne penseriez jamais à moi. — Ah! jugez mieux de
mes sentiments, répliqua-t-elle, je ne suis ni insensible au mérite ni ingrate aux bienfaits ; il est vrai
que j'éprouve votre constance, mais c'est pour la
couronner quand j'en serai convaincue.» Percinet
plus content qu'il eût encore été, donna trois coups
de baguette sur la boîte : aussitôt petits hommes,
petites femmes, violons, cuisiniers et rôti, tout s'y
plaça comme s'il ne s'en fût pas déplacé. Percinet
avait laissé dans le bois son chariot, il pria la princesse de s'en servir pour aller au riche château ; elle
avait bien besoin de cette voiture en l'état où elle
était : de sorte que la rendant invisible, il la mena
lui-même, et il eut le plaisir de lui tenir compagnie,
plaisir auquel ma chronique dit qu'elle n'était pas
indifférente dans le fond de son cœur, mais elle
cachait ses sentiments avec soin.

Elle arriva au riche château ; et quand elle demanda
de la part de Grognon qu'on lui ouvrît son cabinet, le
gouverneur s'éclata de rire : «Quoi! lui dit-il, tu crois
en quittant tes moutons entrer dans un si beau lieu?
Va, retourne où tu voudras, jamais sabots n'ont été
sur un tel plancher.» Gracieuse le pria de lui écrire
un mot comme quoi il la refusait[2] : il le voulut bien ;
et sortant du riche château, elle trouva l'aimable
Percinet qui l'attendait, et qui la remena au palais. Il
serait difficile d'écrire tout ce qu'il lui dit pendant le

chemin de tendre et de respectueux pour la persuader de finir ses malheurs. Elle lui répliqua que si
Grognon lui faisait encore un mauvais tour, elle y
consentirait.

Lorsque cette marâtre la vit revenir, elle se jeta
sur la fée qu'elle avait retenue : elle l'égratigna et
l'aurait étranglée, si une fée était étranglable[1]. Gracieuse lui présenta le billet du gouverneur et la
boîte : elle jeta l'un et l'autre au feu, sans daigner les
ouvrir, et si elle s'en était crue, elle y aurait bien jeté
la princesse ; mais elle ne différait pas son supplice
pour longtemps.

Elle fit faire un grand trou dans le jardin, aussi
profond qu'un puits, l'on posa dessus une grosse
pierre ; elle s'alla promener, et dit à Gracieuse et à
tous ceux qui l'accompagnaient : «Voici une pierre
sous laquelle je suis avertie qu'il y a un trésor ;
allons, qu'on la lève promptement.» Chacun y mit
la main, et Gracieuse comme les autres. C'était ce
qu'on voulait : dès qu'elle fut au bord, Grognon la
poussa rudement dans le puits, et l'on laissa retom-
ber la pierre qui le fermait.

Pour ce coup-là, il n'y avait plus rien à espérer.
Où Percinet l'aurait-il pu trouver, au fond de la
terre ? Elle en comprit bien les difficultés, et se repentit d'avoir attendu si tard à l'épouser : «Que ma destinée est terrible ! s'écria-t-elle. Je suis enterrée toute
vivante ! Ce genre de mort est plus affreux qu'aucun
autre ! Vous êtes vengé de mes retardements, Percinet ; mais je craignais que vous ne fussiez de l'humeur légère des autres hommes, qui changent quand
ils sont certains d'être aimés[2] : je voulais enfin être
sûre de votre cœur ; mes injustes défiances sont
cause de l'état où je me trouve ! Encore, continuait-
elle, si je pouvais espérer que vous donnassiez des
regrets à ma perte, il me semble qu'elle me serait
moins sensible.» Elle parlait ainsi pour soulager sa

douleur, quand elle sentit ouvrir une petite porte,
qu'elle n'avait pu remarquer dans l'obscurité : en
même temps elle perçut le jour et un jardin rempli
de fleurs, de fruits, de fontaines, de grottes, de statues, de bocages et de cabinets ; elle n'hésita point à
y entrer ; elle s'avança dans une grande allée, rêvant
dans son esprit quelle fin aurait ce commencement
d'aventures ; en même temps, elle découvrit le château de Féerie : elle n'eut pas de peine à le reconnaître, sans compter que l'on n'en trouve guère tout
de cristal de roche, et qu'elle y voyait ses nouvelles
aventures gravées. Percinet parut avec la reine sa
mère et ses sœurs. « Ne vous en défendez plus, belle
princesse, dit la reine à Gracieuse ; il est temps de
rendre mon fils heureux, et de vous tirer de l'état
déplorable où vous vivez sous la tyrannie de Grognon. » La princesse reconnaissante se jeta à ses
genoux, et lui dit qu'elle pouvait ordonner de sa destinée, et qu'elle lui obéirait en tout ; qu'elle n'avait
pas oublié la prophétie de Percinet lorsqu'elle partit
du Palais de Féerie, quand il lui dit que ce même
palais serait parmi les morts, et qu'elle n'y entrerait
qu'après avoir été enterrée : qu'elle voyait avec admiration son savoir, et qu'elle n'en avait pas moins pour
son mérite ; qu'ainsi elle l'acceptait pour époux. Le
prince se jeta à son tour à ses pieds ; en même
temps le palais retentit de voix et d'instruments, et
les noces se firent avec la dernière magnificence.
Toutes les fées de mille lieues à la ronde y vinrent
avec des équipages somptueux : les unes arrivaient
dans des chars tirés par des cygnes, d'autres par des
dragons, d'autres sur des nues, d'autres dans des
globes de feu ; entre celles-là parut la fée qui avait
aidé à Grognon à tourmenter Gracieuse : quand elle
la reconnut, l'on n'a jamais été plus surprise ; elle la
conjura d'oublier ce qui s'était passé, et qu'elle
chercherait les moyens de réparer les maux qu'elle

lui avait fait souffrir : ce qui est de vrai, c'est qu'elle
ne voulut pas demeurer au festin, et que remontant
dans son char, attelé de deux terribles serpents, elle
vola au palais du roi ; en ce lieu elle chercha Grognon, et lui tordit le cou sans que ses gardes ni ses
femmes l'en pussent empêcher.

C'est toi, triste et funeste Envie,
Qui causes les maux des humains,
Et qui de la plus belle vie
Troubles les jours les plus sereins ;
C'est toi, qui contre Gracieuse
De l'indigne Grognon animas le courroux :
C'est toi qui conduisis les coups
Qui la rendirent malheureuse.
Hélas ! quel eût été son sort,
Si de son Percinet la constance amoureuse
Ne l'avait tant de fois dérobée à la mort !
Il méritait la récompense
Que reçut enfin son ardeur.
Lorsque l'on aime avec constance,
Tôt ou tard, on se voit dans un parfait bonheur.

LA BELLE AUX CHEVEUX D'OR
Conte [1]

Il y avait une fois la fille d'un roi, qui était si belle qu'il n'y avait rien de si beau dans le monde, et à cause qu'elle était si belle, on la nommait la Belle aux Cheveux d'or; car ses cheveux étaient plus fins que de l'or, et blonds par merveille, tout frisés, qui lui tombaient jusque sur les pieds: elle allait toujours couverte de ses cheveux bouclés, avec une couronne de fleurs sur la tête, et des habits brodés de diamants et de perles; tant y a qu'on ne pouvait la voir sans l'aimer.

Il y avait un jeune roi de ses voisins qui n'était point marié, et qui était bien fait et bien riche: quand il eut appris tout ce qu'on disait de la Belle aux Cheveux d'or, bien qu'il ne l'eût point encore vue, il se prit à l'aimer si fort qu'il en perdait le boire et le manger; et il se résolut de lui envoyer un ambassadeur pour la demander en mariage: il fit faire un carrosse magnifique à son ambassadeur; il lui donna plus de cent chevaux, et cent laquais, et lui recommanda bien de lui amener la princesse.

Quand il eut pris congé du roi et qu'il fut parti, toute la Cour ne parlait d'autre chose; et le roi, qui ne doutait pas que la Belle aux Cheveux d'or ne consentît à ce qu'il souhaitait, lui faisait déjà faire de belles robes, et des meubles admirables. Pendant

que les ouvriers étaient occupés à travailler, l'ambassadeur arrivé chez la Belle aux Cheveux d'or lui
fit son petit message ; mais soit qu'elle ne fût pas ce
jour-là de bonne humeur, ou que le compliment ne
lui semblât pas à son gré, elle répondit à l'ambassadeur qu'elle remerciait le roi, et qu'elle n'avait point
envie de se marier.

L'ambassadeur partit de la Cour de cette princesse, bien triste de ne la pas amener avec lui : il
rapporta tous les présents qu'il lui avait portés de la
part du roi ; car elle était fort sage, et savait bien
qu'il ne faut pas que les filles reçoivent rien des garçons ; aussi elle ne voulut jamais accepter les beaux
diamants et le reste ; et pour ne pas mécontenter
le roi, elle prit seulement un quarteron d'épingles
d'Angleterre[1].

Quand l'ambassadeur arriva à la grande ville du
roi, où il était attendu si impatiemment, chacun
s'affligea de ce qu'il ne ramenait point la Belle aux
Cheveux d'or, et le roi se prit à pleurer comme un
enfant ; on le consolait sans en pouvoir venir à bout.

Il y avait un jeune garçon à la Cour qui était beau
comme le soleil, et le mieux fait de tout le royaume ;
à cause de sa bonne grâce et de son esprit, on le
nommait Avenant : tout le monde l'aimait, hors les
envieux qui étaient fâchés que le roi lui fît du bien,
et qu'il lui confiât tous les jours ses affaires.

Avenant se trouva avec des personnes qui parlaient du retour de l'ambassadeur, et qui disaient
qu'il n'avait rien fait qui vaille ; il leur dit, sans y
prendre trop garde : « Si le roi m'avait envoyé vers la
Belle aux Cheveux d'or, je suis certain qu'elle serait
revenue avec moi. » Tout aussitôt ces méchantes
gens vont dire au roi : « Sire, vous ne savez pas ce
que dit Avenant ? Que si vous l'aviez envoyé chez la
Belle aux Cheveux d'or, il l'aurait ramenée : consi-
dérez bien sa malice ; il prétend être plus beau que

vous, et qu'elle l'aurait tant aimé qu'elle l'aurait suivi partout.» Voilà le roi qui se met en colère, en colère tant et tant, qu'il était hors de lui : «Ah! ah! dit-il, ce joli mignon[1] se moque de mon malheur, et il se prise plus que moi; allons, qu'on le mette dans ma grosse tour, et qu'il y meure de faim.»

Les gardes du roi furent chez Avenant, qui ne pensait plus à ce qu'il avait dit; ils le traînèrent en prison, et lui firent mille maux. Ce pauvre garçon n'avait qu'un peu de paille pour se coucher; et il serait mort sans qu'il coulait une petite fontaine dans le pied de la tour, dont il buvait un peu pour se rafraîchir, car la faim lui avait bien séché la bouche.

Un jour qu'il n'en pouvait plus, il disait en soupirant : «De quoi se plaint le roi? Il n'a point de sujet qui lui soit plus fidèle que moi; je ne l'ai jamais offensé.» Le roi par hasard passait proche de la tour; et quand il entendit la voix de celui qu'il avait tant aimé, il s'arrêta pour l'écouter malgré ceux qui étaient avec lui, qui haïssaient Avenant, et qui disaient au roi : «À quoi vous amusez-vous, Sire? Ne savez-vous pas que c'est un fripon?» Le roi répondit : «Laissez-moi là; je veux l'écouter.» Ayant ouï ses plaintes, les larmes lui en vinrent aux yeux; il ouvrit la porte de la tour et l'appela. Avenant vint tout triste se mettre à genoux devant lui, et baisa ses pieds : «Que vous ai-je fait, Sire, lui dit-il, pour me traiter si rudement? — Tu t'es moqué de moi et de mon ambassadeur, dit le roi. Tu as dit que si je t'avais envoyé chez la Belle aux Cheveux d'or, tu l'aurais bien ramenée. — Il est vrai, Sire, répondit Avenant, que je lui aurais si bien fait connaître vos grandes qualités, que je suis persuadé qu'elle n'aurait pu s'en défendre, et en cela je n'ai rien dit qui ne vous dût être agréable.» Le roi trouva qu'effectivement il n'avait point de tort; il regarda de travers ceux qui lui avaient dit du mal de son favori, et il

l'emmena avec lui, se repentant bien de la peine
qu'il lui avait faite.

Après l'avoir fait souper à merveille, il l'appela
dans son cabinet, et lui dit: «Avenant, j'aime toujours la Belle aux Cheveux d'or; ses refus ne m'ont
point rebuté, mais je ne sais comment m'y prendre,
pour qu'elle veuille m'épouser; j'ai envie de t'y
envoyer, pour voir si tu pourras réussir.» Avenant
répliqua qu'il était disposé de lui obéir en toutes
choses, et qu'il partirait dès le lendemain. «Ho! dit
le roi, je veux te donner un grand équipage. — Cela
n'est point nécessaire, répondit-il, il ne me faut
qu'un bon cheval, avec des lettres de votre part.» Le
roi l'embrassa, car il était ravi de le voir si tôt prêt.

Ce fut un lundi matin qu'il prit congé du roi et de
ses amis, pour aller à son ambassade tout seul, sans
pompe et sans bruit. Il ne faisait que rêver aux
moyens d'engager la Belle aux Cheveux d'or d'épouser le roi. Il avait une écritoire dans sa poche; et
quand il lui venait quelque belle pensée à mettre
dans sa harangue, il descendait de cheval, et s'as-
seyait sous des arbres pour écrire, afin de ne rien
oublier.

Un matin qu'il était parti à la petite pointe du
jour, en passant dans une grande prairie, il lui vint
une pensée fort jolie; il mit pied à terre, et se plaça
contre des saules et des peupliers qui étaient plantés
le long d'une petite rivière qui coulait au bord du
pré. Après qu'il eut écrit, il regarda de tous côtés,
charmé de se trouver en un si bel endroit: il aperçut
sur l'herbe une grosse carpe dorée qui bâillait et
qui n'en pouvait plus; car ayant voulu attraper des
petits moucherons, elle avait sauté si haut hors de
l'eau, qu'elle s'était élancée sur l'herbe où elle était
prête à mourir. Avenant en eut pitié: et quoiqu'il fût
jour maigre[1], et qu'il eût pu l'emporter pour son
dîner, il fut la prendre et la remit doucement dans

la rivière. Dès que ma commère la Carpe[1] sentit la fraîcheur de l'eau, elle commence à se réjouir et se laisse couler jusqu'au fond ; puis revenant toute gaillarde au bord de la rivière : « Avenant, dit-elle, je vous remercie du plaisir que vous venez de me faire ; sans vous je serais morte, et vous m'avez sauvée : je vous le revaudrai. » Après ce petit compliment, elle s'enfonça dans l'eau, et Avenant demeura bien surpris de l'esprit et de la grande civilité de la carpe.

Un autre jour qu'il continuait son voyage, il vit un corbeau bien embarrassé ; ce pauvre oiseau était poursuivi par un gros aigle (grand mangeur de corbeaux). Il était près de l'attraper, et il l'aurait avalé comme une lentille, si Avenant n'eût eu compassion du malheur de cet oiseau : « Voilà, dit-il, comme les plus forts oppriment les plus faibles : quelle raison a l'aigle de manger le corbeau ? » Il prend son arc qu'il portait toujours et une flèche, puis mirant bien l'aigle, *croc*, il lui décoche la flèche dans le corps, et le perce de part en part ; il tombe mort, et le corbeau ravi, vint se percher sur un arbre : « Avenant, lui dit-il, vous êtes bien généreux de m'avoir secouru, moi qui ne suis qu'un misérable corbeau ; mais je n'en demeurerai point ingrat, je vous le revaudrai. »

Avenant admira le bon esprit du corbeau, et continua son chemin : en entrant dans un grand bois, si matin qu'il ne voyait qu'à peine à se conduire, il entendit un hibou qui criait en hibou désespéré : « Ouais, dit-il, voilà un hibou bien affligé, il pourrait s'être laissé prendre dans quelques filets. » Il chercha de tous côtés, et enfin trouva de grands filets que des oiseleurs avaient tendus la nuit pour attraper les oisillons. « Quelle pitié ! dit-il. Les hommes ne sont faits que pour s'entretourmenter, ou pour persécuter de pauvres animaux qui ne leur font ni tort ni dommage. » Il tira son couteau, et coupa les corde-

lettes; le hibou prit l'essor, mais revenant à tire-
d'aile : «Avenant, dit-il, il n'est pas nécessaire que je
vous fasse une longue harangue pour vous faire
comprendre l'obligation que je vous ai, elle parle
assez d'elle-même : les chasseurs allaient venir, j'étais
pris, j'étais mort sans votre secours; j'ai le cœur
reconnaissant, je vous le revaudrai. »

Voilà les trois plus considérables aventures qui
arrivèrent à Avenant dans son voyage; il était si
pressé d'arriver, qu'il ne tarda pas à se rendre au
palais de la Belle aux Cheveux d'or : tout y était
admirable; l'on y voyait les diamants entassés comme
des pierres, les beaux habits, le bonbon, l'argent,
c'était des choses merveilleuses; et il pensait en lui-
même que si elle quittait tout cela pour venir chez le
roi son maître, il faudrait qu'il jouât bien de bonheur; il prit un habit de brocart, des plumes incarnates et blanches; il se peigna, se poudra, se lava le
visage; il mit une riche écharpe toute brodée à son
cou, avec un petit panier, et dedans un beau petit
chien qu'il avait acheté en passant à Boulogne. Avenant était si bien fait, si aimable, il faisait toutes
choses avec tant de grâce, que lorsqu'il se présenta
à la porte du palais, tous les gardes lui firent une
grande révérence, et l'on courut dire à la Belle aux
Cheveux d'or qu'Avenant, ambassadeur du roi son
plus proche voisin, demandait à la voir.

Sur ce nom d'Avenant, la princesse dit : «Cela me
porte bonne signification; je gagerais qu'il est joli,
et qu'il plaît à tout le monde. — Vraiment oui,
madame, lui dirent toutes ses filles d'honneur, nous
l'avons vu du grenier où nous accommodions votre
filasse[1]; et tant qu'il a demeuré sous les fenêtres,
nous n'avons pu rien faire. — Voilà qui est beau,
répliqua la Belle aux Cheveux d'or, de vous amuser
à regarder les garçons : çà, que l'on me donne ma
grande robe de satin bleu brodée, et que l'on épar-

pille bien mes blonds cheveux; que l'on me fasse
des guirlandes de fleurs nouvelles; que l'on me
donne mes souliers hauts et mon éventail; que l'on
balaye ma chambre et mon trône, car je veux qu'il
dise partout, que je suis vraiment la Belle aux Cheveux d'or.»

Voilà toutes ses femmes qui s'empressaient de
la parer comme une reine; elles étaient si hâtées
qu'elles s'entrecognaient et n'avançaient guère. Enfin
la princesse passa dans sa galerie aux grands miroirs[1]
pour voir si rien ne lui manquait; et puis elle monta
sur son trône d'or, d'ivoire et d'ébène, qui sentait
comme baume; et elle commanda à ses filles de
prendre des instruments, et de chanter tout doucement pour n'étourdir personne.

L'on conduisit Avenant dans la salle d'audience:
il demeura si transporté d'admiration, qu'il a dit
depuis bien des fois, qu'il ne pouvait presque parler; néanmoins il prit courage, et fit sa harangue à
merveille: il pria la princesse qu'il n'eût pas le
déplaisir de s'en retourner sans elle. «Gentil Avenant, lui dit-elle, toutes les raisons que vous venez
de me conter sont fort bonnes, et je vous assure que je
serais bien aise de vous favoriser plus qu'un autre;
mais il faut que vous sachiez qu'il y a un mois que je
fus me promener sur la rivière avec toutes mes
dames, et comme l'on me servit à collation, en ôtant
mon gant, je tirai de mon doigt une bague qui tomba
par malheur dans la rivière; je la chérissais plus
que mon royaume, je vous laisse juger de quelle
affliction cette perte fut suivie: j'ai fait serment de
n'écouter jamais aucune proposition de mariage
que l'ambassadeur qui me proposera un époux ne
me rapporte ma bague; voyez à présent ce que vous
avez à faire là-dessus; car quand vous me parleriez
quinze jours et quinze nuits, vous ne me persuade-
riez pas de changer de sentiment.»

Avenant demeura bien étonné de cette réponse; il lui fit une profonde révérence, et la pria de recevoir le petit chien, le panier et l'écharpe; mais elle lui répliqua qu'elle ne voulait point de présents, et qu'il songeât à ce qu'elle venait de lui dire.

Quand il fut retourné chez lui, il se coucha sans souper; et son petit chien qui s'appelait Cabriole, ne voulut pas souper non plus: il vint se mettre auprès de lui. Tant que la nuit fut longue, Avenant ne cessa point de soupirer: «Où puis-je prendre une bague tombée depuis un mois dans une grande rivière? disait-il. C'est toute folie de l'entreprendre! La princesse ne m'a dit cela, que pour me mettre dans l'impossibilité de lui obéir!» Il soupirait et s'affligeait très fort. Cabriole, qui l'écoutait, lui dit: «Mon cher maître, je vous prie, ne désespérez point de votre bonne fortune; vous êtes trop aimable pour n'être pas heureux; allons dès qu'il fera jour au bord de la rivière.» Avenant lui donna deux petits coups de la main, et ne répondit rien, mais tout accablé de tristesse il s'endormit.

Cabriole voyant le jour, cabriola tant qu'il l'éveilla, et lui dit: «Mon maître, habillez-vous, et sortons.» Avenant le voulut bien; il se lève, s'habille et descend dans le jardin, et du jardin il va insensiblement au bord de la rivière, où il se promenait son chapeau sur ses yeux et ses bras croisés l'un sur l'autre, ne pensant qu'à son départ, quand tout d'un coup il entendit qu'on l'appelait: «Avenant! Avenant!» Il regarde de tous côtés et ne voit personne; il crut rêver: il continue sa promenade, on le rappelle: «Avenant! Avenant! — Qui m'appelle? dit-il.» Cabriole qui était fort petit, et qui regardait de près dans l'eau, lui répliqua: «Ne me croyez jamais, si ce n'est une carpe dorée que j'aperçois.» Aussitôt la grosse carpe paraît et lui dit: «Vous m'avez sauvé la vie dans le Pré des Alisiers[1] où je serais restée

sans vous ; je vous promis de vous le revaloir : tenez,
cher Avenant, voici la bague de la Belle aux Cheveux d'or ». Il se baissa et la prit dans la gueule de
ma commère la Carpe, qu'il remercia mille fois[1].

Au lieu de retourner chez lui, il fut droit au palais
avec le petit Cabriole, qui était bien aise d'avoir fait
venir son maître au bord de l'eau ; l'on alla dire à la
princesse qu'il demandait à la voir : « Hélas ! dit-elle,
ce pauvre garçon, il vient prendre congé de moi, il a
considéré que ce que je veux est impossible, et il va
le dire à son maître. » L'on fit entrer Avenant qui lui
présenta sa bague, et lui dit : « Madame la princesse,
voilà votre commandement fait, vous plaît-il de
recevoir le roi mon maître pour époux ? » Quand elle
vit sa bague où il ne manquait rien, elle resta si
étonnée, si étonnée, qu'elle croyait rêver : « Vraiment,
dit-elle, gracieux Avenant, il faut que vous soyez
favorisé de quelque fée, car naturellement cela n'est
pas possible. — Madame, dit-il, je n'en connais
aucune, mais j'avais bien envie de vous obéir.
— Puisque vous avez si bonne volonté, continua-
t-elle, il faut que vous me rendiez un autre service,
sans lequel je ne me marierai jamais. Il y a un
prince qui n'est pas éloigné d'ici, appelé Galifron[2],
lequel s'était mis dans l'esprit de m'épouser : il me
fit déclarer son dessein avec des menaces épou-
vantables, que si je le refusais il désolerait mon
royaume ; mais jugez si je pouvais l'accepter : c'est
un géant qui est plus haut qu'une haute tour ; il
mange un homme comme un singe mange un mar-
ron ; quand il va à la campagne, il porte dans ses
poches des petits canons dont il se sert au lieu de
pistolets ; et lorsqu'il parle bien haut, ceux qui sont
près de lui deviennent sourds. Je lui mandai que je
ne voulais point me marier, et qu'il m'excusât ;
cependant il n'a point laissé de me persécuter : il tue

tous mes sujets; et avant toute chose, il faut vous battre contre lui et m'apporter sa tête.»

Avenant demeura un peu étourdi de cette proposition; il rêva quelque temps et puis il dit: «Hé bien, Madame, je combattrai Galifron: je crois que je serai vaincu, mais je mourrai en brave homme.» La princesse resta bien étonnée; elle lui dit mille choses pour l'empêcher de faire cette entreprise: cela ne servit de rien, il se retira pour aller chercher des armes et tout ce qu'il lui fallait. Quand il eut ce qu'il voulait, il remit le petit Cabriole dans son panier, il monta sur son beau cheval, et fut dans le pays de Galifron; il demandait de ses nouvelles à ceux qu'il rencontrait, et chacun lui disait que c'était un vrai démon dont on n'osait approcher: plus il entendait dire cela, plus il avait peur. Cabriole le rassurait, et lui disait: «Mon cher maître, pendant que vous vous battrez, j'irai lui mordre les jambes; il baissera la tête pour me chasser, et vous le tuerez.» Avenant admirait l'esprit du petit chien, mais il savait assez que son secours ne suffisait pas.

Enfin il arriva proche du château de Galifron; tous les chemins étaient couverts d'os et de carcasses d'hommes qu'il avait mangés ou mis en pièces. Il ne l'attendit pas longtemps qu'il le vit venir à travers d'un bois: sa tête passait les plus grands arbres, et il chantait d'une voix épouvantable:

> *Où sont les petits enfants,*
> *Que je les croque à belles dents?*
> *Il m'en faut tant, tant et tant*
> *Que le monde n'est suffisant.*

Aussitôt Avenant se mit à chanter sur le même air:

> *Approche, voici Avenant*
> *Qui t'arrachera les dents;*

> *Bien qu'il ne soit pas des plus grands*
> *Pour te battre il est suffisant.*

Les rimes n'étaient pas bien régulières, mais il fit la chanson fort vite, et c'est même un miracle comme il ne fit pas plus mal, car il avait horriblement peur. Quand Galifron entendit ces paroles, il regarda de tous côtés, et il aperçut Avenant l'épée à la main, qui lui dit deux ou trois injures pour l'irriter. Il n'en fallut pas tant, il se mit dans une colère effroyable ; et prenant une massue toute de fer, il aurait assommé du premier coup le gentil Avenant, sans qu'un corbeau vînt se mettre sur le haut de sa tête, et avec son bec il lui donna si juste dans les yeux, qu'il les creva : le sang coulait sur son visage ; il était comme un désespéré, frappant de tous côtés. Avenant l'évitait, et lui portait de grands coups d'épée qu'il enfonçait jusqu'à la garde, et qui lui faisaient mille blessures, par où il perdit tant de sang, qu'il tomba. Aussitôt Avenant lui coupa la tête, bien ravi d'avoir été si heureux ; et le corbeau, qui s'était perché sur un arbre, lui dit : «Je n'ai pas oublié le service que vous me rendîtes en tuant l'aigle qui me poursuivait ; je vous promis de m'en acquitter, je crois l'avoir fait aujourd'hui. — C'est moi qui vous dois tout, monsieur du Corbeau[1], répliqua Avenant, je demeure votre serviteur.» Il monta aussitôt à cheval, chargé de l'épouvantable tête de Galifron.

Quand il arriva dans la ville, tout le monde le suivait et criait : «Voici le brave Avenant, qui vient de tuer le monstre.» De sorte que la princesse qui entendit bien du bruit, et qui tremblait qu'on ne lui vînt apprendre la mort d'Avenant, n'osait demander ce qui lui était arrivé ; mais elle vit entrer Avenant avec la tête du géant, qui ne laissa pas de lui faire encore peur, bien qu'il n'y eût plus rien à craindre. «Madame, lui dit-il, votre ennemi est mort, j'espère

que vous ne refuserez plus le roi mon maître. — Ah !
si fait, dit la Belle aux Cheveux d'or, je le refuserai,
si vous ne trouvez moyen, avant mon départ, de
m'apporter de l'eau de la Grotte ténébreuse. Il y a
proche d'ici une grotte profonde qui a bien six
lieues de tour ; on trouve à l'entrée deux dragons
qui empêchent qu'on n'y entre ; ils ont du feu dans
la gueule et dans les yeux : puis lorsqu'on est dans la
grotte, on trouve un grand trou dans lequel il faut
descendre ; il est plein de crapeaux, de couleuvres,
et de serpents. Au fond de ce trou, il y a une petite
cave où coule la Fontaine de Beauté et de Santé ;
c'est de cette eau que je veux absolument : tout ce
qu'on en lave devient merveilleux : si l'on est belle,
on demeure toujours belle ; si on est laide, on
devient belle ; si l'on est jeune on reste jeune ; si l'on
est vieille on devient jeune ; vous jugez bien, Avenant, que je ne quitterai pas mon royaume sans en
emporter.

— Madame, lui dit-il, vous êtes si belle que cette
eau vous est bien inutile, mais je suis un malheureux ambassadeur dont vous voulez la mort : je vais
vous aller chercher ce que vous désirez, avec la certitude de n'en pouvoir revenir. » La Belle aux Cheveux d'or ne changea point de dessein, et Avenant
partit avec le petit chien Cabriole, pour aller à la
Grotte ténébreuse chercher l'eau de Beauté. Tous
ceux qu'il rencontrait sur le chemin disaient : « C'est
une pitié de voir un garçon si aimable s'aller perdre
de gaieté de cœur. Il va seul à la grotte, et quand il
irait lui centième[1], il n'en pourrait venir à bout.
Pourquoi la princesse ne veut-elle que des choses
impossibles ? » Il continuait de marcher, et ne disait
pas un mot ; mais il était bien triste.

Il arriva vers le haut d'une montagne, où il s'assit
pour se reposer un peu, et il laissa paître son cheval
et courir Cabriole après des mouches : il savait que

la Grotte ténébreuse n'était pas loin de là, il regardait s'il ne la verrait point ; enfin, il aperçut un vilain rocher noir comme de l'encre, d'où sortait une grosse fumée, et au bout d'un moment un des dragons qui jetait du feu par les yeux et par la gueule ; il avait le corps jaune et vert, des griffes et une longue queue qui faisait plus de cent tours. Cabriole vit tout cela, il ne savait où se cacher, tant il avait de peur.

Avenant tout résolu de mourir, tira son épée et descendit avec une fiole que la Belle aux Cheveux d'or lui avait donnée pour la remplir de l'eau de Beauté ; il dit à son petit chien Cabriole : « C'est fait de moi ! Je ne pourrai jamais avoir de cette eau qui est gardée par les dragons : quand je serai mort, remplis la fiole de mon sang et la porte à la princesse, pour qu'elle voie ce qu'elle me coûte ; et puis va trouver le roi mon maître, et lui conte mon malheur. » Comme il parlait ainsi, il entendit qu'on l'appelait : « Avenant ! Avenant ! » Il dit : « Qui m'appelle ? » Et il vit un hibou dans le trou d'un vieux arbre, qui lui dit : « Vous m'avez retiré du filet des chasseurs où j'étais pris, et vous me sauvâtes la vie ; je vous promis que je vous le revaudrais, en voici le temps : donnez-moi votre fiole, je sais tous les chemins de la Grotte ténébreuse, je vais vous quérir l'eau de Beauté. » Dame ! Qui fut bien aise ? Je vous le laisse à penser. Avenant lui donna vite sa fiole, et le hibou entra sans nul empêchement dans la grotte ; en moins d'un quart d'heure, il revint rapporter la bouteille bien bouchée. Avenant fut ravi, il le remercia de tout son cœur ; et remontant la montagne il prit le chemin de la ville, bien joyeux.

Il alla droit au palais ; il présenta la fiole à la Belle aux Cheveux d'or, qui n'eut plus rien à dire ; elle remercia Avenant et donna ordre à tout ce qu'il lui fallait pour partir, puis elle se mit en voyage avec

lui. Elle le trouvait bien aimable et elle lui disait
quelquefois : « Si vous aviez voulu, je vous aurais fait
roi, nous ne serions point partis de mon royaume. »
Mais il répondait : « Je ne voudrais pas faire un si
grand déplaisir à mon maître, pour tous les royaumes
de la terre, quoique je vous trouve plus belle que le
soleil. »

Enfin, ils arrivèrent à la grande ville du roi, qui
sachant que la Belle aux Cheveux d'or venait, alla
au-devant d'elle, et lui fit les plus beaux présents du
monde ; il l'épousa avec tant de réjouissances, que
l'on ne parlait d'autre chose ; mais la Belle aux Cheveux d'or, qui aimait Avenant dans le fond de son
cœur, n'était bien aise que quand elle le voyait, et
elle le louait toujours : « Je ne serais point venue
sans Avenant, disait-elle au roi ; il a fallu qu'il ait fait
des choses impossibles pour mon service : vous lui
devez être obligé ; il m'a donné de l'eau de Beauté,
je ne vieillirai jamais, je serai toujours belle. »

Les envieux qui écoutaient la reine, dirent au roi :
« Vous n'êtes point jaloux, et vous avez sujet de
l'être : la reine aime si fort Avenant, qu'elle en perd
le boire et le manger ; elle ne fait que parler de lui,
et des obligations que vous lui avez, comme si tel
autre que vous auriez envoyé n'en eût pas fait
autant ». Le roi dit : « Vraiment, je m'en avise : qu'on
aille le mettre dans la tour avec les fers aux pieds et
aux mains. » L'on prit Avenant, et pour sa récompense d'avoir si bien servi le roi, on l'enferma dans
la tour avec les fers aux pieds et aux mains : il ne
voyait personne que le geôlier, qui lui jetait un morceau de pain noir par un trou, et de l'eau dans une
écuelle de terre ; pourtant son petit chien Cabriole
ne le quittait point, il le consolait, et venait lui dire
toutes les nouvelles.

Quand la Belle aux Cheveux d'or sut sa disgrâce,
elle se jeta aux pieds du roi, et tout en pleurs elle le

pria de faire sortir Avenant de prison. Mais plus elle le priait, plus il se fâchait, songeant : « C'est qu'elle l'aime », et il n'en voulut rien faire ; elle n'en parla plus, elle était bien triste.

Le roi s'avisa qu'elle ne le trouvait peut-être pas assez beau ; il eut envie de se frotter le visage avec de l'eau de Beauté, afin que la reine l'aimât plus qu'elle ne faisait. Cette eau était dans la fiole sur le bord de la cheminée de la chambre de la reine, elle l'avait mise là pour la regarder plus souvent. Mais une de ses femmes de chambre voulant tuer une araignée avec un balai, jeta par malheur la fiole par terre, qui se cassa, et toute l'eau fut perdue : elle balaya vitement ; et ne sachant que faire, elle se souvint qu'elle avait vu dans le cabinet du roi une fiole toute semblable pleine d'eau claire comme était l'eau de Beauté, elle la prit adroitement sans rien dire, et la porta sur la cheminée de la reine.

L'eau qui était dans le cabinet du roi, servait à faire mourir les princes et les grands seigneurs, quand ils étaient criminels ; au lieu de leur couper la tête ou de les pendre, on leur frottait le visage de cette eau, ils s'endormaient et ne se réveillaient plus. Un soir donc, le roi prit la fiole et se frotta bien le visage, puis il s'endormit et mourut. Le petit chien Cabriole l'apprit des premiers, et ne manqua pas de l'aller dire à Avenant, qui lui dit d'aller trouver la Belle aux Cheveux d'or, et de la faire souvenir du pauvre prisonnier.

Cabriole se glissa doucement dans la presse, car il y avait grand-bruit à la Cour pour la mort du roi ; il dit à la reine : « Madame, n'oubliez pas le pauvre Avenant. » Elle se souvint aussitôt des peines qu'il avait souffertes à cause d'elle et de sa grande fidélité : elle sortit sans parler à personne, et fut droit à la tour, où elle ôta elle-même les fers des pieds et des mains d'Avenant ; et lui mettant une couronne d'or sur la tête, et le manteau royal sur les épaules, elle lui dit : « Venez, aimable Avenant : je vous fais roi, et vous prends pour mon époux. » Il se jeta à ses pieds et la remercia. Chacun fut ravi de l'avoir pour maître ; il se fit la plus belle noce du monde, et la Belle aux Cheveux d'or vécut longtemps avec le bel Avenant, tous deux heureux et satisfaits.

> *Si par hasard un malheureux*
> *Te demande ton assistance,*
> *Ne lui refuse point un secours généreux :*
> *Un bienfait tôt ou tard reçoit sa récompense.*
> *Quand Avenant avec tant de bonté*
> *Servait carpe et corbeau, quand jusqu'au hibou même,*
> *Sans être rebuté de sa laideur extrême,*
> *Il conservait la liberté,*
> *Aurait-on pu jamais le croire*
> *Que ces animaux quelque jour*
> *Le conduiraient au comble de la gloire,*
> *Lorsqu'il voudrait du roi servir le tendre amour ?*
> *Malgré tous les attraits d'une beauté charmante*
> *Qui commençait pour lui de sentir des désirs,*
> *Il conserve à son maître, étouffant ses soupirs,*
> *Une fidélité constante.*
> *Toutefois sans raison il se voit accusé ;*
> *Mais quand à son bonheur il paraît plus d'obstacle,*
> *Le ciel lui devait un miracle*
> *Qu'à la vertu jamais le ciel n'a refusé.*

L'OISEAU BLEU

Conte [1]

Il était une fois un roi fort riche en terres et en argent; sa femme mourut, il en fut inconsolable. Il s'enferma huit jours entiers dans un petit cabinet, où il se cassait la tête contre les murs, tant il était affligé: on craignit qu'il ne se tuât, on mit des matelas entre la tapisserie et la muraille; de sorte qu'il avait beau se frapper, il ne se faisait plus de mal. Tous ses sujets résolurent entre eux de l'aller voir, et de lui dire ce qu'ils pourraient de plus propre à soulager sa tristesse. Les uns préparaient des discours graves et sérieux, d'autres agréables, et même des réjouissants: mais cela ne faisait aucune impression sur son esprit, à peine entendait-il ce qu'on lui disait. Enfin, il se présenta devant lui une femme si couverte de crêpes noirs, de voiles, de mantes [2], de longs habits de deuil, et qui pleurait et sanglotait si fort et si haut qu'il en demeura surpris; elle lui dit qu'elle n'entreprenait point comme les autres de diminuer sa douleur, qu'elle venait pour l'augmenter, parce que rien n'était plus juste que de pleurer une bonne femme; que pour elle, qui avait eu le meilleur de tous les maris, elle faisait bien son compte de pleurer tant qu'il lui resterait des yeux à la tête; là-dessus elle redoubla ses cris, et le roi à son exemple se mit à hurler.

Il la reçut mieux que les autres; il l'entretint des belles qualités de sa chère défunte, et elle renchérit sur celles de son cher défunt : ils causèrent tant et tant qu'ils ne savaient plus que dire sur leur douleur. Quand la fine veuve vit la matière presque épuisée, elle leva un peu ses voiles, et le roi affligé se récréa la vue à regarder cette pauvre affligée, qui tournait et retournait fort à propos deux grands yeux bleus bordés de longues paupières noires; son teint était assez fleuri. Le roi la considéra avec beaucoup d'attention, peu à peu il parla moins de sa femme, puis il n'en parla plus du tout. La veuve disait qu'elle voulait toujours pleurer son mari, le roi la pria de ne point immortaliser son chagrin; pour conclusion l'on fut tout étonné qu'il l'épousât, et que le noir se changeât en vert et en couleur de rose : il suffit très souvent de connaître le faible des gens pour entrer dans leur cœur, et pour en faire tout ce que l'on veut [1].

Le roi n'avait eu qu'une fille de son premier mariage, qui passait pour la huitième merveille du monde; on la nommait Florine, parce qu'elle ressemblait à Flore [2], tant elle était fraîche, jeune et belle. On ne lui voyait guère d'habits magnifiques; elle aimait des robes de taffetas volant [3] avec quelques agrafes de pierreries, et force guirlandes de fleurs qui faisaient un effet admirable quand elles étaient placées dans ses beaux cheveux. Elle n'avait que quinze ans lorsque le roi se remaria.

La nouvelle reine envoya quérir sa fille, qui avait été nourrie chez sa marraine, la fée Soussio [4], mais elle n'en était ni plus gracieuse, ni plus belle : Soussio y avait voulu travailler et n'avait rien gagné; elle ne laissait pas de l'aimer chèrement; on l'appelait Truitonne, car son visage avait autant de taches de rousseur qu'une truite; ses cheveux étaient si gras et si crasseux que l'on n'y pouvait toucher, et sa

peau distillait de l'huile. La reine ne laissait pas de
l'aimer à la folie, elle ne parlait que de la charmante
Truitonne : et comme Florine avait toutes sortes
d'avantages au-dessus d'elle, la reine s'en désespérait ; elle cherchait tous les moyens possibles de la
mettre mal auprès du roi ; il n'y avait point de jours
que la reine et Truitonne ne fissent quelque pièce[1]
à Florine. La princesse, qui était douce et spirituelle, tâchait de se mettre au-dessus de ces mauvais procédés.

Le roi dit un jour à la reine que Florine et Truitonne étaient assez grandes pour être mariées, et
que le premier prince qui viendrait à la Cour, il fallait faire en sorte de lui en donner une des deux. « Je
prétends, répliqua la reine, que ma fille soit la première établie : elle est plus âgée que la vôtre ; et
comme elle est mille fois plus aimable, il n'y a point
à balancer là-dessus. » Le roi, qui n'aimait point la
dispute, lui dit qu'il le voulait bien, et qu'il l'en faisait la maîtresse.

À quelque temps de là, l'on apprit que le roi
Charmant devait arriver ; jamais prince n'a porté
plus loin la galanterie et la magnificence ; son esprit
et sa personne n'avaient rien qui ne répondît à son
nom. Quand la reine sut ces nouvelles, elle employa
tous les brodeurs, tous les tailleurs, et tous les
ouvriers à faire des ajustements à Truitonne ; elle
pria le roi que Florine n'eût rien de neuf : et ayant
gagné ses femmes, elle lui fit voler tous ses habits,
toutes ses coiffures et toutes ses pierreries le jour
même que Charmant arriva ; de sorte que lorsqu'elle
se voulut parer, elle ne trouva pas un ruban. Elle vit
bien d'où lui venait ce bon office. Elle envoya chez
les marchands pour avoir des étoffes ; ils répondirent que la reine avait défendu qu'on lui en donnât :
elle demeura donc avec une petite robe fort cras-

seuse ; et sa honte était si grande, qu'elle se mit dans
le coin de la salle, lorsque le roi Charmant arriva.

La reine le reçut avec de grandes cérémonies ;
elle lui présenta sa fille plus brillante que le soleil, et
plus laide par toutes ses parures, qu'elle ne l'était
ordinairement. Le roi en détourna les yeux ; la reine
voulait se persuader qu'elle lui plaisait trop et qu'il
craignait de s'engager, de sorte qu'elle la faisait toujours mettre devant lui. Il demanda s'il n'y avait pas
encore une autre princesse appelée Florine. « Oui,
dit Truitonne en la montrant avec le doigt : la voilà
qui se cache, parce qu'elle n'est pas brave[1]. » Florine
rougit et devint si belle, si belle, que le roi Charmant
demeura comme un homme ébloui. Il se leva promptement, et fit une profonde révérence à la princesse :
« Madame, lui dit-il, votre incomparable beauté vous
pare trop pour que vous ayez besoin d'aucun secours
étranger. — Seigneur, répliqua-t-elle, je vous avoue
que je suis peu accoutumée à porter un habit aussi
malpropre que l'est celui-ci ; et vous m'auriez fait
plaisir de ne vous pas apercevoir de moi. — Il serait
impossible, s'écria Charmant, qu'une si merveilleuse
princesse pût être en quelque lieu, et que l'on eût
des yeux pour d'autres que pour elle. — Ah ! dit
la reine irritée, je passe bien mon temps à vous
entendre : croyez-moi, Seigneur, Florine est déjà
assez coquette ; elle n'a pas besoin qu'on lui dise
tant de galanteries. » Le roi Charmant démêla aussitôt les motifs qui faisaient ainsi parler la reine : mais
comme il n'était pas de condition à se contraindre,
il laissa paraître toute son admiration pour Florine,
et l'entretint trois heures de suite.

La reine au désespoir, et Truitonne inconsolable
de n'avoir pas la préférence sur la princesse, firent
de grandes plaintes au roi, et l'obligèrent de consentir que pendant le séjour du roi Charmant, l'on
enfermerait Florine dans une tour où ils ne se ver-

raient point. En effet, aussitôt qu'elle fut retournée dans sa chambre, quatre hommes masqués la portèrent au haut de la tour, et l'y laissèrent dans la dernière désolation : car elle vit bien que l'on n'en usait ainsi que pour l'empêcher de plaire au roi, qui lui plaisait déjà fort et qu'elle aurait bien voulu pour époux.

Comme il ne savait pas les violences que l'on venait de faire à la princesse, il attendait l'heure de la revoir avec mille impatiences ; il voulut parler d'elle à ceux que le roi avait mis auprès de lui pour lui faire plus d'honneur, mais par l'ordre de la reine, ils lui en dirent tout le mal qu'ils purent : qu'elle était coquette, inégale, de méchante humeur ; et qu'elle tourmentait ses amis et ses domestiques, qu'on ne pouvait être plus malpropre et qu'elle poussait si loin l'avarice qu'elle aimait mieux être habillée comme une petite bergère que d'acheter de riches étoffes de l'argent que lui donnait le roi son père. À tout ce détail, Charmant souffrait et se sentait des mouvements de colère qu'il avait bien de la peine à modérer. «Non ! disait-il en lui-même, il est impossible que le Ciel ait mis une âme si mal faite dans le chef-d'œuvre de la nature ; je conviens qu'elle n'était pas proprement mise quand je l'ai vue ; mais la honte qu'elle en avait, prouve assez qu'elle n'est point accoutumée à se voir ainsi : quoi ! elle serait mauvaise avec cet air de modestie et de douceur qui enchante ? Ce n'est pas une chose qui me tombe sous le sens ; il m'est bien plus aisé de croire que c'est la reine qui la décrie ainsi. L'on n'est pas belle-mère pour rien ; et la princesse Truitonne est une si laide bête, qu'il ne serait point extraordinaire qu'elle portât envie à la plus parfaite de toutes les créatures.»

Pendant qu'il raisonnait là-dessus, les courtisans qui l'environnaient devinaient bien à son air qu'ils

ne lui avaient pas fait plaisir de parler mal de Florine : il y en eut un plus adroit que les autres, qui
changeant de ton et de langage pour connaître les
sentiments du prince, se mit à dire des merveilles de
la princesse. À ces mots il se réveilla comme d'un
profond sommeil, il entra dans la conversation, la
joie se répandit sur son visage : Amour, Amour, que
l'on te cache difficilement ! tu parais partout, sur les
lèvres d'un amant, dans ses yeux, au son de sa voix ;
lorsque l'on aime, le silence, la conversation, la joie
ou la tristesse, tout parle de ce qu'on ressent.

La reine impatiente de savoir si le roi Charmant
était bien touché, envoya quérir ceux qu'elle avait
mis dans sa confidence, et elle passa le reste de la
nuit à les questionner : tout ce qu'ils lui disaient ne
servait qu'à confirmer l'opinion où elle était, que le
roi aimait Florine. Mais que vous dirais-je de la
mélancolie de cette pauvre princesse ? Elle était
couchée par terre dans le donjon de cette terrible
tour, où les hommes masqués l'avaient emportée.
«Je serais moins à plaindre, disait-elle, si l'on m'avait
mise ici avant que j'eusse vu cet aimable roi ! L'idée
que j'en conserve ne peut servir qu'à augmenter
mes peines : je ne dois pas douter que c'est pour
m'empêcher de le voir davantage que la reine me
traite si cruellement ; hélas ! que le peu de beauté
dont le ciel m'a pourvue, coûtera cher à mon repos ! »
Elle pleurait ensuite si amèrement, si amèrement,
que sa propre ennemie en aurait eu pitié, si elle
avait été témoin de ses douleurs.

C'est ainsi que cette nuit se passa ; la reine, qui
voulait engager le roi Charmant par tous les témoignages qu'elle pourrait lui donner de son attention,
lui envoya des habits d'une richesse et d'une magnificence sans pareille, faits à la mode du pays, et
l'Ordre des Chevaliers d'Amour qu'elle avait obligé
le roi d'instituer le jour de leurs noces : c'était un

cœur d'or émaillé de couleur de feu, entouré de plusieurs flèches, et percé d'une, avec ces mots : *Une
seule me blesse*. La reine avait fait tailler pour Charmant un cœur d'un rubis gros comme un œuf d'autruche ; chaque flèche était d'un seul diamant, longue
comme le doigt ; et la chaîne où ce cœur tenait, était
faite de perles dont la plus petite pesait une livre ;
enfin, depuis que le monde est monde, il n'avait rien
paru de tel.

Le roi à cette vue demeura si surpris, qu'il fut
quelque temps sans parler : on lui présenta en même
temps un livre dont les feuillets étaient de vélin,
avec des miniatures ; la couverture d'or chargée de
pierreries, et les statuts de l'Ordre des Chevaliers
d'Amour y étaient écrits d'un style fort tendre et fort
galant. L'on dit au roi que la princesse qu'il avait
vue le priait d'être son chevalier, et qu'elle lui
envoyait ce présent. À ces mots, il osa se flatter que
c'était celle qu'il aimait : « Quoi ! la belle princesse
Florine, s'écria-t-il, pense à moi d'une manière si
généreuse et si engageante ? — Seigneur, lui dit-on,
vous vous méprenez au nom ; nous venons de la
part de l'aimable Truitonne. — C'est Truitonne qui
me veut pour son chevalier ! dit le roi d'un air froid
et sérieux ; je suis fâché de ne pouvoir accepter cet
honneur : mais un souverain n'est pas assez maître
de lui pour prendre les engagements qu'il voudrait.
Je sais ceux d'un chevalier, je voudrais les remplir
tous ; et j'aime mieux ne pas recevoir la grâce qu'elle
m'offre, que de m'en rendre indigne. » Il remit aussitôt le cœur, la chaîne et le livre dans la même corbeille, puis il envoya tout chez la reine, qui pensa
étouffer de rage avec sa fille, de la manière méprisante dont le roi étranger avait reçu une faveur si
particulière.

Lorsque il put aller chez le roi et la reine, il se
rendit dans leur appartement : il espérait que Flo-

rine y serait, il regardait de tous côtés pour la voir ;
dès qu'il entendait entrer quelqu'un dans la chambre,
il tournait la tête brusquement vers la porte, il
paraissait inquiet et chagrin. La malicieuse reine
devinait assez ce qui se passait dans son âme, mais
elle n'en faisait pas semblant ; elle ne lui parlait que
de parties de plaisirs, il lui répondait tout de travers : enfin il demanda où était la princesse Florine.
«Seigneur, lui dit fièrement la reine, le roi son père
a défendu qu'elle sorte de chez elle, jusqu'à ce que
ma fille soit mariée. — Et quelle raison, répliqua le
roi, peut-on avoir de tenir cette belle personne prisonnière ? — Je l'ignore, dit la reine ; et quand je le
saurais, je pourrais me dispenser de vous le dire.»
Le roi se sentait dans une colère inconcevable ; il
regardait Truitonne de travers, et songeait en lui-
même que c'était à cause de ce petit monstre qu'on
lui dérobait le plaisir de voir la princesse ; il quitta
promptement la reine, sa présence lui causait trop
de peine.

Quand il fut revenu dans sa chambre, il dit à un
jeune prince qui l'avait accompagné, et qu'il aimait
fort, de donner tout ce qu'on voudrait au monde
pour gagner quelqu'une des femmes de la princesse,
afin qu'il pût lui parler un moment. Ce prince trouva
aisément des dames du palais qui entrèrent dans la
confidence ; il y en eut une qui l'assura que le soir
même Florine serait à une petite fenêtre basse qui
répondait sur le jardin, et que par là elle pourrait lui
parler, pourvu qu'il prît de grandes précautions afin
qu'on ne le sût pas : «Car, ajouta-t-elle, le roi et la
reine sont si sévères qu'ils me feraient mourir s'ils
découvraient que j'eusse favorisé la passion de
Charmant.» Le prince ravi d'avoir amené l'affaire
jusque-là, lui promit tout ce qu'elle voulait, et courut faire sa cour au roi en lui annonçant l'heure du
rendez-vous. Mais la mauvaise confidente ne man-

qua pas d'aller avertir la reine de ce qui se passait,
et de prendre ses ordres. Aussitôt elle pensa qu'il
fallait envoyer sa fille à la petite fenêtre : elle l'ins-
truisit bien, et Truitonne ne manqua à rien, quoiqu'elle fût naturellement une grande bête.

La nuit était si noire, qu'il aurait été impossible
au roi de s'apercevoir de la tromperie qu'on lui faisait, quand bien il n'aurait pas été aussi prévenu
qu'il l'était ; de sorte qu'il s'approcha de la fenêtre
avec des transports de joie inexprimables : il dit à
Truitonne tout ce qu'il aurait dit à Florine pour la
persuader de sa passion. Truitonne profitant de la
conjoncture, lui dit qu'elle se trouvait la plus malheureuse personne du monde, d'avoir une belle-
mère si cruelle ; et qu'elle aurait toujours à souffrir
jusqu'à ce que sa fille fût mariée. Le roi l'assura que
si elle le voulait pour son époux, il serait ravi de partager avec elle sa couronne et son cœur ; là-dessus il
tira sa bague de son doigt et la mettant à celui de
Truitonne, il ajouta que c'était un gage éternel de sa
foi, et qu'elle n'avait qu'à prendre l'heure pour partir en diligence [1]. Truitonne répondit le mieux qu'elle
put à ses empressements : il s'apercevait bien qu'elle
ne disait rien qui vaille ; et cela lui aurait fait de la
peine, sans qu'il se persuadait que la crainte d'être
surprise par la reine, lui ôtait la liberté de son
esprit ; il ne la quitta qu'à condition de revenir le
lendemain à pareille heure ; ce qu'elle lui promit de
tout son cœur.

La reine ayant su l'heureux succès de cette entre-
vue, elle [2] s'en promit tout. Et en effet, le jour étant
concerté, le roi vint la prendre dans une chaise
volante traînée par des grenouilles ailées ; un enchanteur de ses amis lui avait fait ce présent. La nuit
était fort noire, Truitonne sortit mystérieusement
par une petite porte, et le roi qui l'attendait la reçut
entre ses bras, et lui jura cent fois une fidélité éter-

nelle. Mais comme il n'était pas d'humeur à voler
longtemps dans sa chaise volante sans épouser la
princesse qu'il aimait, il lui demanda où elle voulait
que les noces se fissent : elle lui dit qu'elle avait
pour marraine une fée qu'on nommait Soussio, qui
était fort célèbre ; qu'elle était d'avis d'aller à son
château. Quoique le roi ne sût pas le chemin, il n'eut
qu'à dire à ses grosses grenouilles de l'y conduire,
elles connaissaient la carte générale de l'univers, et
en peu de temps elles rendirent le roi et Truitonne
chez Soussio.

Le château était si bien éclairé, qu'en arrivant le
roi aurait connu son erreur, si la princesse ne s'était
soigneusement couverte de son voile. Elle demanda
sa marraine ; elle lui parla en particulier, et lui
conta comme quoi elle avait attrapé Charmant, et
qu'elle la priait de l'apaiser. « Ah ! ma fille, dit la fée,
la chose ne sera pas facile ; il aime trop Florine, je
suis certaine qu'il va nous faire désespérer. » Cependant le roi les attendait dans une salle dont les murs
étaient de diamants, si clairs et si nets qu'il vit au
travers Soussio et Truitonne causer ensemble. Il
croyait rêver : « Quoi ! disait-il, ai-je été trahi ? Les
démons ont-ils apporté cette ennemie de notre repos ?
Vient-elle pour troubler mon mariage ? Ma chère
Florine ne paraît point ! Son père l'a peut-être suivie ! » Il pensait mille choses qui commençaient à le
désoler : mais ce fut bien pis quand elles entrèrent
dans la salle, et que Soussio lui dit d'un ton absolu :
« Roi Charmant, voici la princesse Truitonne, à
laquelle vous avez donné votre foi ; elle est ma filleule,
et je souhaite que vous l'épousiez tout à l'heure [1].
— Moi ? s'écria-t-il, moi, j'épouserai ce petit monstre !
Vous me croyez d'un naturel bien docile quand vous
me faites de telles propositions : sachez que je ne lui
ai rien promis ; si elle dit autrement, elle en a...
— N'achevez pas, interrompit Soussio ; et ne soyez

jamais assez hardi pour me manquer de respect.
— Je consens, répliqua le roi, de vous respecter
autant qu'une fée est respectable, pourvu que vous
me rendiez ma princesse. — Est-ce que je ne la suis
pas, parjure? dit Truitonne en lui montrant sa bague.
À qui as-tu donné cet anneau pour gage de ta foi? À
qui as-tu parlé à la petite fenêtre, si ce n'est à moi?
— Comment donc, reprit-il, j'ai été déçu[1] et trompé?
Non, non, je n'en serai point la dupe. Allons, allons,
mes grenouilles, mes grenouilles, je veux partir tout
à l'heure.

    — Ho! ce n'est pas une chose en votre pouvoir, si
je n'y consens», dit Soussio. Elle le toucha, et ses
pieds s'attachèrent au parquet, comme si on les y
avait cloués. «Quand vous me lapideriez, lui dit le
roi, quand vous m'écorcheriez, je ne serai point à
une autre qu'à Florine, j'y suis résolu, et vous pouvez après cela user de votre pouvoir à votre gré.»
Soussio employa la douceur, les menaces, les promesses, les prières; Truitonne pleura, cria, gémit, se
fâcha, s'apaisa. Le roi ne disait pas un mot, et les
regardant toutes deux avec l'air du monde le plus
indigné, il ne répondait rien à tous leurs verbiages.

Il se passa ainsi vingt jours et vingt nuits, sans
qu'elles cessassent de parler, sans manger, sans
dormir, et sans s'asseoir. Enfin Soussio à bout et
fatiguée, dit au roi: «Ho bien! vous êtes un opiniâtre qui ne voulez pas entendre raison; choisissez,
ou d'être sept ans en pénitence, pour avoir donné
votre parole sans la tenir, ou d'épouser ma filleule.»
Le roi qui avait gardé un profond silence, s'écria
tout d'un coup: «Faites de moi tout ce que vous
voudrez, pourvu que je sois délivré de cette maussade. — Maussade vous-même, dit Truitonne en
colère; je vous trouve un plaisant roitelet[2] avec
votre équipage marécageux, de venir jusqu'en mon
pays me dire des injures et manquer à votre parole:

si vous aviez pour quatre deniers d'honneur, en use-
riez-vous ainsi? — Voilà des reproches touchants,
dit le roi d'un ton railleur. Voyez-vous qu'on a tort
de ne pas prendre une si belle personne pour sa
femme! — Non, non, elle ne la sera pas! s'écria
Soussio en colère, tu n'as qu'à t'envoler par cette
fenêtre, si tu veux, car tu seras sept ans Oiseau Bleu.»

En même temps le roi change de figure; ses bras
se couvrent de plumes et forment des ailes, ses
jambes et ses pieds deviennent noirs et menus, il lui
croît des ongles crochus, son corps s'apetisse, il est
tout garni de longues plumes fines et déliées de bleu
céleste, ses yeux s'arrondissent et brillent comme
des soleils, son nez n'est plus qu'un bec d'ivoire, il
s'élève sur sa tête une aigrette blanche qui forme
une couronne, il chante à ravir et parle de même:
en cet état il jette un cri douloureux de se voir ainsi
métamorphosé et s'envole à tire-d'aile pour fuir le
funeste palais de Soussio.

Dans la mélancolie qui l'accable, il voltige de
branche en branche, et ne choisit que les arbres
consacrés à l'amour ou à la tristesse, tantôt sur les
myrtes, tantôt sur les cyprès[1]; il chante des airs
pitoyables, où il déplore sa méchante fortune et celle
de Florine: «En quel lieu ses ennemis l'ont-ils
cachée? disait-il. Qu'est devenue cette belle victime?
La barbarie de la reine la laisse-t-elle encore respirer? Où la chercherai-je? Suis-je condamné à passer sept ans sans elle? Peut-être que pendant ce
temps on la mariera, et que je perdrai pour jamais
l'espérance qui soutient ma vie.» Ces différentes
pensées affligeaient l'Oiseau Bleu à tel point qu'il
voulait se laisser mourir.

D'un autre côté la fée Soussio renvoya Truitonne
à la reine, qui était bien inquiète comment les noces
se seraient passées. Mais quand elle vit sa fille, et
qu'elle lui raconta tout ce qui venait d'arriver, elle

se mit dans une colère terrible, dont le contrecoup retomba sur la pauvre Florine. « Il faut, dit-elle, qu'elle se repente plus d'une fois d'avoir su plaire à Charmant. » Elle monta dans la tour avec Truitonne qu'elle avait parée de ses plus riches habits ; elle portait une couronne de diamants sur sa tête et trois filles des plus riches barons[1] de l'État tenaient la queue de son manteau royal ; elle avait au pouce l'anneau du roi Charmant, que Florine remarqua le jour qu'ils parlèrent ensemble, elle fut étrangement surprise de voir Truitonne dans un si pompeux appareil. « Voilà ma fille qui vient vous apporter des présents de sa noce, dit la reine ; le roi Charmant l'a épousée ; il l'aime à la folie ; il n'a jamais été des gens plus satisfaits. » Aussitôt on étale devant la princesse des étoffes d'or et d'argent, des pierreries, des dentelles, des rubans, qui étaient dans de grandes corbeilles de filigrane d'or ; en lui présentant toutes ces choses, Truitonne ne manquait pas de faire briller l'anneau du roi ; de sorte que la princesse Florine ne pouvant plus douter de son malheur, elle s'écria d'un air désespéré qu'on ôtât de ses yeux tous ces présents si funestes ; qu'elle ne voulait plus porter que du noir, ou plutôt qu'elle voulait présentement mourir. Elle s'évanouit, et la cruelle reine, ravie d'avoir si bien réussi, ne permit pas qu'on la secourût : elle la laissa seule dans le plus déplorable état du monde, et fut conter malicieusement au roi que sa fille était si transportée de tendresse, que rien n'égalait les extravagances qu'elle faisait ; qu'il fallait bien se donner de garde de la laisser sortir de la tour. Le roi lui dit qu'elle pouvait gouverner cette affaire à sa fantaisie, et qu'il en serait toujours satisfait.

Lorsque la princesse revint de son évanouissement, et qu'elle réfléchit sur la conduite qu'on tenait avec elle, aux mauvais traitements qu'elle recevait de son

indigne marâtre, et à l'espérance qu'elle perdait pour
jamais d'épouser le roi Charmant, sa douleur devint
si vive qu'elle pleura toute la nuit; en cet état elle se
mit à sa fenêtre, où elle fit des regrets fort tendres
et fort touchants; quand le jour approcha, elle la
ferma, et continua de pleurer.

La nuit suivante elle ouvrit la fenêtre, elle poussa
de profonds soupirs et des sanglots, elle versa un
torrent de larmes; le jour vint, elle se cacha dans
sa chambre. Cependant le roi Charmant, ou pour
mieux dire, le bel Oiseau Bleu ne cessait point de
voltiger autour du palais, il jugeait que sa chère
princesse y était renfermée; et si elle faisait de
tristes plaintes, les siennes ne l'étaient pas moins; il
s'approchait des fenêtres le plus qu'il pouvait pour
regarder dans les chambres; mais la crainte que
Truitonne ne l'aperçût et ne se doutât que c'était lui,
l'empêchait de faire ce qu'il aurait voulu: «Il y va
de ma vie, disait-il en lui-même. Si ces mauvaises
princesses découvraient où je suis, elles voudraient
se venger; il faudrait que je m'éloignasse, ou que je
fusse exposé aux derniers dangers.» Ces raisons
l'obligèrent à garder de grandes mesures, et d'ordinaire il ne chantait que la nuit.

Il y avait vis-à-vis de la fenêtre où Florine se mettait, un cyprès d'une hauteur prodigieuse, l'Oiseau
Bleu vint s'y percher; il y fut à peine qu'il entendit
une personne qui se plaignait: «Souffrirai-je encore
longtemps? disait-elle. La mort ne viendra-t-elle
point à mon secours? Ceux qui la craignent ne la
voient que trop tôt; je la désire et la cruelle me fuit:
ah! barbare reine, que t'ai-je fait, pour me retenir
dans une captivité si affreuse? N'as-tu pas assez
d'autres endroits pour me désoler? Tu n'as qu'à me
rendre témoin du bonheur que ton indigne fille
goûte avec le roi Charmant!» L'Oiseau Bleu n'avait
pas perdu un mot de cette plainte: il en demeura

bien surpris, et il attendait le jour avec la dernière
impatience pour voir la dame affligée ; mais avant
qu'il vînt, elle avait fermé la fenêtre, et s'était retirée.

L'Oiseau curieux ne manqua pas de revenir la
nuit suivante ; il faisait clair de lune, il vit une fille à
la fenêtre de la tour qui commençait ses regrets :
«Fortune, disait-elle, toi qui me flattais de régner,
toi qui m'avais rendu l'amour de mon père[1], que
t'ai-je fait pour me plonger tout d'un coup dans les
plus amères douleurs ? Est-ce dans un âge aussi
tendre que le mien qu'on doit commencer à ressentir ton inconstance ? Reviens, barbare, reviens s'il
est possible ; je te demande pour toute faveur de ter-
miner ma fatale destinée.» L'Oiseau Bleu écoutait ;
et plus il écoutait, plus il se persuadait que c'était
son aimable princesse qui se plaignait ; il lui dit :
«Adorable Florine, merveille de nos jours, pourquoi
voulez-vous finir si promptement les vôtres ? Vos
maux ne sont point sans remède. — Hé ! qui me
parle, s'écria-t-elle, d'une manière si consolante ?
— Un roi malheureux, reprit l'Oiseau, qui vous
aime, et n'aimera jamais que vous. — Un roi qui
m'aime ! ajouta-t-elle. Est-ce ici un piège que me
tend mon ennemie ? Mais au fond, qu'y gagnera-
t-elle ? Si elle cherche à découvrir mes sentiments,
je suis prête de lui en faire l'aveu. — Non, ma princesse, répondit-il, l'amant qui vous parle n'est point
capable de vous trahir.» En achevant ces mots, il
vola sur la fenêtre. Florine eut d'abord grande peur
d'un oiseau si extraordinaire, qui parlait avec autant
d'esprit que s'il avait été homme, quoiqu'il conser-
vât le petit son de voix d'un rossignol ; mais la
beauté de son plumage et ce qu'il lui dit la rassura :
«M'est-il permis de vous revoir, ma princesse ?
s'écria-t-il. Puis-je goûter un bonheur si parfait sans
mourir de joie ? Mais hélas ! que cette joie est troublée par votre captivité, et l'état où la méchante

Soussio m'a réduit pour sept ans! — Et qui êtes-vous, charmant Oiseau? dit la princesse en le caressant. — Vous avez dit mon nom, ajouta le roi, et vous feign[e]z[1] de ne me pas connaître. — Quoi! le plus grand roi du monde! Quoi! le roi Charmant, dit la princesse, serait le petit oiseau que je tiens! — Hélas! belle Florine, il n'est que trop vrai! reprit-il, et si quelque chose m'en peut consoler, c'est que j'ai préféré cette peine à celle de renoncer à la passion que j'ai pour vous. — Pour moi? dit Florine. Ah! ne cherchez point à me tromper! Je sais, je sais que vous avez épousé Truitonne. J'ai reconnu votre anneau à son doigt, je l'ai vue toute brillante des diamants que vous lui avez donnés: elle est venue m'insulter dans ma triste prison, chargée d'une riche couronne et d'un manteau royal qu'elle tenait de votre main, pendant que j'étais chargée de chaînes et de fers.

— Vous avez vu Truitonne en cet équipage! interrompit le roi, sa mère et elle ont osé vous dire que ces joyaux venaient de moi! Ô Ciel! est-il possible que j'entende des mensonges si affreux, et que je ne puisse m'en venger aussitôt que je le souhaite! Sachez qu'elles ont voulu me décevoir[2], qu'abusant de votre nom, elles m'ont engagé d'enlever cette laide Truitonne; mais aussitôt que je connus mon erreur je voulus l'abandonner, et je choisis enfin d'être Oiseau Bleu sept ans de suite, plutôt que de manquer à la fidélité que je vous ai vouée. »

Florine avait un plaisir si sensible d'entendre parler son aimable amant, qu'elle ne se souvenait plus des malheurs de sa prison. Que ne lui dit-elle pas pour le consoler de sa triste aventure, et pour le persuader qu'elle ne ferait pas moins pour lui qu'il avait fait pour elle? Le jour paraissait, la plupart des officiers étaient déjà levés, que l'Oiseau Bleu et la princesse parlaient encore ensemble; ils se séparèrent avec mille peines, après s'être promis que toutes les nuits ils s'entretiendraient ainsi.

La joie de s'être trouvés était si extrême qu'il n'est point de termes capables de l'exprimer; chacun de son côté remerciait l'Amour et la Fortune. Cependant Florine s'inquiétait pour l'Oiseau Bleu: « Qui le garantira des chasseurs, disait-elle, ou de la serre aiguë de quelque aigle, ou de quelque vautour affamé, qui le mangera avec autant d'appétit que si ce n'était pas un grand roi? Ô Ciel! que deviendrais-je si ses plumes légères et fines poussées par le vent, venaient jusque dans ma prison m'annoncer le désastre que je crains? » Cette pensée empêcha que la pauvre princesse fermât les yeux; car lorsque l'on aime, les illusions paraissent des vérités, et ce que l'on croirait impossible dans un autre temps, semble aisé en celui-là, de sorte qu'elle passa le jour à pleurer, jusqu'à ce que l'heure fût venue de se mettre à sa fenêtre.

Le charmant Oiseau, caché dans le creux d'un arbre, avait été tout le jour occupé à penser à sa belle princesse: « Que je suis content, disait-il, de l'avoir retrouvée! Qu'elle est engageante! Que je sens vivement les bontés qu'elle me témoigne! » Ce tendre amant comptait jusqu'aux moindres moments de la pénitence qui l'empêchait de l'épouser, et jamais l'on n'en a désiré la fin avec plus de passion. Comme il voulait faire à Florine toutes les galanteries dont il était capable, il vola jusqu'à la ville capitale de son royaume; il fut à son palais, il entra dans son cabinet par une vitre qui était cassée; il prit des pendants d'oreilles de diamants, si parfaits et si beaux, qu'il n'y en avait point au monde qui en approchassent; il les apporta le soir à Florine, et la pria de s'en parer. « J'y consentirais si vous me voyiez le jour, mais puisque je ne vous parle que la nuit, je ne les mettrai pas. » L'Oiseau lui promit de

prendre si bien son temps qu'il viendrait à la tour à
l'heure qu'elle voudrait : aussitôt elle mit les pendants d'oreilles, et la nuit se passa à causer, comme
s'était passée l'autre.

Le lendemain l'Oiseau Bleu retourna dans son
royaume, il fut à son palais, il entra dans son cabinet par la vitre rompue, et il en apporta les plus
riches bracelets que l'on eût encore vus : ils étaient
d'une seule émeraude taillée en facettes, creusée
par le milieu, pour y passer la main et le bras. « Pensez-vous, lui dit la princesse, que mes sentiments
pour vous aient besoin d'être cultivés par des présents ? Ah ! que vous les connaîtriez mal ! — Non,
Madame, répliqua-t-il, je ne crois pas que les bagatelles que je vous offre soient nécessaires pour me
conserver votre tendresse : mais la mienne serait
blessée si je négligeais aucune occasion de vous
marquer mon attention ; et quand vous ne me voyez
point, ces petits bijoux me rappellent à votre souvenir. » Florine lui dit là-dessus mille choses obli-
geantes, auxquelles il répondit par mille autres qui
ne l'étaient pas moins.

La nuit suivante, l'Oiseau amoureux ne manqua
pas d'apporter à sa belle une montre d'une grandeur raisonnable, qui était dans une perle : l'excellence du travail surpassait celle de la matière. « Il est
inutile de me régaler d'une montre, dit-elle galamment ; quand vous êtes éloigné de moi, les heures
me paraissent sans fin ; quand vous êtes avec moi,
elles passent comme un songe. Ainsi je ne puis leur
donner une juste mesure. — Hélas ! ma princesse,
s'écria l'Oiseau Bleu, j'en ai la même opinion que
vous ; et je suis persuadé que je renchéris encore sur
la délicatesse. — Après ce que vous souffrez pour
me conserver votre cœur, répliqua-t-elle, je suis en
état de croire que vous avez porté l'amitié et l'estime aussi loin qu'elles peuvent aller. »

Dès que le jour paraissait, l'Oiseau volait dans le fond de son arbre où des fruits lui servaient de nourriture; quelquefois encore, il chantait de beaux airs, sa voix ravissait les passants; ils l'entendaient et ne voyaient personne, aussi il était conclu que c'était des esprits: cette opinion devint si commune que l'on n'osait entrer dans le bois; on rapportait mille aventures fabuleuses qui s'y étaient passées, et la terreur générale fit la sûreté particulière de l'Oiseau Bleu.

Il ne se passait aucun jour sans qu'il fît un présent à Florine, tantôt un collier de perles, ou des bagues des plus brillantes et des mieux mises en œuvre, des attaches de diamants, des poinçons[1], des bouquets de pierreries qui imitaient la couleur des fleurs, des livres agréables, des médailles; enfin elle avait un amas de richesses merveilleuses; elle ne s'en parait jamais que la nuit pour plaire au roi; et le jour, n'ayant point d'endroit à les mettre, elle les cachait soigneusement dans sa paillasse.

Deux années s'écoulèrent ainsi sans que Florine se plaignît une seule fois de sa captivité. Et comment s'en serait-elle plainte? Elle avait la satisfaction de parler toute la nuit à ce qu'elle aimait; il ne s'est jamais tant dit de jolies choses. Bien qu'elle ne vît personne, et que l'Oiseau passât le jour dans le creux d'un arbre, ils avaient mille nouveautés à se raconter; la matière était inépuisable, leur cœur et leur esprit fournissaient abondamment des sujets de conversation.

Cependant la malicieuse reine qui la retenait si cruellement en prison, faisait d'inutiles efforts pour marier Truitonne; elle envoyait des ambassadeurs la proposer à tous les princes dont elle connaissait le nom: dès qu'ils arrivaient on les congédiait brusquement: «S'il s'agissait de la princesse Florine, vous seriez reçus avec joie, leur disait-on; mais

pour Truitonne elle peut rester vestale, sans que personne s'y oppose.» À ces nouvelles, sa mère et elle
s'emportaient de colère contre l'innocente princesse
qu'elles persécutaient: «Quoi! malgré sa captivité
cette arrogante nous traversera[1]? disaient-elles. Quel
moyen de lui pardonner les mauvais tours qu'elle
nous fait? Il faut qu'elle ait des correspondances
secrètes dans les pays étrangers; c'est tout au moins
une criminelle d'État, traitons-la sur ce pied, et cher-
chons tous les moyens possibles de la convaincre.»

Elles finirent leur conseil si tard, qu'il était plus
de minuit lorsqu'elles résolurent de monter dans
la tour pour l'interroger. Elle était avec l'Oiseau
Bleu à la fenêtre, parée de ses pierreries, coiffée de
ses beaux cheveux avec un soin qui n'est pas naturel
aux personnes affligées, sa chambre et son lit étaient
jonchés de fleurs, et quelques pastilles d'Espagne[2]
qu'elle venait de brûler, répandaient une odeur
excellente. La reine écouta à la porte; elle crut
entendre un air à deux parties, car Florine avait une
voix céleste; en voici les paroles qui lui parurent
tendres:

> *Que notre sort est déplorable,*
> *Et que nous souffrons de tourments*
> *Pour nous aimer trop constamment!*
> *Mais c'est en vain qu'on nous accable,*
> *Malgré nos cruels ennemis*
> *Nos cœurs seront toujours unis.*

Quelques soupirs finirent leur petit concert.

«Ah! ma Truitonne, nous sommes trahies!» s'écria
la reine en ouvrant brusquement la porte, et se
jetant dans la chambre. Que devint Florine à cette
vue? Elle poussa promptement sa petite fenêtre,
pour donner le temps à l'Oiseau royal de s'envoler:
elle était bien plus occupée de sa conservation que

de la sienne propre, mais il ne sentit pas la force de
s'éloigner : ses yeux perçants lui avaient découvert
le péril où sa princesse était exposée ; il avait vu la
reine et Truitonne ; quelle affliction de n'être pas en
état de défendre sa maîtresse ! Elles s'approchèrent
d'elle comme des furies qui voulaient la dévorer :
« L'on sait vos intrigues contre l'État, s'écria la reine,
ne pensez pas que votre rang vous sauve des châti-
ments que vous méritez. — Et avec qui, Madame ?
répliqua la princesse. N'êtes-vous pas ma geôlière
depuis deux ans ? Ai-je vu d'autres personnes que
celles que vous m'avez envoyées ? » Pendant qu'elle
parlait, la reine et sa fille l'examinaient avec une
surprise sans pareille ; son admirable beauté et son
extraordinaire parure les éblouissaient. « Et d'où
vous viennent, Madame, dit la reine, ces pierreries
qui brillent plus que le soleil ? Nous ferez-vous
accroire qu'il y en a des mines dans cette tour ?
— Je les y ai trouvées, répliqua Florine ; c'est tout ce
que j'en sais. » La reine la regardait attentivement
pour pénétrer jusqu'au fond de son cœur ce qui s'y
passait. « Nous ne sommes pas vos dupes, dit-elle,
vous pensez nous en faire accroire ; mais, princesse,
nous savons ce que vous faites depuis le matin jusqu'au soir : on vous a donné tous ces bijoux dans la
seule vue de vous obliger à vendre le royaume de
votre père. — Je serais fort en état de le livrer,
répondit-elle avec un sourire dédaigneux ; une princesse infortunée, qui languit dans les fers depuis si
longtemps, peut beaucoup dans un complot de cette
nature. — Et pour qui donc, reprit la reine, êtes-vous
coiffée comme une petite coquette, votre chambre
pleine d'odeurs, et votre personne si magnifique,
qu'au milieu de la Cour vous seriez moins parée ?
— J'ai assez de loisir, dit la princesse, il n'est pas
extraordinaire que j'en donne quelques moments à
m'habiller ; j'en passe tant d'autres à pleurer mes

malheurs, que ceux-là ne sont pas à me reprocher.
— Çà, çà, voyons, dit la reine, si cette innocente personne n'a point quelque traité fait avec les ennemis. » Elle chercha elle-même partout, et venant à la
paillasse qu'elle fit vider, elle y trouva une si grande
quantité de diamants, de perles, de rubis, émeraudes
et topazes qu'elle ne savait d'où cela venait; elle
avait résolu de mettre en quelque lieu des papiers
pour perdre la princesse; dans le temps qu'on n'y
prenait pas garde, elle en cacha dans la cheminée,
mais par bonheur l'Oiseau Bleu était perché au-dessus, qui valait mieux qu'un lynx, et qui écoutait
tout; il s'écria: « Prends garde à toi, Florine, voilà
ton ennemie qui veut te faire une trahison. » Cette
voix si peu attendue, épouvanta à tel point la reine,
qu'elle n'osa faire ce qu'elle avait médité. « Vous
voyez, Madame, dit la princesse, que les esprits qui
volent en l'air me sont favorables. — Je crois, dit la
reine outrée de colère, que les démons s'intéressent
pour vous; mais malgré eux votre père saura se
faire justice. — Plût au Ciel, s'écria Florine, n'avoir
à craindre que la fureur de mon père! Mais la vôtre,
Madame, est plus terrible! »

La reine la quitta, troublée de tout ce qu'elle
venait de voir et d'entendre; elle tint conseil sur ce
qu'elle devait faire contre la princesse: on lui dit
que si quelque fée ou quelque enchanteur la prenaient sous leur protection, le vrai secret pour les
irriter serait de lui faire de nouvelles peines, et qu'il
serait mieux d'essayer de découvrir son intrigue. La
reine approuva cette pensée; elle envoya coucher
dans sa chambre une jeune fille qui contrefaisait
l'innocente: elle eut ordre de lui dire qu'on la mettait auprès d'elle pour la servir. Mais quelle apparence de donner dans un panneau si grossier? La
princesse la regarda comme son espionne, l'on n'en
peut ressentir une douleur plus violente: « Quoi! je

ne parlerai plus à cet Oiseau qui m'est si cher ?
disait-elle. Il m'aidait à supporter mes malheurs, je
soulageais les siens, notre tendresse nous suffisait :
que va-t-il faire ? Que ferai-je moi-même ? » En pensant toutes ces choses, elle versait des ruisseaux de
larmes.

Elle n'osait plus se mettre à la petite fenêtre, quoiqu'elle l'entendît voltiger autour ; elle mourait d'envie de lui ouvrir ; mais elle craignait d'exposer la vie
de ce cher amant : elle passa un mois entier sans
paraître, l'Oiseau Bleu se désespérait : quelles plaintes
ne faisait-il pas ? Comment vivre sans voir sa princesse ? Il n'avait jamais mieux ressenti les maux de
l'absence et ceux de la métamorphose, il cherchait
inutilement des remèdes à l'un et à l'autre : après
s'être creusé la tête, il ne trouvait rien qui le soulageât.

L'espionne de la princesse, qui veillait jour et nuit
depuis un mois, se sentit si accablée de sommeil
qu'enfin elle s'endormit profondément ; Florine s'en
aperçut, elle ouvrit sa petite fenêtre, et dit :

> *Oiseau Bleu couleur du temps,*
> *Vole à moi promptement.*

Ce sont là ses propres termes auxquels l'on n'a
voulu rien changer. L'Oiseau les entendit si bien,
qu'il vint promptement sur la fenêtre : quelle joie de
se revoir ! Qu'ils avaient de choses à se dire ! Les
amitiés et les protestations de fidélité se renouvelè-
rent mille et mille fois : la princesse n'ayant pu
s'empêcher de répandre des larmes, son amant s'at-
tendrit beaucoup et la consola de son mieux. Enfin
l'heure de se quitter étant venue, sans que la geôlière se fût réveillée, ils se dirent l'adieu du monde
le plus touchant. Le lendemain encore l'espionne
s'endormit, la princesse diligemment se mit à la
fenêtre, puis elle dit comme la première fois :

> *Oiseau Bleu couleur du temps,*
> *Vole à moi promptement.*

Aussitôt l'Oiseau vint, et la nuit se passa comme
l'autre, sans bruit et sans éclat, dont nos amants
étaient ravis ; ils se flattaient que la surveillante
prendrait tant de plaisir à dormir qu'elle en ferait
autant toutes les nuits : effectivement la troisième se
passa encore très heureusement ; mais pour celle
qui suivit, la dormeuse ayant entendu quelque bruit,
elle écouta sans faire semblant de rien, puis elle
regarda de son mieux, et vit au clair de la lune le
plus bel oiseau de l'univers, qui parlait à la princesse, qui la caressait avec sa patte, qui la becque-
tait doucement : enfin elle entendit plusieurs choses
de leur conversation, et demeura très étonnée ; car
l'oiseau parlait comme un amant, et la belle Florine
lui répondait avec tendresse.

Le jour parut, ils se dirent adieu et comme s'ils
eussent un pressentiment de leur prochaine disgrâce, ils se quittèrent avec une peine extrême : la
princesse se jeta sur son lit toute baignée de ses
larmes, et le roi retourna dans le creux de son arbre.
Sa geôlière courut chez la reine, elle lui apprit tout
ce qu'elle avait vu et entendu. La reine envoya quérir
Truitonne et ses confidentes ; elles raisonnèrent longtemps ensemble, et conclurent que l'Oiseau Bleu était
le roi Charmant. « Quel affront ! s'écria la reine. Quel
affront, ma Truitonne ! Cette insolente princesse que
je croyais si affligée, jouissait en repos des agréables
conversations de notre ingrat ! Ah ! je me vengerai
d'une manière si sanglante, qu'il en sera parlé. » Truitonne la pria de n'y perdre pas un moment. Et comme
elle se croyait plus intéressée dans l'affaire que la
reine, elle mourait de joie lorsqu'elle pensait à tout
ce qu'on ferait pour désoler l'amant et la maîtresse.

La reine renvoya l'espionne dans la tour, elle lui ordonna de ne témoigner ni soupçon ni curiosité, et de paraître plus endormie qu'à l'ordinaire : elle se coucha de bonne heure, elle ronfla de son mieux ; et la pauvre princesse déçue, ouvrant la petite fenêtre, s'écria :

Oiseau Bleu couleur du temps,
Vole à moi promptement.

Mais elle l'appela toute la nuit inutilement, il ne parut point ; car la méchante reine avait fait attacher au cyprès des épées, des couteaux, des rasoirs, des poignards : et lorsqu'il vint à tire-d'aile s'abattre dessus, ces armes meurtrières lui coupèrent les pieds ; il tomba sur d'autres qui lui coupèrent les ailes ; et enfin tout percé, il se sauva avec mille peines jusqu'à son arbre, laissant une longue trace de sang.

Que n'étiez-vous là, belle princesse, pour soulager cet Oiseau royal ? Mais elle serait morte, si elle l'avait vu dans cet état si déplorable ! Il ne voulait prendre aucun soin de sa vie, persuadé que c'était Florine qui lui avait fait jouer ce mauvais tour : « Ah, barbare ! disait-il douloureusement, est-ce ainsi que tu paies la passion la plus pure et la plus tendre qui sera jamais ? Si tu voulais ma mort, que ne me la demandais-tu toi-même ? Elle m'aurait été chère de ta main ! Je venais te trouver avec tant d'amour et de confiance ! Je souffrais pour toi, et je souffrais sans me plaindre ! Quoi ! Tu m'as sacrifié à la plus cruelle des femmes ! Elle était notre ennemie commune ; tu viens de faire ta paix à mes dépens : c'est toi, Florine, c'est toi qui me poignardes ! Tu as emprunté la main de Truitonne, et tu l'as conduite jusque dans mon sein ! » Ces funestes idées l'accablèrent à tel point qu'il résolut de mourir.

Mais son ami l'Enchanteur, qui avait vu revenir
chez lui les grenouilles volantes avec le chariot sans
que le roi parût, se mit si en peine de ce qui pouvait
lui être arrivé, qu'il parcourut huit fois toute la terre
pour le chercher, sans qu'il lui fût possible de le
trouver. Il faisait son neuvième tour, lorsqu'il passa
dans le bois où il était : selon les règles qu'il s'était
prescrites, il sonna du cor assez longtemps, et puis
il cria cinq fois de toute sa force : «Roi Charmant,
roi Charmant, où êtes-vous?» Le roi reconnut la
voix de son meilleur ami : «Approchez, lui dit-il, de
cet arbre, et voyez le malheureux roi que vous ché-
rissez, noyé dans son sang.» L'Enchanteur tout surpris regardait de tous côtés sans rien voir. «Je suis
Oiseau Bleu», dit le roi, d'une voix faible et languissante. À ces mots l'Enchanteur le trouva sans peine
dans son petit nid ; un autre que lui aurait été étonné
plus qu'il ne le fut, mais il n'ignorait aucun tour de
l'art nécromancien[1] : il ne lui coûta que quelques
paroles pour arrêter le sang qui coulait encore ; et
avec des herbes qu'il trouva dans le bois, et sur lesquelles il dit deux mots de grimoire, il guérit le roi
aussi parfaitement que s'il n'avait pas été blessé.

Il le pria ensuite de lui apprendre par quelle aventure il était devenu oiseau, et qui l'avait blessé si
cruellement. Le roi contenta sa curiosité : il lui dit
que c'était Florine qui avait décelé le mystère amoureux des visites secrètes qu'il lui rendait, et que
pour faire sa paix avec la reine, elle avait consenti à
laisser garnir le cyprès de poignards et de rasoirs
par lesquels il avait été presque haché ; il se récria
mille fois sur l'infidélité de cette princesse, et dit
qu'il s'estimerait heureux d'être mort avant que
d'avoir connu son méchant cœur. Le magicien se
déchaîna contre elle et contre toutes les femmes ; il
conseilla au roi de l'oublier : «Quel malheur serait
le vôtre, lui dit-il, si vous étiez capable d'aimer plus

longtemps cette ingrate? Après ce qu'elle vient de vous faire, l'on en doit tout craindre.» L'Oiseau Bleu n'en put demeurer d'accord, il aimait encore trop chèrement Florine, et l'Enchanteur qui connut ses sentiments malgré le soin qu'il prenait de les cacher, lui dit d'une manière agréable:

> *Accablé d'un cruel malheur,*
> *En vain l'on parle, et l'on raisonne,*
> *On n'écoute que sa douleur,*
> *Et point les conseils qu'on nous donne.*
> *Il faut laisser faire le temps,*
> *Chaque chose a son point de vue;*
> *Et quand l'heure n'est pas venue,*
> *On se tourmente vainement.*

Le royal Oiseau en convint, et pria son ami de le porter chez lui, et de le mettre dans une cage où il fût à couvert de la patte du chat, et de toute arme meurtrière. «Mais, lui dit l'Enchanteur, resterez-vous encore cinq ans dans un état si déplorable et si peu convenable à vos affaires et à votre dignité? Car enfin, vous avez des ennemis qui soutiennent que vous êtes mort, ils veulent envahir votre royaume: je crains bien que vous ne l'ayez perdu avant d'avoir recouvré votre première forme. — Ne pourrais-je pas, répliqua-t-il, aller dans mon palais, et gouverner tout comme je faisais ordinairement?

— Oh! s'écria son ami, la chose est différente! Tel qui veut obéir à un homme, ne veut pas obéir à un perroquet; tel vous craint étant roi, étant environné de grandeur et de faste, qui vous arrachera toutes les plumes, vous voyant un petit oiseau. — Ah! faiblesse humaine, brillant extérieur! s'écria le roi. Encore que tu ne signifies rien pour le mérite et pour la vertu, tu ne laisses pas d'avoir des endroits décevants, dont on ne saurait presque se défendre!

Eh bien! continua-t-il, soyons philosophes, méprisons ce que nous ne pouvons obtenir, notre parti ne sera point le plus mauvais. — Je ne me rends pas si tôt, dit le magicien, j'espère de trouver quelques bons expédients. »

Florine, la triste Florine, désespérée de ne plus voir le roi, passait les jours et les nuits à sa fenêtre, répétant sans cesse :

Oiseau Bleu couleur du temps,
Vole à moi promptement.

La présence de son espionne ne l'en empêchait point; son désespoir était tel qu'elle ne ménageait plus rien. « Qu'êtes-vous devenu, roi Charmant? s'écriait-elle. Nos communs ennemis vous ont-ils fait ressentir les cruels effets de leur rage? Avez-vous été sacrifié à leurs fureurs? Hélas! hélas! N'êtes-vous plus? Ne dois-je plus vous voir? Ou fatigué de mes malheurs, m'avez-vous abandonnée à la dureté de mon sort? » Que de larmes, que de sanglots suivaient ses tendres plaintes! Que les heures étaient devenues longues par l'absence d'un amant si aimable et si cher! La princesse, abattue, malade, maigre et changée, pouvait à peine se soutenir; elle était persuadée que tout ce qu'il y avait de plus funeste était arrivé au roi.

La reine et Truitonne triomphaient, la vengeance leur faisait plus de plaisir que l'offense ne leur avait fait de peine. Et au fond de quelle offense s'agissait-il? Le roi Charmant n'avait pas voulu épouser un petit monstre qu'il avait mille sujets de haïr. Cependant le père de Florine, qui devenait vieux, tomba malade et mourut; la fortune de la méchante reine et de sa fille changea de face, elles étaient regardées comme des favorites qui avaient abusé de leur faveur : le peuple mutiné courut au palais demander

la princesse Florine, la reconnaissant pour souveraine. La reine irritée voulut traiter l'affaire avec
hauteur; elle parut sur un balcon et menaça les
mutins; en même temps la sédition devint générale:
on enfonce les portes de son appartement, on le
pille et on l'assomme à coups de pierres: Truitonne
s'enfuit chez sa marraine la fée Soussio, elle ne courait pas moins de danger que sa mère.

Les Grands du royaume s'assemblèrent promptement et montèrent à la tour où la princesse était fort
malade; elle ignorait la mort de son père et le supplice de son ennemie. Quand elle entendit tant de
bruit, elle ne douta pas qu'on ne vînt la prendre
pour la faire mourir; elle n'en fut point effrayée, la
vie lui était odieuse depuis qu'elle avait perdu l'Oiseau Bleu. Mais ses sujets s'étant jetés à ses pieds,
lui apprirent le changement qui venait d'arriver à sa
fortune; elle n'en fut point émue, ils la portèrent
dans son palais et la couronnèrent.

Les soins infinis que l'on prit de sa santé, et l'envie
qu'elle avait d'aller chercher l'Oiseau Bleu, contri-
buèrent beaucoup à la rétablir, et lui donnèrent
bientôt assez de force pour nommer un Conseil afin
d'avoir soin de son royaume en son absence; puis
elle prit pour dix mille millions de pierreries, et elle
partit une nuit toute seule, sans que personne sût où
elle allait.

L'Enchanteur qui prenait soin des affaires du
roi Charmant, n'ayant pas assez de pouvoir pour
détruire ce que Soussio avait fait, s'avisa de l'aller
trouver, et de lui proposer quelque accommode-
ment en faveur duquel elle rendrait au roi sa figure
naturelle; il prit les grenouilles, et vola chez la fée
qui causait dans ce moment avec Truitonne. D'un
Enchanteur à une fée, il n'y a que la main[1]; ils se
connaiss[ai]ent[2] depuis cinq ou six cents ans, et
dans cet espace de temps ils avaient été mille fois

bien et mal ensemble. Elle le reçut très agréablement : «Que veut mon compère ? lui dit-elle (c'est
ainsi qu'ils se nomment tous). Y a-t-il quelque chose
pour son service qui dépende de moi ? — Oui, ma
commère, dit le magicien, vous pouvez tout pour
ma satisfaction ; il s'agit du meilleur de mes amis,
d'un roi que vous avez rendu infortuné. — Ha ! ha !
je vous entends, compère, s'écria Soussio, j'en suis
fâchée, mais il n'y a point de grâce à espérer pour
lui, s'il ne veut épouser ma filleule ; la voilà belle et
jolie, comme vous voyez : qu'il se consulte.»

L'Enchanteur pensa demeurer muet, tant il la
trouva laide ; cependant il ne pouvait se résoudre à
s'en aller sans régler quelque chose avec elle, parce
que le roi avait couru mille risques depuis qu'il était
en cage : le clou qui l'accrochait s'était rompu, la
cage était tombée, et Sa Majesté emplumée souffrit
beaucoup de cette chute ; Minet, qui se trouva dans
la chambre lorsque cet accident arriva, lui donna
un coup de griffe dans l'œil, dont il pensa rester
borgne. Une autre fois on avait oublié de lui donner
à boire ; il allait le grand chemin d'avoir la pépie[1],
quand on l'en garantit par quelque goutte d'eau. Un
petit coquin de singe s'étant échappé, attrapa ses
plumes au travers des barreaux de la cage, et il
l'épargna aussi peu qu'il aurait fait un geai ou un
merle. Le pire de tout cela, c'est qu'il était sur le
point de perdre son royaume : ses héritiers faisaient
tous les jours des fourberies nouvelles pour prouver
qu'il était mort. Enfin, l'Enchanteur conclut avec sa
commère Soussio qu'elle mènerait Truitonne dans
le palais du roi Charmant ; qu'elle y resterait quelques
mois, pendant lesquels il prendrait sa résolution de
l'épouser, et qu'elle lui rendrait sa figure ; quitte à
reprendre celle d'oiseau, s'il ne voulait pas se marier.

La fée donna des habits tout d'or et d'argent à
Truitonne ; puis elle la fit monter en trousse derrière

elle sur un dragon, et elles se rendirent au royaume
de Charmant, qui venait d'y arriver avec son fidèle
ami l'Enchanteur : en trois coups de baguette il se
vit le même qu'il avait été, beau, aimable, spirituel
et magnifique ; mais il achetait bien cher le temps
qu'on diminuait de sa pénitence : la seule pensée
d'épouser Truitonne le faisait frémir ; l'Enchanteur
lui disait les meilleures raisons qu'il pouvait, elles
ne faisaient qu'une médiocre impression sur son
esprit ; et il était moins occupé de la conduite de son
royaume, que des moyens de prolonger le terme que
Soussio lui avait donné pour épouser Truitonne.

Cependant la reine Florine déguisée sous un habit
de paysanne, avec ses cheveux épars et mêlés qui
cachaient son visage, un chapeau de paille sur la
tête, un sac de toile sur son épaule, commença son
voyage tantôt à pied, tantôt à cheval, tantôt par mer,
tantôt par terre ; elle faisait toute la diligence possible. Mais ne sachant où elle devait tourner ses pas,
elle craignait toujours d'aller d'un côté pendant que
son aimable roi serait de l'autre. Un jour qu'elle
s'était arrêtée au bord d'une fontaine, dont l'eau
argentée bondissait sur des petits cailloux, elle eut
envie de se laver les pieds ; elle s'assit sur le gazon,
elle releva ses blonds cheveux avec un ruban, et mit
ses pieds dans le ruisseau : elle ressemblait à Diane
qui se baigne au retour d'une chasse ; il passa dans
cet endroit une petite vieille toute voûtée, appuyée
sur un gros bâton[1] elle s'arrêta et lui dit : « Que
faites-vous là, ma belle fille, vous êtes bien seule !
— Ma bonne mère, dit la reine, je ne laisse pas d'être
en grande compagnie ; car j'ai avec moi les chagrins, les inquiétudes et les déplaisirs. » À ces mots
ses yeux se couvrirent de larmes. « Quoi ? si jeune
vous pleurez ! dit la bonne femme. Ah ! ma fille, ne
vous affligez pas ! Dites-moi ce que vous avez sincèrement, et j'espère vous soulager. » La reine le vou-

lut bien; elle lui conta ses ennuis, la conduite que la
fée Soussio avait tenue dans cette affaire, et enfin
comme elle cherchait l'Oiseau Bleu.

La petite vieille se redresse, s'agence, change tout
d'un coup de visage, paraît belle, jeune, habillée
superbement; et regardant la reine avec un sourire
gracieux : «Incomparable Florine, lui dit-elle, le roi
que vous cherchez n'est plus oiseau, ma sœur Soussio lui a rendu sa première figure, il est dans son
royaume; ne vous affligez point, vous y arriverez, et
vous viendrez à bout de votre dessein, voilà quatre
œufs, vous les casserez dans vos pressants besoins,
et vous y trouverez des secours qui vous seront
utiles.» En achevant ces mots, elle disparut.

Florine se sentit fort consolée de ce qu'elle venait
d'entendre; elle mit ces œufs dans son sac, et tourna
ses pas vers le royaume de Charmant.

Après avoir marché huit jours et huit nuits sans
s'arrêter, elle arrive au pied d'une montagne prodigieuse par sa hauteur, toute d'ivoire, et si droite que
l'on n'y pouvait mettre les pieds sans tomber : elle
fit mille tentatives inutiles, elle glissait, elle se fati-
guait, et désespérée d'un obstacle si insurmontable,
elle se coucha au pied de la montagne, résolue de
s'y laisser mourir. Quand elle se souvint des œufs
que la fée lui avait donnés, elle en prit un : «Voyons,
dit-elle, si elle ne s'est point moquée de moi, en me
promettant les secours dont j'aurais besoin.» Dès
qu'elle l'eut cassé, elle y trouva des petits crampons
d'or qu'elle mit à ses pieds et à ses mains. Quand
elle les eut, elle monta la montagne d'ivoire sans
aucune peine, car les crampons entraient dedans et
l'empêchaient de glisser. Lorsqu'elle fut tout au haut,
elle eut de nouvelles peines pour descendre, toute la
vallée était d'une seule glace de miroir; il y avait
autour plus de soixante mille femmes qui s'y miraient
avec un plaisir extrême, car ce miroir avait bien

deux lieues de large et six de haut: chacune s'y
voyait selon ce qu'elle voulait être[1]: la rousse y
paraissait blonde, la brune avait les cheveux noirs,
la vieille croyait être jeune, la jeune n'y vieillissait
point; enfin tous les défauts y étaient si bien cachés,
que l'on y venait des quatre coins du monde. Il y
avait de quoi mourir de rire, de voir les grimaces et
les minauderies que la plupart de ces coquettes faisaient. Cette circonstance n'y attirait pas moins
d'hommes, le miroir leur plaisait aussi: il faisait
paraître aux uns de beaux cheveux, aux autres la
taille plus haute et mieux prise, l'air martial, et
meilleure mine; les femmes dont ils se moquaient,
ne se moquaient pas moins d'eux; de sorte que l'on
appelait cette montagne de mille noms différents[2].
Personne n'était jamais parvenu jusqu'au sommet;
et quand on y vit Florine, les dames poussèrent de
longs cris de désespoir: «Où va cette malavisée?
disaient-elles. Sans doute qu'elle a assez d'esprit
pour marcher sur notre glace; du premier pas elle
brisera tout.» Elles faisaient un bruit épouvantable.

La reine ne savait comment faire, car elle voyait
un grand péril à descendre par là; elle cassa un
autre œuf, dont il sortit deux pigeons et un chariot,
qui devint en même temps assez grand pour s'y placer commodément; puis les pigeons descendirent
légèrement avec la reine, sans qu'il lui arrivât rien
de fâcheux; elle leur dit: «Mes petits amis, si vous
vouliez me conduire jusqu'au lieu où le roi Charmant tient sa cour, vous n'obligeriez pas une ingrate.»
Les pigeons civils et obéissants ne s'arrêt[èr]ent ni
jour ni nuit qu'ils ne fussent arrivés aux portes de la
ville. Florine descendit, et leur donna à chacun un
doux baiser, plus estimable qu'une couronne.

Oh! que le cœur lui battait en entrant! Elle se
barbouilla le visage pour n'être point connue; elle
demanda aux passants où elle pouvait voir le roi.

Quelques-uns se prirent à rire: «Voir le roi? lui
dirent-ils; hé! que lui veux-tu, ma mie souillon[1]?
Va, va te décrasser, tu n'as pas les yeux assez bons
pour voir un tel monarque.» La reine ne répondit
rien; elle s'éloigna doucement, et demanda encore
à ceux qu'elle rencontra, où elle se pourrait mettre
pour voir le roi. «Il doit venir demain au temple
avec la princesse Truitonne, lui dit-on, car enfin il
consent à l'épouser.»

Ciel! quelles nouvelles! Truitonne, l'indigne Truitonne sur le point d'épouser le roi! Florine pensa
mourir, elle n'eut plus de force pour parler ni pour
marcher: elle se mit sous une porte, assise sur des
pierres, bien cachée de ses cheveux et de son chapeau de paille: «Infortunée que je suis! disait-elle.
Je viens ici pour augmenter le triomphe de ma
rivale, et me rendre témoin de sa satisfaction! C'était
donc à cause d'elle que l'Oiseau Bleu cessa de me
venir voir! C'était pour ce petit monstre qu'il faisait
la plus cruelle de toutes les infidélités, pendant
qu'abîmée dans la douleur je m'inquiétais pour la
conservation de sa vie! Le traître avait changé; et se
souvenant moins de moi que s'il ne m'avait jamais
vue, il me laissait le soin de m'affliger de sa trop
longue absence, sans se soucier de la mienne!»

Quand on a beaucoup de chagrin, il est rare d'avoir
bon appétit; la reine chercha où se loger, et se coucha sans souper; elle se leva avec le jour, elle courut
au temple, elle n'y entra qu'après avoir essuyé mille
rebuffades des gardes et des soldats; elle vit le trône
du roi et celui de Truitonne, qu'on regardait déjà
comme la reine. Quelle douleur pour une personne
aussi tendre et aussi délicate que Florine! Elle s'approcha du trône de sa rivale; elle se tint debout,
appuyée contre un pilier de marbre. Le roi vint le
premier, plus beau et plus aimable qu'il eût été de sa
vie. Truitonne parut ensuite, richement vêtue, et si

laide qu'elle en faisait peur; elle regarda la reine en
fronçant le sourcil : « Qui es-tu, lui dit-elle, pour oser
t'approcher de mon excellente figure et de si près de
mon trône d'or ? — Je me nomme mie Souillon,
répondit-elle, je viens de loin pour vous vendre des
raretés. » Elle fouilla aussitôt dans son sac de toile,
elle en tira les bracelets d'émeraude que le roi Charmant lui avait donnés. « Ho ! Ho ! dit Truitonne, voilà
de jolies verrines ! En veux-tu une pièce de cinq
sols[1] ? — Montrez-les, Madame, aux connaisseurs,
dit la reine, et puis nous ferons notre marché. » Truitonne, qui aimait le roi plus tendrement qu'une telle
bête n'en était capable, étant ravie de trouver des
occasions de lui parler, s'avança jusqu'à son trône et
lui montra les bracelets, le priant de lui en dire son
sentiment. À la vue de ces bracelets, il se souvint de
ceux qu'il avait donnés à Florine ; il pâlit, il soupira et
fut longtemps sans répondre ; enfin, craignant qu'on
ne s'aperçût de l'état où ses différentes pensées le
réduisaient, il se fit un effort, et lui répliqua : « Ces
bracelets valent, je crois, autant que mon royaume.
Je pensais qu'il n'y en avait qu'une paire au monde,
mais en voilà de semblables. »

Truitonne revint dans son trône, où elle avait moins
bonne mine qu'une huître à l'écaille ; elle demanda
à la reine combien sans surfaire[2] elle voulait de ces
bracelets : « Vous auriez trop de peine à me les
payer, Madame, dit-elle, il vaut mieux vous proposer un autre marché : si vous me voulez procurer de
coucher une nuit dans le Cabinet des Échos qui est
au palais du roi, je vous donnerai mes émeraudes.
— Je le veux bien, mie Souillon », dit Truitonne en
riant comme une perdue et montrant des dents plus
longues que les défenses d'un sanglier.

Le roi ne s'informa point d'où venaient ces bracelets, moins par indifférence pour celle qui les présentait (bien qu'elle ne fût guère propre à faire

naître la curiosité) que par un éloignement invin-
cible qu'il sentait pour Truitonne. Or il est à propos
qu'on sache que pendant qu'il était Oiseau Bleu, il
avait confié à la princesse qu'il y avait sous son
appartement un cabinet qu'on appelait le Cabinet
des Échos, qui était si ingénieusement fait, que tout
ce qui s'y disait fort bas était entendu du roi, lorsqu'il était couché dans sa chambre[1]. Et comme Florine voulait lui reprocher son infidélité, elle n'en
avait point imaginé de meilleur moyen.

On la mena dans le cabinet par ordre de Truitonne; elle commença ses plaintes et ses regrets:
«Le malheur dont je voulais douter n'est que trop
certain, cruel Oiseau Bleu! dit-elle. Tu m'as oubliée,
tu aimes mon indigne rivale! Les bracelets que j'ai
reçus de ta déloyale main n'ont pu me rappeler à
ton souvenir, tant j'en suis éloignée!» Alors les sanglots interrompirent ses paroles: et quand elle eut
assez de force pour parler, elle se plaignit encore,
et continua jusqu'au jour. Les valets de chambre
l'avaient entendue toute la nuit gémir et soupirer;
ils le dirent à Truitonne qui lui demanda quel tintamarre elle avait fait. La reine lui dit qu'elle dormait
si bien, qu'ordinairement elle rêvait et qu'elle parlait très souvent tout haut. Pour le roi, il ne l'avait
point entendue, par une fatalité étrange. C'est que
depuis qu'il avait aimé Florine, il ne pouvait plus
dormir: et lorsqu'il se mettait au lit, pour lui faire
prendre quelque repos, on lui donnait de l'opium.

La reine passa une partie du jour dans une étrange
inquiétude: «S'il m'a entendue, disait-elle, se peut-
il une indifférence plus cruelle? S'il ne m'a pas
entendue, que ferai-je pour parvenir à me faire
entendre?» Il ne se trouvait plus de raretés extraordinaires, car des pierreries sont toujours belles,
mais il fallait quelque chose qui piquât le goût de
Truitonne: elle eut recours à ses œufs, elle en cassa

un, aussitôt il en sortit un petit carrosse d'acier poli, garni d'or de rapport[1] ; il était attelé de six souris vertes, conduites par un raton couleur de rose, et le postillon, qui était aussi de famille ratonnienne, était gris-de-lin[2] ; il y avait dans ce carrosse quatre marionnettes, plus fringantes et plus spirituelles que toutes celles qui paraissent aux foires Saint-Germain et Saint-Laurent[3] : elles faisaient des choses surprenantes, particulièrement deux petites Égyptiennes, qui pour danser la sarabande et les passe-pieds, ne l'auraient pas cédé à Léance[4].

La reine demeura ravie de ce nouveau chef-d'œuvre de l'art nécromancien ; elle ne dit mot jusqu'au soir, qui était l'heure que Truitonne allait à la promenade : elle se mit dans une allée, faisant galoper ces souris qui traînaient le carrosse, les ratons et les marionnettes. Cette nouveauté étonna si fort Truitonne qu'elle s'écria deux ou trois fois : « Mie Souillon, mie Souillon, veux-tu cinq sols du carrosse et de ton attelage souriquois[5] ? — Demandez aux gens de lettres et aux docteurs de ce royaume, dit Florine, ce qu'une telle merveille peut valoir, et je m'en rapporterai à l'estimation du plus savant. » Truitonne, qui était absolue[6] en tout, lui répliqua : « Sans m'importuner plus longtemps de ta crasseuse présence, dis-m'en le prix. — Dormir encore dans le Cabinet des Échos, dit-elle, est tout ce que je demande. — Va, pauvre bête, répliqua Truitonne, tu n'en seras pas refusée. » Et se tournant vers ses dames : « Voilà une sotte créature, dit-elle, de retirer si peu d'avantage de ses raretés ! »

La nuit vint, Florine dit tout ce qu'elle put imaginer de plus tendre, et elle le dit aussi inutilement qu'elle avait déjà fait, parce que le roi ne manquait jamais de prendre son opium. Les valets de chambre disaient entre eux : « Sans doute cette paysanne est folle ; qu'est-ce qu'elle raisonne toute la nuit ? — Avec

cela, disaient les autres, il ne laisse pas d'y avoir de
l'esprit et de la passion dans ce qu'elle conte. » Elle
attendait impatiemment le jour, pour voir quel effet
ses discours auraient produit. « Quoi ! ce barbare est
devenu sourd à ma voix ? disait-elle. Il n'entend plus
sa chère Florine ! Ah ! quelle faiblesse de l'aimer
encore ! que je mérite bien les marques de mépris
qu'il me donne ! » Mais elle y pensait inutilement ;
elle ne pouvait se guérir de sa tendresse. Il n'y avait
plus qu'un œuf dans son sac dont elle dût espérer
du secours ; elle le cassa, il en sortit un pâté de six
oiseaux qui étaient bardés, cuits et fort bien apprê-
tés ; avec cela ils chantaient merveilleusement bien,
disaient la bonne aventure, et savaient mieux la
médecine qu'Esculape. La reine resta charmée d'une
chose si admirable, elle fut avec son pâté parlant
dans l'antichambre de Truitonne.

Comme elle attendait qu'elle passât, un des valets
de chambre du roi s'approcha d'elle, et lui dit : « Ma
mie Souillon, savez-vous bien que si le roi ne prenait pas de l'opium pour dormir, vous l'étourdiriez
assurément, car vous jasez la nuit d'une manière
surprenante. » Florine ne s'étonna plus de ce qu'il
ne l'avait pas entendue ; elle fouilla dans son sac, et
lui dit : « Je crains si peu d'interrompre le repos du
roi, que si vous voulez ne lui point donner d'opium
ce soir, en cas que je couche dans ce même cabinet,
toutes ces perles et tous ces diamants seront pour
vous. » Le valet de chambre y consentit, et lui en
donna sa parole.

À quelques moments de là, Truitonne vint ; elle
aperçut la reine avec son pâté, qui feignait de le
vouloir manger : « Que fais-tu là, mie Souillon ? lui
dit-elle. — Madame, répliqua Florine, je mange des
astrologues, des musiciens et des médecins. » En
même temps tous les oiseaux se mettent à chanter
plus mélodieusement que des sirènes, puis ils s'écriè-

rent : « Donnez la pièce blanche[1], et nous vous dirons
votre bonne aventure. » Un canard qui dominait, dit
plus haut que les autres : « Can, can, can, je suis
médecin, je guéris de tous maux et de toutes sortes
de folie, hormis de celle d'amour. » Truitonne plus
surprise de tant de merveilles qu'elle l'eût été de ses
jours, jura : « Par la vertuchou, voilà un excellent
pâté ! Je le veux avoir. Çà, çà, mie Souillon, que t'en
donnerai-je ? — Le prix ordinaire, dit-elle : coucher dans le Cabinet des Échos, et rien davantage.
— Tiens, dit généreusement Truitonne (car elle était
de belle humeur par l'acquisition d'un tel pâté), tu
en auras une pistole. » Florine plus contente qu'elle
l'eût encore été, parce qu'elle espérait que le roi
l'entendrait, se retira en la remerciant.

Dès que la nuit parut, elle se fit conduire dans le
cabinet, souhaitant avec ardeur que le valet de
chambre lui tînt parole, et qu'au lieu de donner de
l'opium au roi, il lui présentât quelque autre chose
qui pût le tenir éveillé. Lorsqu'elle crut que chacun
s'était endormi, elle commença ses plaintes ordinaires : « À combien de périls me suis-je exposée,
disait-elle, pour te chercher, pendant que tu me fuis,
et que tu veux épouser Truitonne ? Que t'ai-je donc
fait, cruel, pour oublier tes serments ? Souviens-toi
de ta métamorphose, de mes bontés, de nos tendres
conversations. » Elle les répéta presque toutes, avec
une mémoire qui prouvait assez que rien ne lui était
plus cher que ce souvenir.

Le roi ne dormait point, et il entendait si distinctement la voix de Florine et toutes ses paroles qu'il
ne pouvait comprendre d'où elles venaient : mais
son cœur pénétré de tendresse lui rappela si vivement l'idée de son incomparable princesse, qu'il
sentit sa séparation avec la même douleur qu'au
moment où les couteaux l'avaient blessé sur le
cyprès ; il se mit à parler de son côté comme la reine

avait fait du sien : «Ah! princesse, dit-il, trop cruelle pour un amant qui vous adorait! Est-il possible que vous m'ayez sacrifié à nos communs ennemis!» Florine entendit ce qu'il disait et ne manqua pas de lui répondre, et de lui apprendre que s'il voulait entretenir la mie Souillon, il serait éclairci de tous les mystères qu'il n'avait pu pénétrer jusqu'alors. À ces mots, le roi impatient appela un de ses valets de chambre, et lui demanda s'il ne pouvait point trouver mie Souillon et l'amener. Le valet de chambre répliqua que rien n'était plus aisé, parce qu'elle couchait dans le Cabinet des Échos.

Le roi ne savait qu'imaginer : quel moyen de croire qu'une si grande reine que Florine fût déguisée en souillon? Et quel moyen de croire que mie Souillon eût la voix de la reine, et sût des secrets si particuliers, à moins que ce ne fût elle-même? Dans cette incertitude, il se leva, et s'habillant avec précipitation, il descendit par un degré dérobé dans le Cabinet des Échos, dont la reine avait ôté la clef. Mais le roi en avait une qui ouvrait toutes les portes du palais.

Il la trouva avec une légère robe de taffetas blanc qu'elle portait sous ses vilains habits, ses beaux cheveux couvraient ses épaules; elle était couchée sur son lit de repos, et une lampe un peu éloignée ne rendait qu'une lumière sombre. Le roi entra tout d'un coup[1] : et son amour l'emportant sur son ressentiment, dès qu'il la reconnut, il vint se jeter à ses pieds; il mouilla ses mains de ses larmes, et pensa mourir de joie, de douleur, et de mille pensées différentes qui lui passèrent en même temps dans l'esprit.

La reine ne demeura pas moins troublée; son cœur se serra, elle pouvait à peine soupirer : elle regardait fixement le roi sans lui rien dire : et quand elle eut la force de lui parler, elle n'eut pas celle de lui faire des reproches; le plaisir de le revoir lui fit oublier pour quelque temps les sujets de plaintes qu'elle croyait avoir. Enfin ils s'éclaircirent, ils se justifièrent, leur tendresse se réveilla, et tout ce qui les embarrassait, c'était la fée Soussio.

Mais dans ce moment, l'Enchanteur qui aimait le roi arriva avec une fée fameuse; c'était justement celle qui donna les quatre œufs à Florine. Après les premiers compliments, l'Enchanteur et la fée déclarèrent que leur pouvoir étant uni en faveur du roi et de la reine, Soussio ne pouvait rien contre eux, et qu'ainsi leur mariage ne recevrait aucun retardement.

Il est aisé de se figurer la joie de ces deux jeunes amants; dès qu'il fut jour on la publia dans tout le palais, et chacun était ravi de voir Florine; ces nouvelles allèrent jusqu'à Truitonne, elle accourut chez le roi: quelle surprise d'y trouver sa belle rivale! Dès qu'elle voulut ouvrir la bouche, pour lui dire des injures, l'Enchanteur et la fée parurent, qui la métamorphosèrent en truie, afin qu'il lui restât au moins une partie de son nom et de son naturel grondeur; elle s'enfuit toujours grognant jusque dans la basse-cour, où de longs éclats de rire que l'on fit sur elle, achevèrent de la désespérer[1].

Le roi Charmant et la reine Florine, délivrés d'une personne si odieuse, ne pensèrent plus qu'à la fête de leurs noces; la galanterie et la magnificence y parurent également; il est aisé de juger de leur félicité, après de si longs malheurs.

> *Quand Truitonne aspirait à l'hymen de Charmant,*
> *Et que sans avoir su lui plaire*
> *Elle voulait former ce triste engagement*
> *Que la mort seule peut défaire,*
> *Qu'elle était imprudente, hélas!*
> *Sans doute elle ignorait qu'un pareil mariage*
> *Devi[e]nt[2] un funeste esclavage,*
> *Si l'amour ne le forme pas.*

Je trouve que Charmant fut sage [1].
   À mon sens il vaut beaucoup mieux
Être Oiseau Bleu, corbeau, devenir hibou même,
   Que d'éprouver la peine extrême
D'avoir ce que l'on hait toujours devant les yeux.
En ces sortes d'hymens notre siècle est fertile :
   Les hymens seraient plus heureux
Si l'on trouvait encor quelque Enchanteur habile
Qui voulût s'opposer à ces coupables nœuds,
Et ne jamais souffrir que l'hyménée unisse
   Par intérêt ou par caprice
Deux cœurs infortunés, s'ils ne s'aiment tous deux.

LA PRINCESSE PRINTANIÈRE

Conte [1]

Il était une fois un roi et une reine, qui avaient eu
plusieurs enfants; mais ils mouraient tous, et le roi
et la reine étaient si fâchés, si fâchés que rien plus;
car ils avaient des biens de reste, il ne leur manquait
que des enfants. Il y avait cinq ans que la reine n'en
avait eu: tout le monde croyait qu'elle n'en aurait
plus, parce qu'elle s'affligeait trop quand elle pensait à tous ses petits princes si jolis qui étaient
morts.

Enfin, la reine devint grosse; elle ne faisait que
songer nuit et jour comment elle ferait pour conserver la vie à la petite créature qu'elle devait avoir, au
nom qu'elle porterait, aux habits, aux poupées, aux
joujoux[2] qu'elle lui donnerait.

On avait sonné à son de trompe et affiché à tous
les carrefours, que les meilleures nourrices eussent
à se présenter devant la reine, parce qu'elle en voulait choisir une pour son enfant. Voici qu'il en vint
des quatre coins du monde; ce n'était que nourrices
avec leurs poupards. Un jour donc que la reine prenait le frais dans un grand bois, elle s'assit et dit au
roi: «Sire, faisons venir toutes nos nourrices, choi-
sissons-en une; car nos vaches n'ont pas assez de
lait pour fournir de la bouillie à tant de petits enfants.
— Très volontiers, m'amie[3], dit le roi; allons, que

l'on appelle les nourrices.» Les voilà toutes qui viennent l'une après l'autre, faisant une belle révérence
au roi et à la reine; puis elles se mettent en haie chacune contre un arbre. Après qu'elles se furent rangées et que l'on eut admiré leur teint frais, leurs
belles dents, et leur sein rempli de bon lait, l'on voit
venir dans une brouette poussée par deux vilains
petits nains, une laideron qui avait les pieds de travers, les genoux sous le menton, une grosse bosse, les
yeux louches, et la peau plus noire que de l'encre;
elle tenait entre ses bras un petit magot de singe à
qui elle donnait à téter, et elle parlait un jargon que
l'on n'entendait pas. Elle vint à son tour pour s'offrir,
mais la reine la repoussant: «Allez, grosse laide, lui
dit-elle, vous n'êtes qu'une mal apprise de venir
devant moi faite comme vous voilà; si vous y restez
davantage je vous en ferai bien ôter.» Cette maussade passa, grommelant bien fort; et traînée par ses
affreux petits nains, elle fut se ficher dans le creux
d'un gros arbre d'où elle pouvait tout voir.

La reine, qui ne songeait plus à elle, choisit une
belle nourrice; mais dès qu'elle l'eut nommée, voilà
qu'un horrible serpent qui était caché sous les herbes
la pique au pied; elle tombe comme morte. La reine
bien chagrine de cet accident, jette les yeux sur une
autre; aussitôt passe un aigle volant qui tenait une
tortue[1], il la laisse tomber sur la tête de la pauvre
nourrice qui fut cassée en pièces comme un verre.
La reine encore plus affligée appela une troisième
nourrice, qui voulant s'avancer au plus vite, se laisse
choir contre un buisson plein de longues épines et
se crève l'œil. «Ah! s'écria la reine, il y a aujour-
d'hui bien du malheur dans mon affaire! Il n'est pas
possible que je choisisse une nourrice sans lui porter guignon! J'en laisserai le soin à mon médecin.»
En se levant pour retourner au palais, elle entend
rire à gorge déployée, elle regarde et voit derrière

elle la méchante bossue, qui était comme une guenon avec son fagotin[1] de singe dans la brouette :
dame ! elle se moquait de toute la compagnie, et
particulièrement de la reine. Cette princesse en eut
si grand dépit qu'elle voulut aller à elle pour la
battre, se doutant bien qu'elle était cause du mal des
nourrices ; mais la bossue ayant frappé trois coups
de sa baguette, les nains furent changés en griffons
ailés, la brouette en chariot de feu, et tout s'envola
dans l'air, faisant des menaces et de grands cris.

« Hélas ! m'amie, nous sommes perdus, dit le roi :
c'est ici la fée Carabosse ; la méchante me haïssait
dès le temps que j'étais petit garçon, pour une espiè-
glerie que je lui fis avec du soufre[2] dans son potage ;
depuis cela elle a toujours cherché à s'en venger. »
La reine se prit à pleurer : « Si j'avais pu deviner son
nom, dit-elle, j'aurais tâché de m'en faire une amie :
je crois que je voudrais être morte. » Quand le roi la
vit si affligée, il lui dit : « M'amour[3], allons tenir le
conseil sur ce que nous avons à faire. » Il l'emmena
par-dessous les bras, car elle tremblait encore de la
peur que lui avait faite Carabosse.

Quand le roi et la reine furent dans la chambre,
ils firent appeler leurs conseillers ; l'on ferma bien
les portes et les fenêtres pour n'être pas entendus, et
l'on prit la résolution de convier à la naissance de
l'enfant, toutes les fées à mille lieues à la ronde : l'on
fit partir en même temps des courriers, et l'on écrivit aux fées de belles lettres fort civiles pour qu'elles
prissent la peine de venir aux couches de la reine, et
de tenir l'affaire secrète ; car l'on tremblait de peur
que Carabosse n'en fût avertie, et qu'elle ne vînt
faire du grabuge[4]. Pour récompense de leurs peines,
on leur promettait une hongreline[5] de velours bleu,
un cotillon[6] de velours amarante, des pantoufles de
satin cramoisi tailladé[7], de petits ciseaux dorés, et
un étui plein de fines aiguilles[8].

Dès que les courriers furent partis, la reine commença de travailler avec ses demoiselles et ses servantes à tout ce qu'elle avait promis aux fées; elle en connaissait plusieurs, mais il n'en vint que cinq: elles arrivèrent dans le moment que la reine venait d'avoir une petite princesse. Voilà qu'elles s'enferment vitement pour la douer: la première la doua d'une beauté parfaite; la seconde, d'avoir infiniment de l'esprit; la troisième, de chanter merveilleusement bien; la quatrième, de faire des ouvrages en prose et en vers.

Comme la cinquième ouvrait la bouche pour parler, l'on entendit dans la cheminée un bruit comme d'une grosse pierre qui tomberait du haut d'un clocher, et Carabosse parut toute barbouillée de suie criant à tue-tête:

> Je doue cette petite créature
> De guignon guignonnant
> Jusqu'à l'âge de vingt ans.

À ces mots, la reine qui était dans son lit se prit à pleurer, et à prier Carabosse d'avoir pitié de la petite princesse. Toutes les fées lui disaient: «Hélas! ma sœur, déguignonnez[1]-la; que vous a-t-elle fait?» Mais cette laide fée hongnait[2] et ne répondait point; de sorte que la cinquième, qui n'avait pas parlé, tâcha de raccommoder l'affaire, et la doua d'une longue vie pleine de bonheur, après que le temps de la malédiction serait passé[3]. Carabosse n'en fit que rire, et elle se mit à chanter vingt chansons ironiques[4], en regrimpant par la même cheminée. Toutes les fées en demeurèrent dans une grande consternation, mais particulièrement la pauvre reine; elle ne laissa pas de leur donner ce qu'elle avait promis; elle y ajouta même des rubans qu'elles aiment beaucoup. On leur fit grande chère; et la plus vieille dit en par-

tant qu'elle était d'avis qu'on mît la princesse jusqu'à l'âge de vingt ans, en quelque lieu où elle ne vît
personne que les femmes qu'on lui donnerait, et
qu'elle fût bien enfermée.

Là-dessus le roi fit bâtir une tour couverte, où il
n'y avait point de fenêtres; l'on n'y voyait clair
qu'avec de la bougie; on y arrivait par une voûte qui
allait une lieue sous terre; c'était par là que l'on
apportait aux nourrices et aux gouvernantes tout ce
qu'il leur fallait; il y avait de vingt pas en vingt pas
de grosses portes qui fermaient bien, et des gardes
partout.

L'on avait nommé la jeune princesse Printanière,
parce qu'elle avait un teint de lis et de roses, plus
frais et plus fleuri que le printemps; elle se rendait
admirable dans toutes les choses qu'elle disait ou
qu'elle faisait; elle apprenait les sciences les plus
difficiles, comme les plus aisées, et elle devenait si
grande et si belle, que le roi et la reine ne la voyaient
jamais sans pleurer de joie. Elle les priait quelquefois de rester avec elle ou de l'emmener avec eux,
car elle s'ennuyait, sans bien savoir pourquoi; mais
ils différaient toujours.

Sa nourrice qui ne l'avait point quittée, et qui ne
manquait pas d'esprit, lui contait quelquefois comme
le monde était fait, et elle le comprenait aussitôt
avec autant de facilité que si elle l'eût vu. Le roi
disait souvent à la reine: «M'amie, Carabosse en
sera la dupe: nous sommes plus fins qu'elle; notre
Printanière sera heureuse en dépit de ses prédictions», et la reine riait jusqu'aux larmes, de songer
au dépit de la méchante fée. Ils avaient fait peindre
Printanière et envoyé ses portraits par toute la terre,
car le temps de la retirer de la tour approchait: ils
voulaient la marier. Il ne restait plus que quatre
jours pour accomplir les vingt ans; la Cour et la
ville étaient dans une grande joie de la prochaine

liberté de la princesse, et elle fut augmentée par la
nouvelle que le roi Merlin[1] voulait l'avoir pour son
fils, et qu'il envoyait son ambassadeur Fanfarinet[2]
pour en faire la demande.

La nourrice qui disait tout à la princesse, lui conta
ceci, et qu'il n'y aurait rien au monde de si beau que
l'entrée de Fanfarinet. «Ah! que je suis infortunée,
s'écria-t-elle; on me retient dans une sombre tour,
comme si j'avais commis quelque grand crime; je
n'ai jamais vu le ciel, le soleil et les étoiles dont on
dit tant de merveilles; je n'ai jamais vu un cheval,
un singe, un lion, si ce n'est en peinture; le roi et la
reine disent qu'ils me retireront d'ici quand j'aurai
vingt ans, mais ils veulent m'amuser pour me faire
prendre patience, et je sais fort bien qu'ils m'y veulent laisser périr, sans que je les aie offensés en rien.»
Là-dessus, elle se prit à pleurer, à pleurer tant et
tant, qu'elle en avait les yeux gros comme le poing;
et la nourrice, et la sœur de lait, et la remueuse, et
la berceuse, et la mie[3], qui l'aimaient toutes passionnément, se mirent aussi à pleurer tant et tant qu'on
n'entendait que des sanglots et des soupirs, elles
pensèrent en étouffer; c'était une grande désolation.

Quand la princesse les vit en si bon train de s'affliger, elle prit un couteau et dit tout haut: «Çà, çà,
je suis résolue de me tuer tout à l'heure[4], si vous ne
trouvez le moyen de me faire voir la belle entrée de
Fanfarinet; jamais le roi et la reine ne le sauront:
avisez ensemble, si vous aimez mieux que je m'égorge
dans cette place, que de me donner cette satisfaction.» À ces mots, la nourrice et les autres recom-
mencèrent à pleurer encore plus fort; et toutes
résolurent de lui faire voir Fanfarinet, ou de mourir
en la peine. Elles passèrent le reste de la nuit à proposer des expédients sans en trouver; et Printanière, qui se désespérait, disait sans cesse: «Ne me
faites plus accroire que vous m'aimez; si vous m'ai-

miez, vous trouveriez bien de bons moyens : j'ai lu
que l'amour et l'amitié viennent à bout de tout.»

Enfin elles conclurent qu'il fallait faire un trou à
la tour, du côté de la ville par où Fanfarinet devait
venir : elles dérangèrent le lit de la princesse, et aussitôt elles se mirent toutes à travailler sans cesser
jour et nuit. À force de gratter elles ôtaient le plâtre
et puis les petites pierres ; elles en ôtèrent tant
qu'elles firent un trou par où l'on pouvait passer
une petite aiguille avec bien de la peine[1].

Ce fut par là que Printanière aperçut le jour pour
la première fois ; elle en demeura éblouie ; et comme
elle regardait sans cesse au petit trou, elle vit
paraître Fanfarinet, à la tête de toute sa troupe. Il
était monté sur un cheval blanc qui dansait au son
des trompettes et qui sautait à merveille : six joueurs
de flûte allaient devant ; ils jouaient les plus beaux
airs de l'opéra, et six hautbois répondaient par
échos, puis les trompettes et les timbales faisaient
grand bruit. Fanfarinet avait un habit tout en broderie de perles, des bottes d'or, des plumes incarnates, des rubans partout, tant de diamants (car le
roi Merlin en avait des chambres pleines) que le
soleil brillait moins que lui. Printanière à cette vue
se sentit si hors d'elle qu'elle n'en pouvait plus ; et
après y avoir un peu pensé, elle jura qu'elle n'aurait
point d'autre mari que le beau Fanfarinet ; qu'il n'y
avait aucune apparence que son maître fût aussi
aimable ; qu'elle ne connaissait point l'ambition ;
que puisqu'elle avait bien vécu dans une tour, elle
vivrait bien, s'il le fallait, dans quelque château à la
campagne avec lui ; qu'il lui semblait que du pain et
de l'eau valaient mieux avec lui, que des poulets et
du bonbon avec un autre : enfin elle en dit tant, que
ses femmes étaient bien en peine où elle en avait
appris la quatrième partie et lorsqu'elles voulurent

lui représenter son rang et le tort qu'elle se ferait, elle les fit taire sans daigner les écouter.

Dès que Fanfarinet fut arrivé dans le palais du roi, la reine vint quérir sa fille ; toutes les rues étaient tapissées et les dames aux fenêtres : les unes tenaient des corbeilles pleines de fleurs, d'autres pleines de perles ; et ce qui était bien meilleur, d'excellentes dragées, pour jeter sur elle quand elle passerait.

L'on commençait à l'habiller, lorsqu'il arriva un nain à la tour, monté sur un éléphant ; il venait de la part des cinq bonnes fées qui l'avaient douée le jour de sa naissance : elles lui envoyaient une couronne, un sceptre, une robe de brocart d'or, une jupe d'ailes de papillons d'un travail merveilleux, avec une cassette encore plus merveilleuse, tant elle était pleine de pierreries ; aussi la disait-on sans prix, et l'on n'a jamais vu tant de richesses ensemble. À cette vue la reine se pâmait d'admiration ; pour la princesse, elle regardait tout cela assez indifféremment, parce qu'elle ne songeait qu'à Fanfarinet.

On remercia le nain ; il eut une pistole pour boire, et plus de mille aunes de nonpareille[1] de toutes les couleurs, dont il se fit de belles jarretières, un nœud à sa cravate et à son chapeau : ce nain était si petit, que quand il eut tous ces rubans on ne le voyait plus ; la reine lui dit qu'elle chercherait quelque belle chose pour renvoyer aux fées ; et la princesse, qui était fort généreuse, leur fit présent de plusieurs rouets d'Allemagne, avec des quenouilles de bois de cèdre.

L'on mit à la princesse tout ce que le nain avait apporté de plus rare, elle parut à tout le monde d'une si grande beauté, que le soleil s'en cacha de dépit ; et la lune, qui n'est pas trop honteuse, n'osa paraître tant qu'elle fut en chemin ; elle allait à pied par les rues, marchant sur de riches tapis ; le peuple assemblé en foule criait autour d'elle : «Ah! qu'elle est belle! Ah! qu'elle est belle!»

Comme elle allait dans ce pompeux appareil[1], entre la reine et quatre ou cinq douzaines de princesses du sang[2], sans compter plus de dix douzaines qui étaient venues des États voisins pour assister à cette fête, le ciel commença de s'obscurcir, le tonnerre grondait, et la pluie mêlée de grêle tombait par torrents ; la reine mit son manteau royal sur sa tête ; toutes les dames y mirent leurs jupes ; Printanière en allait faire autant, quand on entendit dans l'air plus de mille corbeaux, chouettes, corneilles, et autres oiseaux d'un sinistre augure, qui par leurs croassements n'annonçaient rien de bon : en même temps un vilain hibou d'une grandeur prodigieuse vient à tire-d'aile, tenant dans son bec une écharpe de toile d'araignée, brodée d'ailes de chauve-souris ; il laissa tomber cette écharpe sur les épaules de Printanière, et l'on entendit de longs éclats de rire, qui signifiaient assez que c'était là une mauvaise plaisanterie de Carabosse.

À cette lugubre vision, tout le monde se mit à pleurer et la reine, plus affligée que personne, voulut arracher l'écharpe noire ; mais elle semblait clouée sur les épaules de sa fille. «Ah! dit-elle, voilà un tour de notre ennemie, rien ne peut l'apaiser : je lui ai envoyé inutilement plus de cinquante livres de confitures, autant de sucre royal, et deux jambons de Mayence[3] ; elle n'en a tenu compte.»

Pendant qu'elle se lamentait, on se mouillait jusqu'aux os ; Printanière entêtée de l'ambassadeur, gagnait toujours pays[4], et sans dire un seul mot, elle songeait que pourvu qu'elle pût lui plaire, elle ne se souciait ni de Carabosse, ni de son écharpe de triste présage ; elle s'étonnait en elle-même qu'il ne vînt point au-devant d'elle, quand tout d'un coup elle le vit paraître à côté du roi : aussitôt les trompettes, les tambours et les violons firent un bruit agréable; les cris du peuple redoublèrent; enfin la joie parut extraordinaire.

Fanfarinet avait beaucoup d'esprit, mais quand il vit la belle Printanière avec tant de grâce et de majesté, il demeura si ravi, qu'au lieu de parler, il ne faisait plus que bégayer; l'on aurait dit qu'il était ivre, sans que certainement il n'avait pris qu'une tasse de chocolat[1]: il se désespérait d'avoir oublié en un clin d'œil, une harangue qu'il répétait tous les jours depuis plusieurs mois, et qu'il savait assez bien pour la dire en dormant.

Pendant qu'il donnait la question[2] à sa mémoire pour la retrouver, il faisait de profondes révérences à la princesse, qui de son côté en fit demi-douzaine sans aucune réflexion. Enfin elle prit la parole; et pour le tirer de l'embarras où elle le voyait, elle lui dit: «Seigneur Fanfarinet, je connais sans peine que tout ce que vous pensez est charmant, je vous tiens compte d'avoir tant d'esprit; mais hâtons-nous de gagner le palais; il pleut à verse, c'est la méchante Carabosse qui nous inonde; quand nous serons à couvert, elle en sera la dupe.» Il lui répliqua galamment que la fée avait sagement prévu l'incendie que ses beaux yeux allaient faire, et que pour la tempérer elle répandait des déluges d'eau.

Après ce peu de mots, il lui présenta la main pour lui aider à marcher. Elle lui dit tout bas: «J'ai pour vous des sentiments que vous ne devineriez jamais, si je ne vous les expliquais moi-même; cela ne laisse pas de me faire de la peine, mais honni soit qui mal y pense[3]: sachez donc, monsieur l'ambassadeur, que je vous ai vu avec admiration monté sur votre beau cheval qui danse; j'ai regretté que vous vinssiez ici pour un autre que pour vous; nous ne laisserons pas, si vous avez autant de courage que moi, d'y trouver du remède; au lieu de vous épouser au nom de votre maître, je vous épouserai au vôtre : je sais que vous n'êtes pas prince, vous me plaisez autant que si vous l'étiez ; nous nous sauverons ensemble dans quelque coin du monde ; on en causera d'abord, et puis quelque autre fera comme moi ou peut-être pis ; on me laissera en repos pour parler de celle-là, et j'aurai le plaisir de vivre avec vous. »

Fanfarinet crut rêver, car Printanière était une princesse si merveilleuse, qu'à moins d'un étrange caprice il ne pouvait jamais espérer cet honneur ; il n'eut pas même la force de lui répondre : s'ils avaient été seuls il se serait jeté à ses pieds ; mais il prit la liberté de lui serrer la main, si fort qu'il lui fit grand mal au petit doigt, sans qu'elle criât, tant elle en était affolée. Quand elle entra dans le palais, il retentit de mille sortes d'instruments de musique, auxquels des voix presque célestes se joignirent si juste, que l'on n'osait respirer crainte de faire trop de bruit.

Après que le roi eut baisé sa fille au front et aux deux joues, il lui dit : « Ma petite brebiette (car il lui donnait toutes sortes de noms d'amitié), ne veux-tu pas bien épouser le fils du grand roi Merlin. Voici le seigneur Fanfarinet qui fera la cérémonie pour lui, et qui t'emmènera dans le plus beau royaume du monde. — Oui-da[1], mon père, dit-elle en faisant une profonde révérence ; je veux tout ce qu'il vous plaira, pourvu que ma bonne maman y consente. — J'y consens, ma mignonne, dit la reine en l'embrassant : allons, que l'on couvre les tables. » Ce qu'on fit en diligence. Il y en avait cent dans une grande galerie ; et de mémoire d'homme l'on n'a tant mangé, excepté Printanière et Fanfarinet qui ne songeaient qu'à se regarder, et qui rêvaient si fort qu'ils en oubliaient tout.

Après le repas, il [y] eut bal, ballet et comédie ; mais il était déjà si tard et l'on avait tant mangé que,

malgré qu'on en eût on dormait tout debout : le roi
et la reine saisis de sommeil se jetèrent sur un
canapé ; la plupart des dames et des cavaliers ron-
flaient ; les musiciens détonnaient[1], et les comédiens
ne savaient ce qu'ils disaient. Nos amants seuls
étaient éveillés comme des souris et se faisaient cent
petites mines ; la princesse voyant qu'il n'y avait
rien à craindre, et que les gardes couchés sur leurs
paillasses dormaient à leur tour, elle dit à Fanfarinet : « Croyez-moi, profitons d'une occasion si favorable ; car si j'attends la cérémonie des épousailles,
le roi me donnera des dames pour me servir, et un
prince pour m'accompagner chez votre roi Merlin ;
il vaut donc mieux nous en aller à présent, le plus
vite que nous pourrons. »

Elle se leva et prit le poignard du roi, qui était
tout garni de diamants, et le couvre-chef que la
reine avait ôté pour dormir plus à son aise ; elle
donna sa main blanche à Fanfarinet pour sortir ; il
la prit, et mettant un genou en terre : « Je jure, dit-il,
à Votre Altesse une fidélité et une obéissance éternelle ; grande princesse, vous faites tout pour moi,
que ne voudrais-je pas faire pour vous ? » Ils sortirent du palais ; l'ambassadeur portait une lanterne
sourde[2], et par des rues fort crottées ils furent au
port, ils entrèrent dans un petit bateau où il y avait
un pauvre vieux batelier qui dormait ; ils l'éveillè-
rent, et quand il vit Printanière si belle et si brave[3]
avec tant de diamants et son écharpe de toile d'araignée, il la prit pour la déesse de la nuit, et se mit à
genoux devant elle : mais comme il ne fallait pas
s'amuser, elle lui ordonna de partir. C'était beaucoup hasarder, car l'on ne voyait ni la lune, ni les
étoiles ; le temps était encore couvert de la pluie que
Carabosse avait excitée ; il est vrai qu'il y avait une
escarboucle[4] au couvre-chef de la reine, qui brillait
plus que cinquante flambeaux allumés ; et Fanfari-

net (à ce qu'on dit) se serait bien passé de la lanterne sourde ; il y avait aussi une pierre qui rendait invisible.

Fanfarinet demanda à la princesse où elle voulait aller : « Hélas ! dit-elle, je veux aller avec vous, je n'ai que cela dans l'esprit. — Mais, lui dit-il, madame, je n'ose vous conduire chez le roi Merlin, je n'y vaudrais pas à pendre. — Hé bien ! répliqua-t-elle, allons à l'Île déserte des Écureuils ; elle est assez éloignée pour qu'on ne nous y suive pas. » Elle commanda au marinier de partir, et bien qu'il n'eût qu'un petit bateau, il obéit.

Comme le jour approchait, le roi, la reine et tout le monde ayant un peu secoué les oreilles et frotté leurs yeux, ils ne songèrent qu'à conclure le mariage de la princesse ; la reine empressée demanda son riche couvre-chef pour se coiffer : on le chercha depuis les cabinets jusque dans les poëlons[1], mais le couvre-chef n'y était point. La reine inquiète courait en bas, courait en haut, à la cave, au grenier, il ne se pouvait trouver.

Le roi voulut à son tour mettre son brillant poignard ; l'on commença tout de même à fureter partout, et l'on ouvrit tels coffres et telles cassettes dont il y avait plus de cent ans que les clefs étaient perdues : l'on y trouva mille raretés, des poupées qui remuaient la tête et les yeux, des brebis d'or avec leurs petits agneaux, de bonnes écorces de citron, et des noix confites ; mais cela ne pouvait consoler le roi : son désespoir était si grand qu'il s'arrachait la barbe, la reine par compagnie s'arrachait les cheveux ; car en vérité le couvre-chef et le poignard valaient plus que dix villes grandes comme Madrid.

Quand le roi vit qu'il n'y avait point d'espérance de rien retrouver, il dit à la reine : « M'amour, prenons courage et nous dépêchons d'achever la cérémonie qui nous coûte déjà si cher. » Il demanda où

était la princesse; sa nourrice s'avança et lui dit:
«Monseigneur, je vous assure qu'il y a plus de deux
heures que je la cherche sans la pouvoir trouver.»
Ces paroles mirent le comble à la douleur du roi et
de la reine: elle se prit à crier comme un aigle à qui
l'on a ravi ses petits[1] et tomba évanouie; il n'a
jamais rien été de si pitoyable; on jeta plus de deux
seaux d'eau de la reine de Hongrie[2] sur le visage de
sa Majesté avant de la pouvoir faire revenir; les
dames et les demoiselles pleuraient, et tous les
valets disaient: «Quoi? La fille au roi est donc perdue?» Le roi voyant que la princesse ne paraissait
plus, il dit à son grand page: «Allez chercher Fanfarinet qui dort dans quelque coin, pour qu'il vienne
s'affliger avec nous.» Le page fut partout, partout,
et le trouva aussi peu que l'on avait trouvé Printanière, le couvre-chef et le poignard: voilà encore un
surcroît d'affliction qui acheva de désoler Leurs
Majestés.

Le roi fit appeler tous ses conseillers et ses gens
d'armes; il entra avec la reine dans une grande
salle, que l'on avait promptement tendue de noir;
ils avaient quitté leurs beaux habits, et pris chacun
une longue robe de deuil ceinte d'une corde; quand
on les vit en cet état, il n'y eut cœur si dur qui ne fût
prêt à crever; la salle retentissait de sanglots et de
soupirs; les ruisseaux de larmes coulaient sur le
plancher. Comme le roi n'avait pas eu le temps de
préparer sa harangue, il demeura trois heures sans
rien dire; enfin il commença ainsi:

«Or écoutez, petits et grands; j'ai perdu ma chère
fille Printanière; je ne sais si elle est fondue ou si on
me l'a dérobée. Le couvre-chef de la reine et mon
poignard, qui valent leur pesant d'or, sont aussi dis-
parus avec elle; et qui pis est, l'ambassadeur Fanfarinet n'y est plus: je crains bien que le roi son
maître n'en recevant point de nouvelles, ne vienne

le chercher parmi nous, et qu'il ne nous accuse de l'avoir haché comme chair à pâté[1]. Encore prendrais-je patience si j'avais de l'argent, mais je vous avoue que les frais de la noce m'ont ruiné : avisez donc, mes chers sujets, ce que je peux faire pour recouvrer ma fille, Fanfarinet et le reste.»

Chacun admira la belle harangue du roi (il n'en avait jamais fait de si éloquente). Le seigneur Gambille[2], chancelier du royaume, prit la parole, et dit :

«Sire, nous sommes tous bien fâchés de votre fâcherie ; et nous voudrions avoir donné jusqu'à nos femmes et à nos petits enfants, et que vous n'eussiez pas un si grand sujet de vous fâcher ; mais apparemment, c'est un tour de la fée Carabosse : les vingt ans de la princesse n'étaient pas encore accomplis ; et puisqu'il faut tout dire, j'ai remarqué qu'elle regardait à tout moment Fanfarinet, et qu'il la regardait aussi ; peut-être que l'Amour a fait là quelque tour de son métier.»

À ces mots, la reine qui était fort prompte, l'interrompit : «Prenez garde à ce que vous avancez, lui dit-elle, seigneur Gambille ; sachez que la princesse n'est pas d'humeur à s'amouracher de Fanfarinet ; je l'ai trop bien élevée.» Là-dessus la nourrice qui écoutait tout, vint se mettre à genoux devant le roi et la reine : «Je viens, dit-elle, vous avouer ce qui est arrivé : la princesse eut envie de voir Fanfarinet ou de mourir ; nous fîmes un petit trou par lequel elle l'aperçut, et sur-le-champ elle jura qu'elle n'en aurait jamais d'autre.» À ces nouvelles chacun s'affligea ; l'on connut bien que le chancelier Gambille avait beaucoup de pénétration ; la reine toute dépitée gronda tant la nourrice, la sœur de lait, la remueuse, la berceuse, la mie, que pour les étrangler l'on n'en aurait pas dit davantage.

L'amiral Chapeau-Pointu interrompant la reine, s'écria : «Allons, allons après Fanfarinet. Il n'en faut

point douter, ce godenot[1] a enlevé notre princesse.»
Tout le monde battit des mains et répondit: «Allons!»
Voilà que les uns se mirent sur la mer, et que les
autres allèrent de royaume en royaume, battant
le tambour et sonnant la trompette; puis quand
on s'amassait autour d'eux, ils criaient: «Qui veut
gagner une belle poupée, des confitures sèches et
liquides, des petits ciseaux, une robe d'or, un beau
bonnet de satin, n'a qu'à nous enseigner la princesse Printanière que Fanfarinet emmène.» Chacun
répondait: «Allez ailleurs, nous ne les avons point
vus.»

Ceux qui poursuivaient la princesse par mer furent
plus heureux; car après une assez longue naviga-
tion, ils aperçurent pendant une nuit quelque chose
qui brillait devant eux comme un grand feu: ils
n'osèrent en approcher, ne sachant ce que ce pouvait être; mais tout d'un coup cette lumière s'arrêta
dans l'Île déserte des Écureuils; car c'était en effet
la princesse et son amant, avec l'escarboucle qui
brillait. Ils descendirent, et après avoir donné cent
écus d'or au bonhomme qui les avait amenés, ils lui
dirent adieu, et lui défendirent sur les yeux de sa
tête de parler de rien à personne.

La première chose qu'il rencontra, ce fut les vaisseaux du roi, qu'il n'eut pas plus tôt reconnus qu'il
les voulut éviter; mais l'amiral, l'ayant aperçu, dépê-
cha une barque après; et le bonhomme était si vieux
et si faible, qu'il n'avait pas assez de force pour
ramer: on le joignit, et on l'amena devant l'amiral
qui le fit fouiller: on lui trouva les cent écus d'or
tout neufs, car on avait battu monnaie pour les noces
de la princesse. L'amiral le questionna; et pour
n'être point obligé de répondre, il feignait d'être
sourd et muet: «Çà, çà, dit l'amiral, que l'on m'attache ce muet au grand mât, et qu'on lui donne les
étrivières; il n'y a rien de meilleur pour les muets.»

Quand le vieillard vit que c'était tout de bon, il avoua qu'une fille plus céleste qu'humaine et un gentil cavalier lui avaient commandé de les conduire dans l'Île déserte des Écureuils. À ces mots l'amiral jugea bien que c'était la princesse ; il fit avancer sa flotte pour entourer l'île.

Cependant, Printanière fatiguée de la mer, ayant trouvé un gazon vert sous des arbres épais, se coucha dessus et s'endormit doucement ; mais Fanfarinet qui avait plus de faim que d'amour, ne la laissa pas longtemps en repos : « Croyez-vous, Madame, lui dit-il en l'éveillant, que je puisse demeurer longtemps ici ? Je n'y vois rien à manger : quand vous seriez plus belle que l'Aurore, cela ne me suffirait pas, il faut de quoi se nourrir ; j'ai les dents bien longues[1], et l'estomac bien vide. — Quoi ! Fanfarinet, lui répliqua-t-elle, est-il possible que les marques de mon amitié ne vous tiennent lieu de rien ? Est-il possible que vous ne soyez pas occupé de votre bonne fortune ? — Je le suis bien plutôt de mon malheur ! s'écria-t-il. Plût au Ciel que vous fussiez encore dans votre noire tour ! — Beau chevalier, lui dit-elle gracieusement, je vous prie de ne vous point fâcher, je vais chercher partout ; peut-être que je trouverai des fruits. — Puissiez-vous, lui dit-il, trouver un loup qui vous mange. » La princesse affligée courut dans le bois, déchirant ses beaux habits aux ronces et sa peau blanche aux épines ; elle était égratignée comme si elle avait joué avec des chats (voilà ce que c'est d'aimer les garçons, il n'en arrive que des peines). Après avoir été partout, elle revint bien triste vers Fanfarinet, et lui dit qu'elle n'avait rien trouvé : il lui tourna le dos et s'éloigna d'elle, grommelant entre ses dents.

Ils cherchèrent le lendemain aussi inutilement ; de sorte qu'ils restèrent trois jours sans manger que des feuilles et quelques hannetons. La princesse ne

s'en plaignait point, quoiqu'elle fût bien plus délicate: «Je serais contente, lui disait-elle, si je souffrais seule; et je ne me soucierais pas de mourir de
faim, pourvu que vous eussiez de quoi faire bonne
chère. — Il me serait indifférent, répliqua-t-il, que
vous mourussiez, si j'avais ce qu'il me faut. — Est-il
possible, ajouta-t-elle, que vous seriez si peu touché
de ma mort? Sont-ce là les serments que vous
m'avez faits? — Il y a grande différence, dit-il, d'un
homme à son aise, qui n'a ni faim, ni soif, ou d'un
malheureux prêt à expirer dans une île déserte.
— Je suis dans le même danger, continua-elle, et je
ne m'en plains pas. — Vous y auriez bonne grâce,
reprit-il brusquement, vous avez voulu quitter père
et mère pour venir courir la prétentaine[1]; nous
voilà fort à notre aise! — Mais c'est pour l'amour de
vous, Fanfarinet, dit-elle en lui tendant la main. —
Je m'en serais bien passé», dit-il et là-dessus il lui
tourna le dos.

La belle princesse outrée de douleur, se prit à
pleurer tant et tant qu'elle aurait attendri un rocher;
elle s'assit au pied d'un buisson chargé de roses
blanches et vermeilles; après les avoir regardées
quelque temps, elle leur dit:

«Que vous êtes heureuses, jeunes fleurs, les zéphyrs
vous caressent, la rosée vous humecte, le soleil vous
embellit, les abeilles vous chérissent, vos épines vous
défendent, chacun vous admire! Hélas! faut-il que
vous soyez plus tranquilles que moi?» Cette réflexion
lui fit répandre une si grande abondance de larmes,
que le pied du rosier en était tout mouillé; elle vit
alors avec un grand étonnement que le buisson s'agitait, que les roses s'épanouissaient, et que la plus
belle lui dit: «Si tu n'avais point aimé, ton sort serait
aussi digne d'envie que le mien; qui aime s'expose
aux derniers malheurs, pauvre princesse! Prends
dans le creux de cet arbre un rayon de miel; mais ne

sois assez simple pour en donner à Fanfarinet.» Elle
courut à l'arbre, ne sachant encore si elle rêvait ou si
elle était bien éveillée: elle trouva le miel, et dès
qu'elle l'eut, elle le porta à son ingrat amant: «Voici,
lui dit-elle, un rayon de miel; j'aurais pu le manger
seule, mais j'aime mieux le partager avec vous.»
Sans la remercier ni la regarder, il lui arracha et le
mangea tout entier, refusant de lui en donner un petit
morceau: il ajouta même la raillerie à la brutalité: il
lui dit que cela était trop sucré; qu'elle se gâterait les
dents, et cent autres impertinences semblables.

Printanière, plus affligée qu'elle l'eût encore été,
s'assit sous un chêne, et lui fit à peu près un compliment semblable à celui qu'elle avait fait au rosier.
Le chêne ému de compassion, baissa vers elle
quelques-unes de ses branches, et lui dit: «Ce serait
dommage que tu cessasses de vivre, belle Printanière; prends cette cruche de lait et la bois sans en
donner une goutte à ton ingrat amant.» La princesse tout étonnée regarda derrière elle; aussitôt
elle vit une grande cruche pleine de lait; elle ne se
souvint alors que de la soif que Fanfarinet pouvait
avoir, après avoir mangé plus de quinze livres de
miel; elle courut lui porter sa cruche. «Désaltérez-
vous, beau Fanfarinet, dit-elle, et souvenez-vous de
m'en garder, car je meurs de faim et de soif.» Il prit
rudement la cruche, il but tout d'un trait, puis la
jetant sur des pierres, il la mit en morceaux, disant
avec un sourire malin: «Quand on n'a pas mangé,
l'on n'a pas de soif.»

La princesse joignit ses mains l'une dans l'autre;
et levant ses beaux yeux vers le ciel: «Ah! s'écria-
t-elle, je l'ai bien mérité; voilà une juste punition
pour avoir quitté le roi et la reine, pour avoir aimé
si inconsidérément un homme que je ne connaissais
point; pour avoir fui avec lui sans me souvenir de
mon rang, ni des malheurs dont j'étais menacée par

Carabosse. » Elle se prit encore à pleurer plus amèrement qu'elle eût fait de sa vie ; et s'enfonçant dans
le plus épais du bois, elle tomba de faiblesse au pied
d'un ormeau, sur lequel était perché un rossignol
qui chantait à merveille ; il disait ces paroles en battant des ailes, comme s'il ne les eût chantées que pour
Printanière ; il les avait apprises exprès d'Ovide :

> *L'Amour est un méchant ; jamais le petit traître*
> *Ne nous fait de faveurs qu'il ne les fasse en maître,*
> *Et que sous les appâts de ses fausses douceurs*
> *Ses traits envenimés n'empoisonnent les cœurs* [1].

« Qui le peut mieux savoir que moi ? s'écria-t-elle
en l'interrompant. Hélas ! je ne connais que trop
toute la cruauté de ses traits et celle de mon sort.
— Prends courage, lui dit l'amoureux rossignol, et
cherche dans ce buisson, tu y trouveras des dragées
et des tartelettes de chez Le Coq [2] ; mais ne sois plus
assez imprudente pour en donner à Fanfarinet. » La
princesse n'avait pas besoin de cette défense pour
s'en garder ; elle n'avait pas encore oublié les deux
derniers tours qu'il lui avait faits ; et puis elle avait
un si grand besoin de manger, qu'elle croqua toute
seule les amandes et les tartelettes. Le goulu Fanfarinet l'ayant aperçue manger sans lui, entra dans
une si grande colère, qu'il accourut les yeux étince-
lants de rage et l'épée à la main pour la tuer ; elle
découvrit promptement la pierre du couvre-chef qui
rendait invisible ; et s'éloignant de lui, elle lui repro-
cha son ingratitude, dans des termes qui faisaient
assez connaître qu'elle ne pouvait encore le haïr.

Cependant l'amiral Chapeau-Pointu avait dépêché
Jean Caquet [3], botté de paille, courrier ordinaire du
Cabinet, pour aller dire au roi que la princesse et
Fanfarinet étaient descendus dans l'Île des Écureuils ;
mais que, ne connaissant pas le pays, il craignait les

embuscades. À ces nouvelles, qui donnèrent beaucoup de joie à Leurs Majestés, le roi se fit apporter
un grand livre, dont chaque feuillet avait huit aunes
de long ; c'était le chef-d'œuvre d'une savante fée,
où était la description de toute la terre ; il connut
aussitôt que l'Île des Écureuils n'était pas habitée.
«Va, dit-il à Jean Caquet, ordonner de ma part à
l'amiral de descendre promptement ; il se serait bien
passé, et moi aussi de laisser ma fille si longtemps
avec Fanfarinet.»

Dès que Jean Caquet fut arrivé à la flotte, l'amiral
fit battre les tambours, les timbales ; l'on sonne les
trompettes, l'on joue du hautbois, de la flûte, du violon, de la vielle, des orgues, de la guitare : voilà un
tintamarre désespéré, car tous ces instruments de
guerre et de paix se faisaient entendre par toute
l'île. À ce bruit la princesse alarmée courut vers son
amant pour lui offrir son secours : il n'était pas
brave ; le péril les réconcilia bien vite : «Tenez-vous
derrière moi, lui dit-elle, je marcherai devant, je
découvrirai la pierre invisible et je prendrai le poignard de mon père pour tuer les ennemis, pendant
que vous les tuerez avec votre épée.»

La princesse invisible s'avança parmi les gens
d'armes ; Fanfarinet et elle tuaient tout sans être
vus ; l'on n'entendait autre chose que crier : «Je suis
mort, je me meurs.» Les soldats avaient beau tirer,
ils n'attrapaient rien : car la princesse et son amant
faisaient le plongeon comme des canes, et les coups
passaient par-dessus leurs têtes. Enfin, l'amiral,
affligé de perdre tant de monde d'une manière si
extraordinaire, sans savoir qui l'attaquait, ni comment se défendre, fit sonner la retraite, et retourna
dans ses vaisseaux pour tenir conseil.

La nuit était déjà bien avancée ; la princesse et
Fanfarinet allèrent se réfugier dans le plus épais du
bois ; elle était si lasse qu'elle se coucha sur l'herbe,

et commençait à dormir, lorsqu'elle entendit une petite voix douce qui lui dit à l'oreille : «Sauve-toi, Printanière ; car Fanfarinet veut te tuer et te manger.» Ouvrant vite les yeux, elle aperçut à la lueur de son escarboucle que le méchant Fanfarinet avait le bras levé, prêt à lui percer le sein de son épée : car la voyant si grassette et si blanchette, et ayant bon appétit, il voulait la tuer pour la manger. Elle ne délibéra plus sur ce qu'elle devait faire ; elle tira doucement son poignard qu'elle avait gardé depuis la bataille, et elle lui en donna un si furieux coup dans l'œil qu'il mourut sur-le-champ[1]. «Va, ingrat, s'écria-t-elle, reçois cette dernière faveur comme celle que tu as le mieux méritée ; sers à l'avenir d'exemple aux perfides amants, et que ton cœur déloyal ne jouisse d'aucun repos.»

Lorsque les premiers mouvements de colère furent passés, et qu'elle pensa à l'état où elle était, elle demeura presque aussi morte que celui qu'elle venait de tuer. «Que deviendrai-je ? s'écriait-elle en pleurant. Je suis seule dans cette île, les bêtes sauvages me vont dévorer, ou je mourrai de faim.» Elle regrettait presque de ne s'être pas laissé manger à Fanfarinet ; elle s'assit toute tremblante, attendant le jour qu'elle souhaitait bien fort ; car elle craignait les esprits, et surtout le cauchemar.

Comme elle était appuyée contre un arbre, et qu'elle regardait en l'air, elle aperçut d'un côté un beau chariot d'or tiré par six grosses poules huppées, un coq servait de cocher, et un poulet gras de postillon. Il y avait dans le chariot une dame si belle, si belle, qu'elle ressemblait au soleil ; son habit était tout brodé de paillettes d'or et de barres d'argent. Elle vit un autre chariot attelé de six chauves-souris ; un corbeau servait de cocher, et un escarbot[2] de postillon : il y avait dedans une petite magotine

affreuse, dont l'habit était de peau de serpent, et sur
sa tête un gros crapaud qui servait de fontange[1].

Jamais, au grand jamais l'on n'a été si étonnée
que le fut la jeune princesse : comme elle considérait ces merveilles, elle vit tout d'un coup les chariots
s'avancer l'un vers l'autre, et la belle dame tenant
une lance dorée, et la laide une pique rouillée, elles
commencèrent un rude combat, qui dura plus d'un
quart d'heure : enfin, la belle fut victorieuse ; la laide
s'enfuit avec ses chauves-souris ; en même temps
la belle descendit jusqu'à terre, et s'adressant à
Printanière :

« Ne craignez point, aimable princesse, lui dit-elle,
je ne viens en ces lieux que pour vous obliger ; le
combat que j'ai eu contre Carabosse, n'a été que
pour l'amour de vous : elle voulait avoir l'autorité de
vous donner le fouet, parce que vous êtes sortie de
la tour quatre jours avant les vingt ans ; mais vous
avez vu que j'ai pris votre parti et que je l'ai chassée ; jouissez du bonheur que je vous ai acquis. » La
princesse, reconnaissante, se prosterna devant elle :
« Grande reine des fées, lui dit-elle, votre générosité
me ravit ; je ne sais comment vous remercier ; mais
je sens bien que je n'ai pas une goutte de ce sang
que vous venez de conserver, qui ne soit à votre service. » La fée l'embrassa trois fois et la rendit encore
plus belle qu'elle n'était (en cas que ce fût une chose
possible). Elle ordonna à son coq d'aller aux vaisseaux du roi dire à l'amiral de venir sans crainte ; et
elle envoya le poulet gras à son palais quérir les plus
beaux habits du monde pour Printanière.

L'amiral, aux nouvelles que lui dit le coq, demeura
si ravi, qu'il en pensa être malade : il vint promptement dans l'île avec tous ses gens, et jusqu'à Jean
Caquet, qui voyant la précipitation avec laquelle
chacun descendait des vaisseaux, se hâta comme les

autres, et prit sur son épaule une broche qui était toute chargée de gibier.

À peine l'amiral Chapeau-Pointu eut-il fait une lieue, qu'il vit dans une grande route du bois le chariot aux poules et les deux dames qui se promenaient; il reconnut sa princesse et vint se mettre à ses pieds : mais elle lui dit que tous les honneurs étaient dus à la généreuse fée, qui l'avait garantie des griffes de Carabosse; de sorte qu'il lui baisa le bas de sa robe, et lui fit le plus beau compliment qui se soit jamais prononcé en pareille occasion. Pendant qu'il parlait, la fée l'interrompit, et s'écria : «Je vous jure que je sens du rôt. — Oui, Madame, répliqua Jean Caquet en montrant la broche chargée d'excellents petits-pieds[1]; il ne tiendra qu'à Votre Grandeur d'en tâter. — Très volontiers, dit-elle, moins pour l'amour de moi, que pour l'amour de la princesse, qui a besoin de faire un bon repas.» En même temps l'on fut quérir aux vaisseaux toutes les choses nécessaires; et la joie d'avoir retrouvé la princesse, jointe à la bonne chère, ne laissèrent rien à souhaiter.

Le repas étant fini et le poulet gras de retour, la fée habilla Printanière d'une robe de brocart d'or et vert, semée de rubis et de perles; elle noua ses beaux cheveux blonds avec des cordons de diamants et d'émeraudes; elle la couronna de fleurs; et la faisant monter dans son chariot, toutes les étoiles qui la virent passer crurent que c'était l'Aurore, qui ne s'était pas encore retirée et elles lui disaient en passant : «Bonjour l'Aurore. »

Après de grands adieux de la part de la fée et de celle de la princesse, elle lui dit : «Hé quoi ! Madame, ne dirai-je point à la reine ma mère qui m'a fait tant de biens? — Belle princesse, répliqua-t-elle, embrassez-la pour moi, et lui dites que je suis la cinquième fée qui vous doua à votre naissance.»

La princesse étant dans le vaisseau, l'on tira tout le canon et plus de mille fusées : elle arriva très heureusement au port, et trouva le roi et la reine qui l'attendaient avec tant de bontés, qu'ils ne lui laissèrent pas le temps de leur demander pardon de ses extravagances passées, quoiqu'elle se fût jetée à leurs pieds, dès qu'elle les avait vus ; mais la tendresse paternelle l'avait prévenue, et l'on mit tout sur la vieille Carabosse.

Dans le même temps, le fils du grand roi Merlin arriva, inquiet de ne recevoir aucune nouvelle de son ambassadeur ; il avait mille chevaux et trente laquais bien habillés de rouge, avec de riches galons d'or. Il était cent fois plus aimable que l'ingrat Fanfarinet. L'on n'eut garde de lui conter l'aventure de l'enlèvement, cela lui aurait peut-être donné quelques soupçons : on lui dit d'un air fort sincère que son ambassadeur ayant soif et voulant tirer de l'eau pour boire, était tombé dans le puits et s'y était noyé. Il le crut sans peine, et l'on fit la noce, où la joie fut si grande, qu'elle effaça tous les chagrins passés.

À quelque chose qu'Amour nous puisse assujettir,
Des règles du devoir on ne doit point sortir ;
Et malgré le penchant qui souvent nous entraîne,
Je veux que la raison soit toujours souveraine :
Que toujours maîtresse du cœur,
Elle règle à son gré nos vœux et notre ardeur.

LA PRINCESSE ROSETTE

Conte [1]

Il était une fois un roi et une reine qui avaient
deux beaux garçons ; ils croissaient comme le jour,
tant ils se faisaient bien nourrir. La reine n'avait
jamais d'enfants qu'elle n'envoyât convier les fées à
leur naissance ; elle les priait toujours de lui dire ce
qui leur devait arriver.

Elle devint grosse, et fit une belle petite fille, qui
était si jolie qu'on ne la pouvait voir sans l'aimer. La
reine ayant bien régalé toutes les fées qui étaient
venues la voir, quand elles furent prêtes à s'en aller,
elle leur dit : « N'oubliez pas votre bonne coutume,
et dites-moi ce qui arrivera à Rosette » (c'est ainsi
que l'on appelait la petite princesse). Les fées lui
dirent qu'elles avaient oublié leur grimoire à la maison ; qu'elles reviendraient une autre fois la voir.
« Ah ! dit la reine, cela ne m'annonce rien de bon :
vous ne voulez pas m'affliger par une mauvaise pré-
diction ; mais je vous prie que je sache tout ; ne me
cachez rien. » Elles s'en excusaient bien fort, et la
reine avait encore bien plus d'envie de savoir ce que
c'était. Enfin, la principale lui dit : « Nous craignons,
Madame, que Rosette ne cause un grand malheur à
ses frères ; qu'ils ne meurent dans quelque affaire
pour elle : voilà tout ce que nous pouvons deviner sur cette belle petite fille ; nous sommes bien

fâchées de n'avoir pas meilleures nouvelles à vous apprendre.» Elles s'en allèrent, et la reine resta si triste, si triste, que le roi le connut à sa mine : il lui demanda ce qu'elle avait. Elle répondit qu'elle s'était approchée trop près du feu, et qu'elle avait brûlé tout le lin qui était sur sa quenouille. «N'est-ce que cela?» dit le roi. Il monta dans son grenier, il lui apporta plus de lin qu'elle n'en pouvait filer en cent ans.

La reine continua d'être triste : il lui demanda ce qu'elle avait; elle lui dit qu'étant au bord de la rivière, elle avait laissé tomber dedans sa pantoufle de satin vert. «N'est-ce que cela?» dit le roi. Il envoya quérir tous les cordonniers de son royaume, et lui apporta dix mille pantoufles de satin vert.

Elle continua d'être triste : il lui demanda ce qu'elle avait; elle lui dit qu'en mangeant de trop bon appétit, elle avait avalé sa bague de noces, qui était à son doigt. Le roi connut qu'elle était menteuse, car il avait serré[1] cette bague, et il lui dit : «Ma chère femme, vous mentez, voilà votre bague que j'ai serrée dans ma bourse.» Dame! Elle fut bien attrapée d'être prise à mentir (car c'est la chose la plus laide du monde), et elle vit que le roi boudait; c'est pourquoi elle lui dit ce que les fées avaient prédit de la petite Rosette, et que, s'il songeait [à] quelque bon remède, il le dît. Le roi s'attrista beaucoup, jusque là qu'il dit une fois à la reine : «Je ne sais point d'autre moyen de sauver nos deux fils qu'en faisant mourir la petite, pendant qu'elle [est][2] au maillot.» Mais la reine s'écria qu'elle souffrirait plutôt la mort elle-même; qu'elle ne consentirait point à une si grande cruauté, et qu'il pensât à autre chose.

Comme le roi et la reine n'avaient que cela dans l'esprit, on apprit à la reine qu'il y avait dans un grand bois proche de la ville un vieil ermite qui couchait dans le tronc d'un arbre, que l'on allait

consulter de partout. Elle dit : « Il faut que j'y aille
aussi : les fées m'ont dit le mal ; mais elles ont oublié
le remède. » Elle monta de bon matin sur une belle
petite mule blanche toute ferrée d'or, avec deux de
ses demoiselles, qui avaient chacune un joli cheval.
Quand elles furent auprès du bois, la reine et ses
demoiselles descendirent par respect de cheval, et
furent à l'arbre où l'ermite demeurait. Il n'aimait
guère à voir des femmes ; mais quand il vit que
c'était la reine, il lui dit : « Vous, soyez la bienvenue ;
que me voulez-vous ? » Elle lui conta ce que les fées
avaient dit de Rosette, et lui demanda conseil : il lui
dit qu'il fallait mettre la princesse dans une tour,
sans qu'elle en sortît jamais. La reine le remercia,
lui fit une bonne aumône, et revint tout dire au roi.

Quand le roi sut ces nouvelles, il fit vitement bâtir
une grosse tour, il y mit sa fille ; et pour qu'elle ne
s'ennuyât point, le roi, la reine et les deux frères
l'allaient voir tous les jours. L'aîné s'appelait le
grand Prince et le cadet le petit Prince. Ils aimaient
leur sœur passionnément, car elle était la plus belle
et la plus gracieuse que l'on eût jamais vue, et le
moindre de ses regards valait mieux que cent pistoles. Quand elle eut quinze ans, le grand Prince
disait au roi : « Mon papa, ma sœur est assez grande
pour être mariée ; n'irons-nous pas bientôt à la
noce ? » Le petit Prince en disait autant à la reine, et
Leurs Majestés les amusaient[1], sans rien répondre
sur le mariage.

Enfin, le roi et la reine tombèrent bien malades,
et moururent presque en un même jour. Voilà tout
le monde fort triste : l'on s'habille de noir, et l'on
sonne les cloches partout. Rosette était inconsolable
de la mort de sa bonne maman.

Quand le roi et la reine eurent été enterrés, les
marquis et les ducs du royaume firent monter le
grand Prince sur un trône d'or et de diamants, avec

une belle couronne sur sa tête et des habits de velours violet, chamarrés de soleils et de lunes; et puis toute la Cour cria trois fois : « Vive le roi ! » L'on ne songea plus qu'à se réjouir.

Le roi et son frère s'entredirent : « À présent que nous sommes les maîtres, il faut retirer notre sœur de la tour, où elle s'ennuie depuis longtemps. » Ils n'eurent qu'à traverser le jardin pour aller à la tour, qui était bâtie au coin, toute la plus haute que l'on avait pu : car le roi et la reine défunts voulaient qu'elle y demeurât toujours. Rosette brodait une belle robe sur un métier qui était là devant elle; mais quand elle vit ses frères, elle se leva, et fut prendre la main du roi, lui disant : « Bonjour, Sire, vous êtes à présent le roi, et moi votre petite servante : je vous prie de me retirer de la tour, où je m'ennuie bien fort », et là-dessus elle se mit à pleurer. Le roi l'embrassa, et lui dit de ne point pleurer; qu'il venait pour l'ôter de la tour et la mener dans un beau château. Le prince avait tout plein ses poches de dragées qu'il donna à Rosette : « Allons, lui dit-il, sortons de cette vilaine tour; le roi te mariera bientôt, ne t'afflige point. »

Quand Rosette vit le beau jardin tout rempli de fleurs, de fruits, de fontaines, elle demeura si étonnée qu'elle ne pouvait pas dire un mot, car elle n'avait encore jamais rien vu. Elle regardait de tous côtés; elle marchait, elle s'arrêtait; elle cueillait des fruits sur les arbres et des fleurs dans le parterre; son petit chien appelé Frétillon, qui était vert comme un perroquet, qui n'avait qu'une oreille, et qui dansait à ravir, allait devant elle, faisant *jap, jap, jap,* avec mille sauts et mille cabrioles.

Frétillon réjouissait fort la compagnie, il se mit tout d'un coup à courir dans un petit bois, la princesse le suivit, et jamais l'on n'a été plus émerveillé qu'elle le fut, de voir dans ce bois un grand paon qui

faisait la roue, et qui lui parut si beau, si beau, si
beau, qu'elle n'en pouvait retirer ses yeux[1]. Le roi et
le prince arrivèrent auprès d'elle, et lui demandèrent à quoi elle s'amusait. Elle leur montra le paon,
et leur demanda ce que c'était que cela. Ils lui dirent
que c'était un oiseau dont on mangeait quelquefois.
« Quoi ! dit-elle, l'on ose tuer un si bel oiseau et le
manger ? Je vous déclare que je ne me marierai
jamais qu'au Roi des Paons ; et quand j'en serai la
reine, j'empêcherai bien que l'on n'en mange. » L'on
ne peut dire l'étonnement du roi : « Mais ma sœur,
lui dit-il, où voulez-vous que nous trouvions le Roi
des Paons ? — Où il vous plaira, Sire, mais je ne me
marierai qu'à lui. »

Après avoir pris cette résolution, les deux frères
l'emmenèrent à leur château, où il fallut apporter le
paon, et le mettre dans sa chambre (car elle l'aimait
beaucoup). Toutes les dames qui n'avaient point vu
Rosette accoururent pour la saluer et lui faire la
cour, les unes lui apportaient des confitures, les
autres du sucre, les autres des robes d'or, de beaux
rubans, des poupées, des souliers en broderie, des
perles, des diamants ; on la régalait partout, et elle
était si bien apprise[2], si civile, baisant la main, faisant la révérence quand on lui donnait quelque
belle chose, qu'il n'y avait ni monsieur ni madame
qui ne s'en retournassent contents.

Pendant qu'elle causait avec bonne compagnie, le
roi et le prince songeaient à trouver le Roi des
Paons, s'il y en avait un au monde ; ils s'avisèrent
qu'il fallait faire un portrait de la princesse Rosette,
et ils le firent faire si beau, qu'il ne lui manquait que
la parole ; et ils lui dirent : « Puisque vous ne voulez
épouser que le Roi des Paons, nous allons partir
ensemble, et vous l'aller chercher par toute la terre.
Si nous le trouvons, nous serons bien aises : pre-

nez soin de notre royaume, en attendant que nous
revenions.»

Rosette les remercia de la peine qu'ils prenaient:
elle leur dit qu'elle gouvernerait bien le royaume, et
qu'en leur absence tout son plaisir serait de regarder le beau paon, et faire danser Frétillon. Ils ne
purent s'empêcher de pleurer en se disant adieu.

Voilà les deux princes partis, qui demandaient
à tout le monde: «Ne connaissez-vous point le Roi
des Paons?» Chacun disait: «Non, non.» Ils passaient et allaient encore plus loin; comme cela ils
allèrent si loin, si loin, que personne n'a jamais été
si loin.

Ils arrivèrent au royaume des hannetons; il ne
s'en est point encore tant vu: ils faisaient un si
grand bourdonnement, que le roi avait peur de devenir sourd. Il demanda à celui de tous qui lui parut le
plus raisonnable, s'il ne savait point en quel endroit
il pourrait trouver le Roi des Paons. «Sire, lui dit le
hanneton, son royaume est à trente mille lieues
d'ici; vous avez pris le plus long pour y aller. — Et
comment savez-vous cela? dit le roi. — C'est, répondit le hanneton, que nous vous connaissons bien, et
que nous allons tous les ans passer deux ou trois
mois dans vos jardins.» Voilà le roi et son frère qui
embrassent le hanneton bras dessus bras dessous;
ils se firent grande amitié, et dînèrent ensemble; ils
virent avec admiration toutes les curiosités de ce
pays-là, où la plus petite feuille d'arbre vaut une
pistole. Après cela ils partirent pour achever leur
voyage; et comme ils savaient le chemin, ils ne
furent pas longtemps sans arriver. Ils voyaient tous
les arbres chargés de paons; et tout en était si rempli qu'on les entendait crier et parler de deux lieues.

Le roi disait à son frère: «Si le Roi des Paons est
un paon lui-même, comment notre sœur prétend-
elle l'épouser? Il faudrait être fous pour y consen-

tir ; voyez la belle alliance qu'elle nous donnerait, des petits paonneaux pour neveux. » Le prince n'était pas moins en peine : « C'est là, dit-il, une malheureuse fantaisie, qui lui est venue dans l'esprit ; je ne sais où elle a été deviner qu'il y a dans le monde un Roi des Paons. »

Quand ils arrivèrent à la grande ville, ils virent qu'elle était pleine d'hommes et de femmes ; mais qu'ils avaient des habits faits de plumes de paon, et qu'ils en mettaient partout comme une fort belle chose. Ils rencontrèrent le roi qui s'allait promener dans un beau petit carrosse d'or et de diamants, que douze paons menaient à toute bride. Ce Roi des Paons était si beau, si beau, que le roi et le prince en furent charmés : il avait de longs cheveux blonds et frisés, le visage blanc, une couronne de queue de paon. Quand il les vit, il jugea que puisqu'ils avaient des habits d'une autre façon que les gens du pays, il fallait qu'ils fussent étrangers ; et pour le savoir, il arrêta son carrosse et les fit appeler.

Le roi et le prince vinrent à lui ; ayant fait la révérence, ils lui dirent : « Sire, nous venons de bien loin pour vous montrer un beau portrait. » Ils tirèrent de leur valise le grand portrait de Rosette ; lorsque le Roi des Paons l'eut bien regardé : « Je ne peux croire, dit-il, qu'il y ait au monde une si belle fille. — Elle est encore cent fois plus belle, dit le roi. — Ah ! vous vous moquez, répliqua le Roi des Paons. — Sire, dit le prince, voilà mon frère qui est roi comme vous ; il s'appelle le Roi et moi je me nomme le Prince ; notre sœur, dont voici le portrait, est la princesse Rosette : nous vous venons demander si vous la voulez épouser ; elle est belle et bien sage, et nous lui donnerons un boisseau d'écus d'or. — Oui-da, dit le roi, je l'épouserai de bon cœur ; elle ne manquera de rien avec moi, je l'aimerai beaucoup ; mais je vous assure que je veux qu'elle soit

aussi belle que son portrait, et que s'il s'en manque
la plus petite chose, je vous ferai mourir. — Hé
bien, nous y consentons, dirent les deux frères de
Rosette. — Vous y consentez? ajouta le roi. Allez
donc en prison, et vous y tenez jusqu'à ce que la
princesse soit arrivée.» Les princes le firent sans
difficulté; car ils étaient bien certains que Rosette
était plus belle que son portrait.

Lorsqu'ils furent dans la prison, le roi les envoya
servir à merveille; il les allait voir souvent, et il
avait dans son château le portrait de Rosette, dont il
était si affolé, qu'il ne dormait ni jour ni nuit.
Comme le roi et son frère étaient en prison, ils écri-
virent par la poste à la princesse de faire vitement
son paquet et de venir en diligence[1], parce qu'enfin
le Roi des Paons l'attendait. Ils ne lui mandèrent
pas qu'ils étaient prisonniers, de peur de l'inquiéter
trop.

Quand elle reçut cette lettre, elle fut tellement
transportée qu'elle en pensa mourir; elle dit à tout
le monde que le Roi des Paons était trouvé, et qu'il
voulait l'épouser. On alluma des feux de joie; on
tira le canon; l'on mangea des dragées et du sucre
partout, l'on donna à tous ceux qui vinrent voir la
princesse, pendant trois jours, une beurrée de confi-
ture, du petit-métier et de l'hypocras[2]. Après qu'elle
eut fait ainsi des libéralités, elle laissa ses belles
poupées à ses bonnes amies, et le royaume de son
frère entre les mains des plus sages vieillards de la
ville: elle leur recommanda bien d'avoir soin de
tout; de ne guère dépenser, d'amasser de l'argent
pour le retour du roi; elle les pria de conserver son
paon, et ne voulut mener avec elle que sa nourrice
et sa sœur de lait, avec le petit chien vert Frétillon.

Elles se mirent dans un bateau sur la mer; elles
portaient le boisseau d'écus d'or et des habits pour
dix ans, à en changer deux fois par jour; elles ne fai-

saient que rire et chanter; la nourrice demandait
au batelier : «Approchons-nous, approchons-nous
du royaume des paons?» Il lui disait : «Non, non.»
Une autre fois elle lui demandait : «Approchons-
nous, approchons-nous?» Il lui disait : «Bientôt,
bientôt.» Une autre fois, elle lui dit : «Approchons-
nous, approchons-nous?» Il répliqua : «Oui, oui.»
Et quand il eut dit cela, elle se mit au bout du
bateau, assise auprès de lui et lui dit : «Si tu veux, tu
seras riche à jamais.» Il répondit : «Je le veux bien.»
Elle continua : «Si tu veux, tu gagneras de bonnes
pistoles.» Il répondit : «Je ne demande pas mieux.
— Ho bien! dit-elle, il faut que cette nuit, pendant
que la princesse dormira, tu m'aides à la jeter dans
la mer; après qu'elle sera noyée j'habillerai ma fille
de ses beaux habits et nous la mènerons au Roi des
Paons, qui sera bien aise de l'épouser; et pour ta
récompense nous te donnerons ton plein cou[1] chargé
de diamants.»

   Le batelier fut bien étonné de ce que lui proposait
la nourrice : il lui dit que c'était dommage de noyer
une si belle princesse, qu'elle lui faisait pitié; mais
elle prit une bouteille de vin et le fit tant boire qu'il
ne savait plus la refuser[2].

   La nuit étant venue, la princesse se coucha comme
elle avait accoutumé; son petit Frétillon était joliment couché au fond du lit, sans remuer ni pieds ni
pattes. Rosette dormait de toute sa force, quand la
méchante nourrice, qui ne dormait pas, s'en alla
quérir le batelier. Elle le fit entrer dans la chambre
de la princesse, puis sans la réveiller ils la prirent
avec son lit de plume, son matelas, ses draps, ses
couvertures; la sœur de lait aidait de toute sa force;
ils jetèrent tout cela dans la mer, et la princesse dormait de si bon sommeil, qu'elle ne se réveilla point.

   Mais ce qu'il y eut d'heureux, c'est que son lit de
plume était fait de plumes de phénix, qui sont fort

rares, et qui ont cette propriété qu'elles ne vont jamais au fond de l'eau; de sorte qu'elle nageait dans son lit comme si elle eût été dans un bateau; l'eau pourtant mouillait peu à peu son lit de plume, puis le matelas, et Rosette sentant de l'eau, elle eut peur d'avoir fait pipi au dodo, et d'être grondée[1].

Comme elle se tournait d'un côté sur l'autre, Frétillon s'éveilla: il avait le nez excellent, il sentit les soles et les morues de si près qu'il se mit à japper, à japper tant qu'il éveilla tous les autres poissons: ils commencèrent à nager; les gros poissons donnaient de la tête contre le lit de la princesse, qui ne tenant à rien, tournait et retournait comme une pirouette; dame! elle était bien étonnée! «Est-ce que notre bateau danse sur l'eau? disait-elle. Je n'ai point accoutumé d'être si mal à mon aise que je suis cette nuit», et toujours Frétillon qui jappait et qui faisait une vie désespérée, la méchante nourrice et le batelier l'entendaient de bien loin, et disaient: «Voilà ce petit drôle de chien qui boit avec sa maîtresse à notre santé; dépêchons-nous d'arriver.» Car ils étaient tout contre la ville du Roi des Paons.

Il avait envoyé au bord de la mer cent carrosses, tirés par toutes sortes de bêtes rares: il y avait des lions, des ours, des cerfs, des loups, des chevaux, des bœufs, des ânes, des aigles, des paons; et le carrosse où la princesse Rosette devait se mettre, était traîné par six singes bleus, qui sautaient, qui dansaient sur la corde, qui faisaient mille tours agréables: ils avaient de beaux harnais de velours cramoisi avec des plaques d'or; on voyait soixante jeunes demoiselles que le roi avait choisies pour la divertir; elles étaient habillées de toutes sortes de couleurs, et l'or et l'argent était la moindre chose.

La nourrice avait pris grand soin de parer sa fille; elle lui mit les diamants de Rosette à la tête et partout, et sa plus belle robe; mais elle était avec ses

ajustements plus laide qu'une guenon, ses cheveux
d'un noir gras, les yeux de travers, les jambes tortues,
une grosse bosse au milieu du dos, de méchante
humeur et maussade, qui grognait toujours.

Quand tous les gens du Roi des Paons la virent
sortir du bateau, ils demeurèrent si surpris, si surpris, qu'ils ne pouvaient parler. «Qu'est-ce que cela?
dit-elle. Est-ce que vous dormez? Allons, allons,
que l'on m'apporte à manger; vous êtes de bonnes
canailles, je vous ferai tous pendre.» À cette menace
ils se disaient: «Quelle vilaine bête! Elle est aussi
méchante que laide! Voilà notre roi bien marié, je
ne m'étonne point; ce n'était pas la peine de la faire
venir du bout du monde.» Elle faisait toujours la
maîtresse: et pour moins que rien elle donnait des
soufflets et des coups de poing à tout le monde.

Comme son équipage était fort grand, elle allait
doucement: elle se carrait comme une reine dans
son carrosse; mais tous les paons qui s'étaient mis
sur les arbres pour la saluer en passant, et qui avaient
résolu de crier: «Vive la belle reine Rosette!»,
quand ils l'aperçurent si horrible, ils criaient: «Fi,
fi! qu'elle est laide!». Elle enrageait de dépit, et
disait à ses gardes: «Tuez ces coquins de paons qui
me chantent injures.» Les paons s'envolaient bien
vite et se moquaient d'elle.

Le fripon de batelier qui voyait tout cela, disait
tout bas à la nourrice: «Commère, nous ne sommes
pas bien; votre fille devrait être plus jolie.» Elle
lui répondit: «Tais-toi, étourdi, tu nous porteras
malheur.»

L'on fut avertir le roi que la princesse approchait.
«Eh bien, dit-il, ses frères m'ont-ils dit vrai? Est-elle
plus belle que son portrait? — Síre, dit-on, c'est
bien assez qu'elle soit aussi belle. — Oui-da, dit le
roi, j'en serai bien content: allons la voir.» Car il
entendit par le grand bruit que l'on faisait dans la

cour qu'elle arrivait; et il ne pouvait rien distinguer de ce que l'on disait sinon: «Fi, fi! qu'elle est laide!» Il crut qu'on parlait de quelque naine ou de quelque bête qu'elle avait peut-être amenée avec elle: car il ne pouvait lui entrer dans l'esprit que ce fût effectivement d'elle-même.

L'on portait le portrait de Rosette au bout d'un grand bâton tout découvert, et le roi marchait gravement après, avec tous ses barons et tous ses paons, puis les ambassadeurs des royaumes voisins. Le Roi des Paons avait grande impatience de voir sa chère Rosette. Dame! quand il l'aperçut, à peu tint qu'il ne mourût sur la place; il se mit dans la plus grande colère du monde, il déchira ses habits, il ne voulait pas l'approcher, elle lui faisait peur.

«Comment? dit-il, ces deux marauds que je tiens dans mes prisons ont bien de la hardiesse, de s'être moqués de moi et de m'avoir proposé d'épouser une magote comme cela, je les ferai mourir: allons, que l'on enferme tout à l'heure cette pimbêche, sa nourrice et celui qui les emmène, qu'on les mette au fond de ma grande tour.»

D'un autre côté, le roi et son frère, qui étaient prisonniers, et qui savaient que leur sœur devait arriver, s'étaient faits braves[1] pour la recevoir. Au lieu de venir ouvrir la prison et les mettre en liberté, ainsi qu'ils l'espéraient, le geôlier vint avec des soldats, et les fit descendre dans une cave toute noire, pleine de vilaines bêtes, où ils avaient de l'eau jusqu'au cou; l'on n'a jamais été plus étonné ni plus triste. «Hélas, disaient-ils l'un à l'autre, voilà de tristes noces pour nous! Qu'est-ce qui peut nous procurer un si grand malheur?» Ils ne savaient au monde que penser, sinon qu'on voulait les faire mourir; et ils en étaient tout à fait fâchés.

Trois jours se passèrent sans qu'ils entendissent parler de rien. Au bout de trois jours, le Roi des

Paons vint leur dire des injures par un trou. « Vous avez pris le titre de roi et de prince, leur cria-t-il, pour m'attraper, et pour m'engager à épouser votre sœur ; mais vous n'êtes tous que des gueux, qui ne valez pas l'eau que vous buvez ; je vais vous donner des juges, qui feront bien vite votre procès ; l'on file déjà la corde dont je vous ferai pendre. — Roi des Paons, répondit le roi en colère, n'allez pas si vite dans cette affaire, car vous pourriez vous en repentir : je suis roi comme vous, j'ai un beau royaume, des habits et des couronnes, et de bons écus ; j'y mangerais jusqu'à ma chemise. Ho ! ho ! que vous êtes plaisant, de nous vouloir faire pendre : est-ce que nous vous avons volé quelque chose ? »

Quand le roi l'entendit parler si résolument, il ne savait où il en était, et il avait quelquefois envie de les laisser aller avec leur sœur sans les faire mourir ; mais son confident, qui était un franc flatteur, l'encouragea, lui disant que s'il ne se vengeait, tout le monde se moquerait de lui, et qu'on le prendrait pour un petit roitelet[1] de quatre deniers. Il jura de ne leur point pardonner, et il commanda que l'on fît leur procès. Cela ne dura guère ; il n'y eut qu'à voir le portrait de la véritable princesse Rosette auprès de celle qui était venue, et qui disait l'être : de sorte qu'on les condamna d'avoir le cou coupé, comme étant menteurs, puisqu'ils avaient promis une belle princesse au roi, et qu'ils ne lui avaient donné qu'une laide paysanne.

L'on fut à la prison en grand appareil, leur lire cet arrêt ; et ils s'écrièrent qu'ils n'avaient point menti ; que leur sœur était princesse, et plus belle que le jour, qu'il y avait quelque chose là-dessous qu'ils n'entendaient pas, et qu'ils demandaient encore sept jours avant qu'on les fît mourir ; que peut-être dans ce temps leur innocence serait reconnue. Le Roi des Paons qui était bien en colère, eut beaucoup

de peine à leur accorder cette grâce; mais enfin, il
le voulut bien.

Pendant que toutes ces affaires se passent à la
Cour, il faut dire quelque chose de la pauvre princesse Rosette. Dès qu'il fut jour elle demeura bien
étonnée, et Frétillon aussi, de se voir au milieu de la
mer, sans bateau et sans secours. Elle se prit à pleurer, à pleurer tant et tant, qu'elle faisait pitié à tous
les poissons: elle ne savait que faire, ni que devenir.
«Assurément, disait-elle, j'ai été jetée dans la mer
par l'ordre du Roi des Paons; il s'est repenti de
m'épouser, et pour se défaire honnêtement de moi,
il m'a fait noyer: voilà un étrange homme! continuait-elle. Je l'aurais tant aimé; nous aurions fait si
bon ménage.» Là-dessus elle pleurait plus fort; car
elle ne pouvait s'empêcher de l'aimer.

Elle demeura deux jours ainsi flottant d'un côté et
de l'autre de la mer, mouillée jusqu'aux os, enrhu-
mée à mourir et presque transie; si ce n'avait été le
petit Frétillon qui lui réchauffait un peu le cœur,
elle serait morte cent fois: elle avait une faim épouvantable, elle vit des huîtres à l'écaille, elle en prit
tant qu'elle en voulut, et elle en mangea; Frétillon
ne les aimait guère, il fallut pourtant bien qu'il s'en
nourrît. Quand la nuit venait, la grande peur prenait à Rosette; et elle disait à son chien: «Frétillon,
jappe toujours, de crainte que les soles ne nous
mangent.»

Il avait jappé toute la nuit, et le lit de la princesse
n'était pas loin du bord de l'eau. En ce lieu-là il y
avait un bon vieillard qui vivait tout seul dans une
petite chaumière, où personne n'allait jamais: il était
fort pauvre et ne se souciait pas des biens du monde.
Quand il entendit japper Frétillon il fut tout étonné,
car il ne passait guère de chiens par là; il crut que
quelques voyageurs se seraient égarés, il sortit pour
les remettre charitablement dans leur chemin: tout

d'un coup il aperçut la princesse et Frétillon qui
nageaient sur la mer ; et la princesse le voyant, lui
tendit les bras, et lui cria : « Bon vieillard, sauvez-moi,
car je périrai ici ; il y a deux jours que je languis. »

Lorsqu'il l'entendit parler si tristement, il en eut
grande pitié, et rentra dans sa maison pour prendre
un long crochet ; il s'avança dans l'eau jusqu'au
cou, et pensa deux ou trois fois être noyé. Enfin, il
tira tant qu'il amena le lit jusqu'au bord de l'eau.
Rosette et Frétillon furent bien aises d'être sur la
terre ; elle remercia bien fort le bonhomme, et prit
sa couverture dont elle s'enveloppa, puis toute nu-
pieds elle entra dans la chaumière, où il lui alluma
un petit feu de feuilles sèches, et tira de son coffre le
plus bel habit de feue sa femme, avec des bas et des
souliers dont la princesse s'habilla. Ainsi vêtue en
paysanne, elle était belle comme le jour, et Frétillon
dansait autour d'elle pour la divertir.

Le vieillard voyait bien que Rosette était quelque
grande dame, car les couvertures de son lit étaient
toutes d'or et d'argent, et son matelas de satin ; il la
pria de lui conter son histoire, et qu'il n'en dirait mot
si elle voulait. Elle lui apprit tout d'un bout à l'autre,
pleurant bien fort, car elle croyait toujours que
c'était le Roi des Paons qui l'avait fait noyer. « Comment ferons-nous, ma fille ? lui dit le vieillard. Vous
êtes une si grande princesse, accoutumée à manger
de bons morceaux, et moi je n'ai que du pain noir et
des raves ; vous allez faire méchante chère et si vous
m'en vouliez croire, j'irais dire au Roi des Paons que
vous êtes ici : certainement s'il vous avait vue il vous
épouserait. — Ah ! c'est un méchant, dit Rosette, il me
ferait mourir, mais si vous avez un petit panier, il faut
l'attacher au cou de mon chien, et il y aura bien du
malheur, s'il ne rapporte la provision. »

Le vieillard donna un panier à la princesse, elle
l'attacha au cou de Frétillon, et lui dit : « Va-t'en au

meilleur pot de la ville et me rapporte ce qu'il y a
dedans.» Frétillon court à la ville; comme il n'y
avait point de meilleur pot que celui du roi, il entre
dans sa cuisine, il découvre le pot, prend adroitement tout ce qui était dedans et revient à la maison.
Rosette lui dit: «Retourne à l'office et prends ce
qu'il y aura de meilleur.» Frétillon retourne à l'office, et prend du pain blanc, du vin muscat, toutes
sortes de fruits et de confitures; il était si chargé
qu'il n'en pouvait plus.

Quand le Roi des Paons voulut dîner, il n'y avait
rien dans son pot ni dans son office; chacun se
regardait, et le roi était dans une colère horrible.
«Oh bien! dit-il, je ne dînerai donc point; mais que
ce soir on mette la broche au feu et que j'aie de bon
rôt.» Le soir étant venu, la princesse dit à Frétillon:
«Va-t'en à la ville, entre dans la meilleure cuisine, et
m'apporte de bon rôt.» Frétillon fit comme sa maîtresse lui avait commandé; et ne sachant point de
meilleure cuisine que celle du roi, il y entra tout
doucement; pendant que les cuisiniers avaient le
dos tourné, il prit tout le rôt qui était à la broche,
d'une mine excellente, et à voir seulement faisait
appétit: il rapporta son panier plein à la princesse,
elle le renvoya aussitôt à l'office, et il apporta toutes
les compotes et les dragées du roi.

Le roi qui n'avait pas dîné, ayant grand-faim, voulut souper de bonne heure mais il n'y avait rien; il
se mit dans une colère effroyable, et s'alla coucher
sans souper. Le lendemain, au dîner et au souper, il
en arriva tout autant: de sorte que le roi resta trois
jours sans boire ni manger, parce que quand il allait
se mettre à table, l'on trouvait que tout était pris.
Son confident fort en peine, craignant la mort du
roi, se cacha dans un petit coin de la cuisine, et il
avait toujours les yeux sur le pot qui bouillait: il fut
bien étonné de voir entrer tout doucement un petit

chien vert, qui n'avait qu'une oreille, et qui décou-
vrait le pot et mettait la viande dans son panier; il le
suivit pour savoir où il irait; il le vit sortir de la
ville; le suivant toujours, il fut chez le bon vieillard.
En même temps il vient tout conter au roi; que
c'était chez un pauvre paysan que son bouilli et son
rôti allaient soir et matin.

Le roi demeura bien étonné: il dit qu'on l'allât
quérir. Le confident pour faire sa cour y voulut aller
lui-même, et mena des archers: ils le trouvèrent qui
dînait avec la princesse, et qu'ils mangeaient le
bouilli du roi[1]: il les fit prendre et lier de grosses
cordes, et Frétillon aussi.

Quand ils furent arrivés on l'alla dire au roi, qui
répondit: « C'est demain qu'expire le septième jour
que j'ai accordé à ces affronteurs[2]; je les ferai mourir avec les voleurs de mon dîner. » Puis il entra
dans la salle de justice. Le vieillard se mit à genoux,
et dit qu'il allait lui conter tout. Pendant qu'il parlait, le roi regardait la belle princesse, et il avait
pitié de la voir pleurer; puis, quand le bonhomme
eut déclaré que c'était elle qui se nommait la princesse Rosette qu'on avait jetée dans la mer, malgré
la faiblesse où il était d'avoir été si longtemps sans
manger, il fit trois sauts tout de suite et courut l'embrasser et lui détacher les cordes dont elle était liée,
lui disant qu'il l'aimait de tout son cœur.

On fut en même temps quérir les princes, qui
croyaient que c'était pour les faire mourir, et qui
venaient fort tristes, baissant la tête; l'on alla de
même quérir la nourrice et sa fille. Quand ils se
virent, ils se reconnurent tous. Rosette sauta au cou
de ses frères; la nourrice et sa fille avec le batelier
se jetèrent à genoux, et demandèrent grâce. La joie
était si grande que le roi et la princesse leur par-
donnèrent, et le bon vieillard fut récompensé large-
ment; il demeura toujours dans le palais.

Enfin, le Roi des Paons fit toute sorte de satisfaction au roi et à son frère, témoignant sa douleur de les avoir maltraités ; la nourrice rendit à Rosette ses beaux habits et son boisseau d'écus d'or, et la noce dura quinze jours. Tout fut content, jusqu'à Frétillon, qui ne mangeait plus que des ailes de perdrix.

Le Ciel veille pour nous ; et lorsque l'innocence
  Se trouve en un pressant danger,
  Il sait embrasser sa défense,
  La délivrer et la venger.
  À voir la timide Rosette
Ainsi qu'un alcyon[1] *dans son petit berceau,*
  Au gré des vents voguer sur l'eau,
On sent en sa faveur une pitié secrète ;
On craint qu'elle ne trouve une tragique fin
  Au milieu des flots abîmée[2]*,*
Et qu'elle n'aille faire un fort léger festin
  À quelque baleine affamée ;
Sans le secours du Ciel sans doute elle eût péri.
  Frétillon sut jouer son rôle
  Contre la morue et la sole ;
  Et quand il s'agissait aussi
  De nourrir sa chère maîtresse,
  Il en est bien en ce temps-ci
Qui voudraient rencontrer des chiens de cette espèce !
  Rosette échappée au naufrage,
Aux auteurs de ses maux accorde le pardon.
  Ô vous à qui l'on fait outrage,
  Qui voulez en tirer raison,
Apprenez qu'il est beau de pardonner l'offense
Après que l'on a su vaincre ses ennemis,
Et qu'on en peut tirer une juste vengeance ;
C'est ce que notre siècle admire dans LOUIS.

LE RAMEAU D'OR

Conte [1]

Il était une fois un roi, dont l'humeur austère et chagrine inspirait plutôt de la crainte que de l'amour. Il se laissait voir rarement ; et sur les plus légers soupçons il faisait mourir ses sujets ; on le nommait le roi Brun, parce qu'il fronçait toujours le sourcil. Le roi Brun avait un fils qui ne lui ressemblait point ; rien n'égalait son esprit, sa douceur, sa magnificence et sa capacité ; mais il avait les jambes tortues, une bosse plus haute que sa tête, les yeux de travers, la bouche de côté : enfin, c'était un petit monstre ; et jamais une si belle âme n'avait animé un corps si mal fait. Cependant par un sort singulier, il se faisait aimer jusqu'à la folie des personnes auxquelles il voulait plaire ; son esprit était si supérieur à tous les autres, qu'on ne pouvait l'entendre avec indifférence.

La reine sa mère voulut qu'on l'appelât Torticolis ; soit qu'elle aimât ce nom, ou qu'étant effectivement tout de travers, elle crut avoir rencontré [2] ce qui lui convenait davantage. Le roi Brun qui pensait plus à sa grandeur qu'à la satisfaction de son fils, jeta les yeux sur la fille d'un puissant roi qui était son voisin, et dont les États joints aux siens pouvaient le rendre redoutable à toute la terre : il pensa que cette princesse serait fort propre pour le prince

Torticolis, parce qu'elle n'aurait pas lieu de lui reprocher sa difformité et sa laideur, puisqu'elle était
pour le moins aussi laide et difforme que lui. Elle
allait toujours dans une jatte, elle avait les jambes
rompues, on l'appelait Trognon[1]; c'était la créature
du monde la plus aimable par l'esprit; il semblait
que le ciel avait voulu la récompenser du tort que
lui avait fait la nature.

Le roi Brun ayant demandé et obtenu le portrait
de la princesse Trognon, il le fit mettre dans une
grande salle, sous un dais, et il envoya quérir le
prince Torticolis, auquel il commanda de regarder
ce portrait avec tendresse, puisque c'était celui de
Trognon qui lui était destinée. Torticolis y jeta les
yeux, et les détourna aussitôt avec un air de dédain
qui offensa son père. «Est-ce que vous n'êtes pas
content? lui dit-il d'un ton aigre et fâché. — Non,
Seigneur, répondit-il. Je ne serai jamais content
d'épouser un cul-de-jatte. — Il vous sied bien, dit le
roi Brun, de trouver des défauts en cette princesse,
étant vous-même un petit monstre qui fait peur!
— C'est par cette raison, ajouta le prince, que je ne
veux point m'allier avec un autre monstre; j'ai assez
de peine à me souffrir, que serait-ce si j'avais une
telle compagnie? — Vous craignez de perpétuer la
race des magots[2], répondit le roi d'un air offensant;
mais vos craintes sont vaines; vous l'épouserez: il
suffit que je l'ordonne pour être obéi.» Torticolis ne
répliqua rien; il fit une profonde révérence et se
retira.

Le roi Brun n'était point accoutumé à trouver la
plus petite résistance, celle de son fils le mit dans
une colère épouvantable; il le fit enfermer dans
une tour qui avait été bâtie exprès pour les princes
rebelles, mais il ne s'en était point trouvé depuis
deux cents ans: de sorte que tout y était en assez
mauvais ordre; les appartements et les meubles y

paraissaient d'une antiquité surprenante. Le prince
aimait la lecture ; il demanda des livres, on lui permit d'en prendre dans la bibliothèque de la tour. Il
crut d'abord que cette permission suffisait. Lorsqu'il voulut les lire, il en trouva le langage si ancien
qu'il n'y comprenait rien ; il les laissait, puis il les
reprenait, essayant d'y entendre quelque chose ou
tout au moins de s'amuser avec[1].

Le roi Brun, persuadé que Torticolis se lasserait
de sa prison, agit comme s'il avait consenti à épouser Trognon : il envoya des ambassadeurs au roi son
voisin pour lui demander sa fille, à laquelle il promettait une félicité parfaite. Le père de Trognon fut
ravi de trouver une occasion si avantageuse de la
marier, car tout le monde n'est pas d'humeur de se
charger d'un cul-de-jatte. Il accepta la proposition
du roi Brun ; quoique à dire vrai, le portrait du
prince Torticolis qu'on lui avait apporté ne lui parût
pas fort touchant, il le fit placer à son tour dans une
galerie magnifique ; l'on y apporta Trognon : lorsqu'elle l'aperçut, elle baissa les yeux et se mit à pleurer. Son père, indigné de la répugnance qu'elle
témoignait, prit un miroir, le mettant vis-à-vis d'elle :
« Vous pleurez, ma fille, lui dit-il. Ah ! regardez-
vous, et convenez après cela qu'il ne vous est pas
permis de pleurer. — Si j'avais quelque empressement d'être mariée, Seigneur, lui dit-elle, j'aurais
peut-être tort d'être si délicate. Mais je chérirai mes
disgrâces, si je les souffre toute seule : je ne veux
partager avec personne l'ennui de me voir ; que je
reste toute ma vie la malheureuse princesse Trognon, je serai contente, ou tout au moins, je ne me
plaindrai point. » Quelque bonnes que pussent être
ses raisons, le roi ne les écouta pas ; il fallut partir
avec les ambassadeurs qui l'étaient venus demander.

Pendant qu'elle fait son voyage dans une litière où
elle était comme un vrai trognon, il faut revenir

dans la tour, et voir ce que fait le prince. Aucun de
ses gardes n'osait lui parler : on avait ordre de le
laisser ennuyer, de lui donner mal à manger, et de
le fatiguer par toute sorte de mauvais traitements.
Le roi Brun savait se faire obéir ; si ce n'était pas
par amour, c'était au moins par crainte ; mais l'affection qu'on avait pour le prince, était cause qu'on
adoucissait ses peines autant qu'on le pouvait.

Un jour qu'il se promenait dans une grande galerie, pensant tristement à sa destinée qui l'avait fait
naître si laid et si affreux, et qui lui faisait rencontrer une princesse encore plus disgraciée, il jeta ses
yeux sur les vitres, qu'il trouva peintes de couleurs
si vives, et les dessins si bien exprimés, qu'ayant un
goût particulier pour ces beaux ouvrages, il s'attacha à regarder celui-là, mais il n'y comprenait rien,
car c'était des histoires qui étaient passées depuis
plusieurs siècles : il est vrai que ce qui le frappa, ce
fut de voir un homme qui lui ressemblait si fort,
qu'il paraissait que c'était son portrait. Cet homme
était dans le donjon de la tour et cherchait dans la
muraille où il trouvait un tire-bourre[1] d'or avec
lequel il ouvrait un cabinet ; il y avait encore beaucoup d'autres choses qui frappèrent son imagination ; et sur la plupart des vitres, il voyait toujours
son portrait. « Par quelle aventure, disait-il, me fait-
on faire ici un personnage, moi qui n'étais pas
encore né ? Et par quelle fatale idée le peintre s'est-
il diverti à faire un homme comme moi ? » Il voyait
sur ces vitres une belle personne, dont les traits
étaient si réguliers et la physionomie si spirituelle,
qu'il ne pouvait en détourner ses yeux. Enfin, il y
avait mille objets différents, et toutes les passions y
étaient si bien exprimées, qu'il croyait voir arriver
ce qui n'était représenté que par le mélange des
couleurs.

Il ne sortit de la galerie que lorsqu'il n'eut plus

assez de jour pour distinguer ces peintures. Quand
il fut retourné dans sa chambre, il prit un vieux
manuscrit qui lui tomba sous la main ; les feuilles en
étaient de vélin, peintes tout autour, et la couverture
d'or émaillé de bleu, qui formait des chiffres[1] ; il
demeura bien surpris d'y voir les mêmes choses qui
étaient sur les vitres de la galerie ; il tâchait de lire
ce qui était écrit, il n'en put venir à bout ; mais tout
d'un coup il vit que dans un des feuillets où l'on
représentait des musiciens, ils se mirent à chanter :
et dans un autre feuillet, où il y avait des joueurs de
bassette et de tric-trac[2], les cartes et les dés allaient
et venaient ; il tourna le vélin, c'était un bal où l'on
dansait ; toutes les dames étaient parées et d'une
beauté merveilleuse ; il tourna encore le feuillet, il
sentit l'odeur d'un excellent repas, c'était les petites
figures qui mangeaient ; la plus grande n'avait pas
un quartier[3] de haut, il y en eut une qui se tournant
vers le prince : «À ta santé, Torticolis, lui dit-elle ;
songe à nous rendre notre reine : si tu le fais tu t'en
trouveras bien, si tu y manques, tu t'en trouveras
mal.»

À ces paroles, le prince fut saisi d'une si violente
peur, car il y avait déjà quelque temps qu'il commençait à trembler, qu'il laissa tomber le livre d'un
côté, et il tomba de l'autre comme un homme mort :
au bruit de sa chute ses gardes accoururent ; ils
l'aimaient chèrement et ne négligèrent rien pour le
faire revenir de son évanouissement. Lorsqu'il se
trouva en état de parler, ils lui demandèrent ce qu'il
avait ; il leur dit qu'on le nourrissait si mal qu'il n'y
pouvait résister, et qu'ayant la tête pleine d'imagination, il s'était figuré de voir et d'entendre des
choses si surprenantes dans ce livre, qu'il avait été
saisi de peur. Ses gardes, affligés, lui donnèrent
à manger malgré toutes les défenses du roi Brun.
Quand il eut mangé, il reprit le livre devant eux, et

ne trouva plus rien de ce qu'il avait vu; cela lui
confirma qu'il s'était trompé.

Il retourna le lendemain dans la galerie, il vit
encore les peintures sur les vitres, qui se remuaient,
qui se promenaient dans des allées, qui chassaient
des cerfs et des lièvres, qui pêchaient ou qui bâtis-
saient des petites maisons, car c'étaient des miniatures fort petites, et son portrait était toujours
partout: il avait un habit semblable au sien, il montait dans le donjon de la tour, et il y trouvait le tire-
bourre d'or. Comme il avait bien mangé, il n'y avait
plus lieu de croire qu'il entrât de la vision dans cette
affaire. «Ceci est trop mystérieux, dit-il, pour que
je doive négliger les moyens d'en savoir davantage;
peut-être que je les apprendrai dans le donjon.» Il y
monta, et frappant contre le mur, il lui sembla qu'un
endroit était creux; il prit un marteau, il démaçonna
cet endroit, et trouva un tire-bourre d'or fort proprement fait; il ignorait encore à quel usage il devait
lui servir, lorsqu'il aperçut dans un coin du donjon
une vieille armoire de méchant bois, il voulut l'ouvrir, mais il ne put trouver de serrure, de quelque
côté qu'il la tournât, c'était une peine inutile; enfin
il vit un petit trou, et soupçonnant que le tire-bourre
lui serait utile, il l'y mit, puis tirant avec force il
ouvrit l'armoire; mais autant qu'elle était vieille
et laide par-dehors, autant était-elle belle et merveilleuse par-dedans: tous les tiroirs étaient de cristal
de roche gravé, ou d'ambre, ou de pierres précieuses;
quand on en avait tiré un, l'on en trouvait de plus
petits aux côtés, dessus, dessous et au fond, qui
étaient séparés par de la nacre de perle; on tirait
cette nacre, et les tiroirs ensuite: chacun était rempli des plus belles armes du monde, de riches couronnes, de portraits admirables. Le prince Torticolis
était charmé; il tirait toujours sans se lasser: enfin
il trouva une petite clef faite d'une seule émeraude,

avec laquelle il ouvrit un guichet d'or qui était dans
le fond ; il fut ébloui d'une brillante escarboucle[1] qui
formait une grande boîte ; il la tira promptement du
guichet : mais que devint-il lorsqu'il la trouva toute
pleine de sang, et la main d'un homme qui était coupée, laquelle tenait encore une boîte de portraits ?

À cette vue Torticolis frémit, ses cheveux se héris-
sèrent, ses jambes mal assurées le soutenaient avec
peine ; il s'assit par terre tenant encore la boîte.
Détournant les yeux d'un objet si funeste, il avait
grande envie de la remettre où il l'avait prise, mais
il pensait que tout ce qui s'était passé jusqu'alors
n'était point arrivé sans de grands mystères : il se
souvenait de ce que la petite figure du livre lui avait
dit, que selon qu'il en userait il s'en trouverait bien
ou mal : il craignait autant l'avenir que le présent ;
et venant à se reprocher une timidité indigne d'une
grande âme, il fit un effort sur lui-même, puis atta-
chant les yeux sur cette main : « Ô main infortunée !
dit-il, ne peux-tu par quelques signes m'instruire de
ta triste aventure ? Si je suis en état de te servir,
assure-toi de la générosité de mon cœur. »

Cette main, à ces paroles, parut agitée ; et remuant
les doigts elle lui fit des signes dont il entendit aussi
bien le discours que si une bouche intelligente lui
eût parlé. « Apprends, dit la main, que tu peux tout
pour celui dont la barbarie d'un jaloux m'a séparée ;
tu vois dans ce portrait l'adorable beauté qui est
cause de mon malheur ; va sans différer dans la galerie ; prends garde à l'endroit où le soleil darde ses
plus ardents rayons ; cherche et tu trouveras mon
trésor. » La main cessa alors d'agir ; le prince lui fit
plusieurs questions à quoi elle ne répondit point.
« Où vous remettrai-je ? lui dit-il. » Elle lui fit de nouveaux signes, il comprit qu'il fallait la remettre dans
l'armoire : il n'y manqua pas ; tout fut refermé, il
serra le tire-bourre dans le même mur où il l'avait

pris; et s'étant un peu aguerri sur les prodiges, il descendit dans la galerie.

À son arrivée les vitres commencèrent à faire un cliquetis et un trémoussement extraordinaire; il regarda où les rayons du soleil donnaient, il vit que c'était sur le portrait d'un jeune adolescent, si beau et d'un si grand air, qu'il en demeura charmé. En levant ce tableau il trouva un lambris d'ébène avec des filets d'or, comme dans tout le reste de la galerie; il ne savait comment l'ôter, et s'il devait l'ôter; il regarda sur les vitres, il connut que le lambris se levait. Aussitôt il le lève, et il se trouve dans un vestibule tout de porphyre, orné de statues; il monte un large degré d'agate dont la rampe était d'or de rapport[1]; il entre dans un salon tout de lapis[2], et traversant des appartements sans nombre, où il restait ravi de l'excellence des peintures et de la richesse des meubles, il arriva enfin dans une petite chambre dont tous les ornements étaient de turquoise, et il vit sur un lit de gaze bleu et or une dame qui semblait dormir; elle était d'une beauté incomparable; ses cheveux plus noirs que l'ébène relevaient la blancheur de son teint; elle paraissait inquiète dans son sommeil; son visage avait quelque chose d'abattu et d'une personne malade[3].

Le prince craignant de la réveiller, s'approcha doucement; il entendit qu'elle parlait; et prêtant une grande attention à ses paroles, il ouït ce peu de mots entrecoupés de soupirs: «Penses-tu, perfide, que je puisse t'aimer, après m'avoir éloignée de mon aimable Trasimène[4]? Quoi! à mes yeux tu as osé séparer une main si chère, d'un bras qui doit t'être toujours redoutable? Est-ce ainsi que tu prétends me prouver ton respect et ton amour? Ah! Trasimène, mon cher amant, ne dois-je plus vous voir?» Le prince remarqua que les larmes cherchaient un passage entre ses paupières fermées, et que coulant sur ses joues, elles ressemblaient aux pleurs de l'Aurore[1].

Il restait au pied de son lit comme immobile, ne sachant s'il devait l'éveiller ou la laisser plus long-temps dans un sommeil si triste ; il comprenait déjà que Trasimène était son amant, et qu'il en avait trouvé la main dans le donjon. Il roulait mille pen-sées confuses sur tant de différentes choses, quand il entendit une musique charmante, elle était composée de rossignols et de serins, qui accordaient si bien leur ramage qu'ils surpassaient les plus agréables voix : aussitôt un aigle d'une grandeur extraordi-naire entra : il volait doucement et tenait dans ses serres un rameau d'or chargé de rubis qui formaient des cerises ; il attacha fixement ses yeux sur la belle endormie ; il semblait voir son soleil[2], et déployant ses grandes ailes, il planait devant elle, tantôt s'éle-vant et tantôt s'abaissant jusqu'à ses pieds.

Après quelques moments, il se tourna vers le prince et s'en approcha, mettant dans sa main le Rameau d'or cerisé. Les oiseaux qui chantaient poussèrent alors des tons qui percèrent les voûtes du palais : le prince appliqua si bien son esprit aux différentes choses qui s'entre-succédaient, qu'il jugea que cette dame était enchantée, et que l'honneur d'une aven-ture si glorieuse lui était réservé ; il s'avance vers elle, il met un genou en terre, il la frappe avec le rameau, et lui dit : « Belle et charmante personne, qui dormez par un pouvoir qui m'est inconnu, je vous conjure au nom de Trasimène de rentrer dans toutes les fonctions de la vie, qu'il semble que vous avez perdues. » La dame ouvre les yeux, aperçoit l'aigle et s'écrie : « Arrêtez, cher amant, arrêtez. » Mais l'oiseau royal jette un cri aussi aigu que dou-loureux, et il s'envole avec ses petits musiciens emplumés.

La dame se tournant en même temps vers Torticolis : « J'ai écouté mon cœur plutôt que ma reconnaissance, lui dit-elle. Je sais que je vous dois tout, et que vous me rappelez à la lumière que j'ai perdue depuis deux cents ans : l'enchanteur qui m'aimait et qui m'a fait souffrir tant de maux, vous avait réservé cette grande aventure ; j'ai le pouvoir de vous servir, et j'en ai un désir passionné. Voyez ce que vous souhaitez, j'emploierai l'art de féerie que je possède souverainement, pour vous rendre heureux. — Madame, répondit le prince, si votre science vous fait pénétrer jusqu'aux sentiments du cœur, il vous est aisé de connaître que malgré les disgrâces dont je suis accablé, je suis moins à plaindre qu'un autre. — C'est l'effet de votre bon esprit, ajouta la fée ; mais enfin, ne me laissez pas la honte d'être ingrate à votre égard : que souhaitez-vous ? Je peux tout : demandez. — Je souhaiterais, répondit Torticolis, vous rendre le beau Trasimène qui vous coûte de si fréquents soupirs. — Vous êtes trop généreux, lui dit-elle, de préférer mes intérêts aux vôtres ; cette grande affaire s'achèvera par une autre personne, je ne m'explique pas davantage : sachez seulement qu'elle ne vous sera point indifférente ; mais ne me retardez pas plus longtemps le plaisir de vous obliger : que désirez-vous ? — Madame, dit le prince en se jetant à ses pieds, vous voyez mon affreuse figure ; on me nomme Torticolis par dérision, rendez-moi moins ridicule. — Va, prince, lui dit la fée en le touchant trois fois avec le Rameau d'or, va ; tu seras si accompli et si parfait, que jamais homme devant ni après toi ne t'égalera ; nomme-toi Sans-Pair, tu porteras ce nom à juste prix. »

Le prince, reconnaissant, embrassa ses genoux ; et par un silence qui expliquait sa joie, il lui laissait deviner ce qui se passait dans son âme. Elle l'obligea de se relever. Il se mira dans les glaces qui ornaient cette chambre, et Sans-Pair ne reconnut plus Torti-

colis. Il était grandi de trois pieds[1]; il avait des cheveux qui tombaient par grosses boucles sur ses
épaules, un air plein de grandeur et de grâce, des
traits réguliers, des yeux d'esprit; enfin c'était le digne
ouvrage d'une fée bienfaisante et sensible. «Que ne
m'est-il permis, lui dit-elle, de vous apprendre votre
destinée! de vous instruire des écueils que la Fortune mettra en votre chemin! de vous enseigner les
moyens de les éviter! Que j'aurais de satisfaction de
joindre ce bon office à celui que je viens de vous
rendre! Mais j'offenserais le génie supérieur qui
vous guide: allez, prince, fuyez de la tour, et souvenez-vous que la fée Bénigne sera toujours de vos
amies.» À ces mots, elle, le palais et les merveilles
que le prince avait vues disparurent: il se trouva
dans une épaisse forêt, à plus de cent lieues de la
tour où le roi Brun l'avait fait mettre.

Laissons-le revenir de son juste étonnement, et
voyons deux choses: l'une, ce qui se passe entre les
gardes que son père lui avait donnés; et l'autre,
ce qui arrive à la princesse Trognon. Ces pauvres
gardes, surpris que leur prince ne demandât point à
souper, entrèrent dans sa chambre, et ne l'ayant pas
trouvé, ils le cherchèrent partout avec une extrême
crainte qu'il ne se fût sauvé: leur peine étant inutile,
ils pensèrent se désespérer; car ils appréhendaient
que le roi Brun, qui était si terrible, ne les fît mourir. Après avoir agité tous les moyens propres à
l'apaiser, ils conclurent qu'il fallait qu'un d'entre
eux se mît au lit, et ne se laissât point voir; qu'ils
diraient que le prince était bien malade; que peu
après ils le feindraient mort, et qu'une bûche ensevelie et enterrée les tirerait d'intrigue. Ce remède
leur parut infaillible; sur-le-champ ils le mirent en
pratique; le plus petit des gardes, à qui l'on fit une
grosse bosse, se coucha: on fut dire au roi que son
fils était bien malade; il crut que c'était pour l'at-

tendrir, et ne voulut rien relâcher de sa sévérité : c'était justement ce que les timides gardes souhaitaient ; et plus ils faisaient paraître d'empressement, plus le roi Brun marquait d'indifférence.

Pour la princesse Trognon, elle arriva dans une petite machine qui n'avait qu'une coudée[1] de haut, et la machine était dans une litière. Le roi Brun alla au-devant d'elle : lorsqu'il la vit si difforme, dans une jatte, la peau écaillée comme une morue, les sourcils joints, le nez plat et large, et la bouche proche des oreilles, il ne put s'empêcher de lui dire : « En vérité, princesse Trognon, vous êtes gracieuse, de mépriser mon Torticolis ; sachez qu'il est bien laid, mais sans mentir, il l'est moins que vous. — Seigneur, lui dit-elle, je n'ai pas assez d'amour-propre pour m'offenser des choses désobligeantes que vous me dites ; je ne sais cependant si vous croyez que ce soit un moyen sûr pour me persuader d'aimer votre charmant Torticolis ; mais je vous le déclare, malgré ma misérable jatte, et les défauts dont je suis remplie, que je ne veux point l'épouser ; et que je préfère le titre de princesse Trognon à celui de reine Torticolis. »

Le roi Brun s'échauffa fort de cette réponse : « Je vous assure, lui dit-il, que je n'en aurai pas le démenti ; le roi votre père doit être votre maître, et je le suis devenu depuis qu'il vous a mise entre mes mains. — Il est des choses, dit-elle, sur lesquelles nous pouvons opter ; c'est en dépit de moi qu'on m'a conduite ici, je vous en avertis ; et je vous regarderai comme mon plus mortel ennemi, si vous me faites violence. » Le roi encore plus irrité la quitta et lui donna un appartement dans son palais, avec des dames qui avaient ordre de lui persuader que le meilleur parti à prendre pour elle était d'épouser le prince.

Cependant les gardes qui craignaient d'être découverts, et que le roi ne sût que son fils s'était sauvé, se hâtèrent de lui aller dire qu'il était mort. À ces nouvelles il ressentit une douleur dont on le croyait incapable : il cria, il hurla, et se prenant à Trognon de la perte qu'il venait de faire, il l'envoya dans la tour à la place de son cher défunt.

La pauvre princesse demeura aussi triste qu'étonnée de se trouver prisonnière ; elle avait du cœur, et elle parla comme elle devait d'un procédé si dur. Elle croyait qu'on le dirait au roi ; mais personne n'osa l'en entretenir. Elle croyait aussi qu'elle pouvait écrire à son père les mauvais traitements qu'elle souffrait, et qu'il viendrait la délivrer. Ses projets de ce côté-là furent inutiles ; on interceptait ses lettres, et on les donnait au roi Brun.

Comme elle vivait dans cette espérance, elle s'affligeait moins, et tous les jours elle allait dans la galerie regarder les peintures qui étaient sur les vitres ; rien ne lui paraissait plus extraordinaire que ce nombre de choses différentes qui y étaient représentées, et de s'y voir dans sa jatte. « Depuis que je suis arrivée en ce pays-ci, les peintres, disait-elle, ont pris un étrange plaisir de me peindre ; est-ce qu'il n'y a pas assez de figures ridicules sans la mienne ? Ou veulent-ils par des oppositions, faire éclater davantage la beauté de cette jeune bergère qui me semble charmante ? » Elle regardait ensuite le portrait d'un berger qu'elle ne pouvait assez louer. « Que l'on est à plaindre, disait-elle, d'être disgraciée de la nature au point que je le suis ! Et que l'on est heureuse quand on est belle ! » En disant ces mots, elle avait les larmes aux yeux ; puis se voyant dans un miroir, elle se tourna brusquement ; mais elle fut bien étonnée de trouver derrière elle une petite vieille coiffée d'un chaperon [1], qui était la moitié plus laide qu'elle, et la jatte où elle se traînait avait plus de vingt trous, tant elle était usée.

« Princesse, lui dit cette vieillotte, vous pouvez choisir entre la vertu et la beauté ; vos regrets sont si touchants que je les ai entendus : si vous voulez être belle vous serez coquette, glorieuse et très galante ; si vous voulez rester comme vous êtes, vous serez sage, estimée et fort humble. » Trognon regarda celle qui lui parlait, et lui demanda si la beauté était incompatible avec la sagesse. « Non, lui dit la bonne femme, mais à votre égard il est arrêté que vous ne pouvez avoir que l'un des deux. — Eh bien ! s'écria Trognon d'un air ferme, je préfère ma laideur à la beauté. — Quoi ! vous aimez mieux effrayer ceux qui vous voient ? reprit la vieille. — Oui, Madame, dit la princesse, je choisis plutôt tous les malheurs ensemble, que de manquer de vertu. — J'avais apporté exprès mon manchon jaune et blanc, dit la fée : en soufflant du côté jaune, vous seriez devenue semblable à cette admirable bergère qui vous a paru si charmante, et vous auriez été aimée d'un berger dont le portrait a arrêté vos yeux plus d'une fois ; en soufflant du côté blanc, vous pourrez vous affermir encore dans le chemin de la vertu où vous entrez si courageusement. — Hé ! Madame, reprit la princesse, ne me refusez pas cette grâce, elle me consolera de tout le mépris que l'on a pour moi. » La petite vieille lui donna le manchon de vertu et de beauté. Trognon ne se méprit point, elle souffla par le côté blanc et remercia la fée, qui disparut aussitôt.

Elle était ravie du bon choix qu'elle avait fait ; et quelque sujet qu'elle eût d'envier l'incomparable beauté de la bergère peinte sur les vitres, elle pensait pour s'en consoler que la beauté passe comme un songe, que la vertu est un trésor éternel, et une beauté inaltérable qui dure plus que la vie. Elle espérait toujours que le roi son père se mettrait à la tête d'une grosse armée, et qu'il la tirerait de la tour : elle attendait le moment de le voir avec mille

impatiences, et elle mourait d'envie de monter au
donjon pour voir arriver le secours qu'elle attendait,
mais comment grimper si haut? Elle allait dans sa
chambre moins vite qu'une tortue, et pour monter,
c'était ses femmes qui la portaient.

Cependant elle en trouva un moyen assez particulier: elle sut que l'horloge était dans le donjon, elle
ôta les poids et se mit à la place; lorsqu'on monta[1]
l'horloge elle fut guindée[2] jusqu'en haut; elle regarda
promptement à la fenêtre qui donnait sur la campagne, mais elle ne vit rien venir[3] et elle s'en retira
pour se reposer un peu. En s'appuyant contre le
mur que Torticolis, ou pour mieux dire, le prince
Sans-Pair, avait défait et raccommodé assez mal, le
plâtre tomba, et le tire-bourre d'or, qui fit *tin, tin,*
près de Trognon: et elle l'aperçut, et après l'avoir
ramassé, elle examina à quoi il pouvait servir;
comme elle avait plus d'esprit qu'un autre, elle jugea
bien vite que c'était pour ouvrir l'armoire où il n'y
avait point de serrure; elle en vint à bout, et elle ne
fut pas moins ravie que le prince l'avait été, de tout
ce qu'elle y rencontra de rare et de galant: il y avait
quatre mille tiroirs, tous remplis de bijoux antiques
et modernes; enfin elle trouve le guichet d'or, la
boîte d'escarboucle, et la main qui nageait dans le
sang: elle en frémit, et voulut la jeter, mais il ne fut
pas à son pouvoir de la laisser aller, une puissance
secrète l'en empêchait. «Hélas! que vais-je faire?
dit-elle tristement. J'aime mieux mourir que de rester davantage avec cette main coupée.» Dans ce
moment elle entendit une voix douce et agréable
qui lui dit: «Prends courage, Princesse, ta félicité
dépend de cette aventure. — Eh! que puis-je faire?
répondit-elle en tremblant. — Il faut, lui dit la voix,
emporter cette main dans ta chambre, la cacher
sous ton chevet, et quand tu verras un aigle, lui donner sans tarder un moment.»

Quelque effrayée que fût la princesse, cette voix avait quelque chose de si persuasif, qu'elle n'hésita pas à obéir; elle replaça les tiroirs et les raretés comme elle les avait trouvés, sans en prendre aucune. Ses gardes qui craignaient qu'elle ne leur échappât à son tour, ne l'ayant point vue dans sa chambre, la cherchèrent et demeurèrent surpris de la rencontrer dans un lieu où elle ne pouvait, disaient-ils, monter que par enchantement.

Elle fut trois jours sans rien voir; elle n'osait ouvrir la belle boîte d'escarboucle, parce que la main coupée lui faisait trop grande peur. Enfin, une nuit elle entendit du bruit contre sa fenêtre; elle ouvrit son rideau et elle aperçut au clair de la lune un aigle qui voltigeait; elle se leva comme elle put, et se traînant dans la chambre, elle ouvrit la fenêtre. L'aigle entra, faisant grand bruit avec ses ailes, en signe de réjouissance; elle ne différa pas à lui présenter la main qu'il prit avec ses serres, et un moment après elle ne l'aperçut plus: il y avait à sa place un jeune homme, le plus beau et le mieux fait qu'elle eût jamais vu; son front était ceint d'un diadème, son habit couvert de pierreries; il tenait dans sa main un portrait, et prenant le premier la parole: «Princesse, dit-il à Trognon, il y a deux cents ans qu'un perfide enchanteur me retient en ces lieux; nous aimions l'un et l'autre l'admirable fée Bénigne; j'étais souffert, il était jaloux; son art surpassait le mien, et voulant s'en prévaloir pour me perdre, il me dit d'un air absolu qu'il me défendait de la voir davantage: une telle défense ne convenait ni à mon amour, ni au rang que je tenais, je le menaçai, et la belle que j'adore se trouva si offensée de la conduite de l'enchanteur, qu'elle lui défendit à son tour de l'approcher jamais: ce cruel résolut de nous punir.

»Un jour que j'étais auprès d'elle, charmé du portrait qu'elle m'avait donné et que je regardais, le

trouvant mille fois moins beau que l'original, il
parut, et d'un coup de sabre il sépara ma main de
mon bras. La fée Bénigne (c'est le nom de ma reine)
ressentit plus vivement que moi la douleur de cet
accident ; elle tomba évanouie sur son lit, et sur-le-
champ je me sentis couvert de plumes ; je fus métamorphosé en aigle. Il m'était permis de venir tous
les jours voir la reine sans pouvoir en approcher, ni
la réveiller ; mais j'avais la consolation de l'entendre
sans cesse pousser de tendres soupirs, et parler
en rêvant de son cher Trasimène. Je savais encore
qu'au bout de deux cents ans un prince rappellerait
Bénigne à la lumière, et qu'une princesse en me
rendant ma main coupée me rendrait ma première
forme. Une fée qui s'intéresse à votre gloire a voulu
que cela fût ainsi ; c'est elle qui l'a si soigneusement
enfermée dans l'armoire du donjon ; c'est elle qui
m'a donné le pouvoir de vous marquer aujourd'hui
ma reconnaissance : souhaitez, princesse, ce qui peut
vous faire le plus de plaisir, et sur-le-champ vous
l'obtiendrez.

— Grand roi, répliqua Trognon (après quelque
moment de silence), si je ne vous ai pas répondu
promptement, ce n'est point que j'hésite ; mais je
vous avoue que je ne suis pas aguerrie sur des aventures aussi surprenantes que celle-ci ; et je me figure
que c'est plutôt un rêve qu'une vérité. — Non,
Madame, répondit Trasimène, ce n'est point une
illusion ; vous en ressentirez les effets, dès que vous
voudrez me dire quel don vous désirez. — Si je
demandais tous ceux dont j'aurais besoin pour être
parfaite, dit-elle, quelque pouvoir que vous ayez, il
vous serait difficile d'y satisfaire ; mais je m'en tiens
au plus essentiel : rendez mon âme aussi belle que
mon corps est laid et difforme. — Ah ! Princesse,
s'écria le roi Trasimène, vous me charmez par un
choix si juste et si élevé, mais qui est capable de le

faire est déjà accomplie ; votre corps va donc devenir aussi beau que votre âme et que votre esprit. » Il
toucha la princesse avec le portrait de la fée ; elle
entend *cric croc* dans tous ses os, ils s'allongent, ils
se remboîtent, elle se lève, elle est grande, elle est
belle, elle est droite, elle a le teint plus blanc que du
lait, tous les traits réguliers, un air majestueux et
modeste, une physionomie fine et agréable. « Quel
prodige ! s'écrie-t-elle, est-ce moi ? Est-ce une chose
possible ? — Oui, Madame, reprit Trasimène, c'est
vous ; le sage choix que vous avez fait de la vertu
vous attire l'heureux changement que vous éprou-
vez ; quel plaisir pour moi, après ce que je vous dois,
d'avoir été destiné pour y contribuer ! Mais quittez
pour toujours le nom de Trognon ; prenez celui de
Brillante, que vous méritez par vos lumières et par
vos charmes. » Dans ce moment il disparut ; et la
princesse, sans savoir par quelle voiture elle était
allée, se trouva au bord d'une petite rivière dans un
lieu ombragé d'arbres, le plus agréable de la terre.

Elle ne s'était point encore vue ; l'eau de cette
rivière était si claire, qu'elle connut avec une surprise extrême qu'elle était la même bergère dont
elle avait tant admiré le portrait sur les vitres de
la galerie. En effet, elle avait comme elle un habit
blanc garni de dentelles fines, le plus propre qu'on
eût jamais vu à aucune bergère, sa ceinture était de
petites roses et de jasmins, ses cheveux ornés de
fleurs ; elle trouva une houlette peinte et dorée auprès
d'elle, avec un troupeau de moutons qui paissaient
le long du rivage, et qui entendaient[1] sa voix ; jusqu'au chien du troupeau, il semblait la connaître et
la caressait.

Quelles réflexions ne faisait-elle point sur des prodiges si nouveaux ! Elle était née et elle avait vécu
jusqu'alors la plus laide de toutes les créatures,
mais elle était princesse ; elle devenait plus belle que

l'astre du jour, elle n'était plus qu'une bergère, et la
perte de son rang ne laissait pas de lui être sensible.

Ces différentes pensées l'agitèrent jusqu'au moment
où elle s'endormit ; elle avait veillé toute la nuit
(comme je l'ai déjà dit), et le voyage qu'elle avait fait
sans s'en apercevoir était de cent lieues, de sorte
qu'elle s'en trouvait un peu lasse ; ses moutons et son
chien rassemblés à ses côtés semblaient la garder et
lui donner les soins qu'elle leur devait, le soleil ne
pouvait l'incommoder, quoiqu'il fût dans toute sa
force, les arbres touffus l'en garantissaient ; et l'herbe
fraîche et fine sur laquelle elle s'était laissée tomber,
paraissait orgueilleuse d'une charge si belle. C'est là

> *Qu'on voyait les violettes,*
> *À l'envi des autres fleurs,*
> *S'élever sur des herbettes*
> *Pour répandre leurs odeurs.*

Les oiseaux y faisaient de doux concerts, et les
zéphyrs retenaient leurs haleines, dans la crainte de
l'éveiller ; un berger fatigué de l'ardeur du soleil,
ayant remarqué de loin cet endroit, s'y rendit en
diligence ; mais lorsqu'il vit la jeune Brillante, il
demeura si surpris que, sans un arbre contre lequel
il s'appuya, il serait tombé de toute sa hauteur. En
effet, il la reconnut pour cette même personne dont
il avait admiré la beauté sur les vitres de la galerie
et dans le livre de vélin, car le lecteur ne doute pas
que ce berger ne soit le prince Sans-Pair : un pouvoir inconnu l'avait arrêté dans cette contrée ; il
s'était fait admirer de tous ceux qui l'avaient vu ;
son adresse en toutes choses, sa bonne mine et son
esprit ne le distinguaient pas moins entre les autres
bergers, que sa naissance l'aurait distingué ailleurs.

Il attacha ses yeux sur Brillante avec une attention et un plaisir qu'il n'avait point ressentis jus-

qu'alors: il se mit à genoux auprès d'elle, il exami-
nait cet assemblage de beautés qui la rendaient
toute parfaite, et son cœur fut le premier qui paya
le tribut qu'aucun autre depuis n'osa lui refuser.
Comme il rêvait profondément, Brillante s'éveilla;
et voyant Sans-Pair proche d'elle avec un habit de
pasteur extrêmement galant, elle le regarda et rappela aussitôt son idée, parce qu'elle avait vu son
portrait dans la tour. «Aimable bergère, lui dit-il,
quelle heureuse destinée vous conduit ici? Vous y
venez sans doute pour recevoir notre encens et nos
vœux: ah! je sens déjà que je serai le plus empressé
à vous rendre mes hommages. — Non, berger, lui
dit-elle, je ne prétends point exiger des honneurs
qui ne me sont pas dus; je veux demeurer simple
bergère, j'aime mon troupeau et mon chien: la solitude a des charmes pour moi, je ne cherche qu'elle.
— Quoi! jeune bergère, en arrivant en ces lieux
vous y apportez le dessein de vous cacher aux mortels qui les habitent? Est-il possible, continua-t-il,
que vous nous vouliez tant de mal? Tout du moins
exceptez-moi, puisque je suis le premier qui vous a
offert ses services. — Non, reprit Brillante, je ne veux
point vous voir plus souvent que les autres, quoique
je sente déjà une estime particulière pour vous;
mais enseignez-moi quelque sage bergère chez qui
je puisse me retirer; car étant inconnue ici, et dans
un âge à ne vouloir demeurer seule, je serai bien aise
de me mettre sous sa conduite.» Sans-Pair fut ravi
de cette commission; il la mena dans une cabane si
propre, qu'elle avait mille agréments dans sa simplicité; il y avait une petite vieillotte qui sortait rarement parce qu'elle ne pouvait presque plus marcher.
«Tenez, ma bonne mère, dit Sans-Pair en lui présentant Brillante, voici une fille incomparable dont
la seule présence vous rajeunira.» La vieille l'embrassa, et lui dit d'un air affable qu'elle était la bien-

venue; qu'elle avait de la peine de la loger si mal,
mais que tout au moins elle la logerait fort bien dans
son cœur. «Je ne pensais pas, dit Brillante, trouver
ici un accueil si favorable et tant de politesse; je
vous assure, ma bonne mère, que je suis ravie d'être
auprès de vous; ne me refusez pas, continua-t-elle
en s'adressant au berger, de me dire votre nom,
pour que je sache à qui je suis obligée d'un tel service. — On m'appelle Sans-Pair, répondit le prince,
mais à présent je ne veux point d'autre nom que
celui de votre esclave. — Et moi, dit la petite vieille,
je souhaite aussi de savoir comment on appelle la
bergère pour qui j'exerce l'hospitalité.» La princesse lui dit qu'on la nommait Brillante. La vieille
parut charmée d'un si aimable nom, et Sans-Pair
dit cent jolies choses là-dessus.

La vieille bergère ayant peur que Brillante n'eût
faim, lui présenta dans une terrine fort propre du
lait doux avec du pain bis, des œufs frais, du beurre
nouveau battu et un fromage à la crème. Sans-Pair
courut dans sa cabane, il en apporta des fraises, des
noisettes, des cerises et d'autres fruits, tous entou-
rés de fleurs; et pour avoir lieu de rester plus longtemps auprès de Brillante, il lui demanda permission
d'en manger avec elle. Hélas! qu'il lui aurait été
difficile de la lui refuser! Elle le voyait avec un
plaisir extrême; et quelque froideur qu'elle affectât,
elle sentait bien que sa présence ne lui serait point
indifférente.

Lorsqu'il l'eut quittée, elle pensa encore à lui, et
lui à elle: il la voyait tous les jours, il conduisait son
troupeau dans le lieu où elle faisait paître le sien, il
chantait auprès d'elle des paroles passionnées; il
jouait de la flûte et de la musette pour la faire danser, et elle s'en acquittait avec une grâce et une
justesse qu'il ne pouvait assez admirer. Chacun de
son côté faisait réflexion à cette suite surprenante

d'aventures qui leur étaient arrivées, et chacun commençait à s'inquiéter. Sans-Pair la cherchait soigneusement partout.

> *Enfin, toutes les fois qu'il la trouva seulette,*
> *   Il lui parla tant d'amourette,*
> *Il lui peignit si bien son feu, sa passion,*
> *Et ce qui de deux cœurs fait la douce union,*
> *   Qu'elle reconnut dans son âme*
> *   Que ce petit je ne sais quoi*
> *Qu'elle sentait pour lui, sans bien savoir pourquoi,*
> *   Était une amoureuse flamme.*
> *   Alors connaissant le danger*
> *   Où par son peu d'expérience*
> *   Elle exposait son innocence,*
> *Elle évite avec soin cet aimable berger ;*
> *   Mais que ce fut pour elle*
> *   Une peine cruelle !*
> *Et que souvent son cœur soupirant en secret*
> *Lui reprocha de fuir un amant si discret !*
> *   Sans-Pair, qui ne pouvait comprendre*
> *Ce qui causait ce cruel changement,*
> *Cherche partout un moment pour l'apprendre ;*
> *   Mais il le cherche vainement :*
> *Brillante ne veut plus l'approcher ni l'entendre.*

Elle l'évitait avec soin et se reprochait sans cesse
ce qu'elle ressentait pour lui: «Quoi! J'ai le malheur d'aimer, disait-elle, et d'aimer un malheureux
berger? Quelle destinée est la mienne! J'ai préféré
la vertu à la beauté: il semble que le Ciel, pour me
récompenser de ce choix, m'avait voulu rendre belle;
mais que je m'estime malheureuse de l'être devenue! Sans ces inutiles attraits le berger que je fuis
ne se serait point attaché à me plaire, et je n'aurais
pas la honte de rougir des sentiments que j'ai pour
lui.» Ses larmes finissaient toujours par de si dou-
loureuses réflexions, et les peines augmentaient par
l'état où elle réduisait son aimable berger.

Il était de son côté accablé de tristesse; il avait
envie de déclarer à Brillante la grandeur de sa naissance, dans la pensée qu'elle serait peut-être piquée
d'un sentiment de vanité, et qu'elle l'écouterait plus
favorablement; mais il se persuadait ensuite qu'elle
ne le croirait pas, et que si elle lui demandait quelque
preuve de ce qu'il lui dirait, il était hors d'état de lui
en donner. «Que mon sort est cruel! s'écriait-il.
Quoique je fusse affreux, je devais succéder à mon
père : un grand royaume répare bien des défauts; il
me serait à présent inutile de me présenter à lui ni à
ses sujets, il n'y en a aucun qui puisse me reconnaître! Et tout le bien que m'a fait la fée Bénigne
en m'ôtant mon nom et ma laideur, consiste à me
rendre berger et à me livrer aux charmes d'une
bergère inexorable, qui ne peut me souffrir! Étoile
barbare, disait-il en soupirant, deviens-moi plus pro-
pice, ou rends-moi ma difformité avec ma première
indifférence!»

Voilà les tristes regrets que l'amant et la maîtresse faisaient sans se connaître. Mais comme
Brillante s'appliquait à fuir Sans-Pair, un jour qu'il
avait résolu de lui parler, pour en trouver un pré-
texte qui ne l'offensât point, il prit un petit agneau
qu'il enjoliva de rubans et de fleurs; il lui mit un
collier de paille peinte, travaillé si proprement, que
c'était une espèce de chef-d'œuvre; il avait un habit
de taffetas couleur de rose, couvert de dentelles
d'Angleterre, une houlette garnie de rubans, une
panetière; et en cet état tous les Céladons[1] du monde
n'auraient osé paraître devant lui. Il trouva Brillante
assise au bord d'un ruisseau qui coulait lentement
dans le plus épais du bois; ses moutons y paissaient
épars, la profonde tristesse de la bergère ne lui
permettait pas de leur donner ses soins. Sans-Pair
l'aborda d'un air timide : il lui présenta le petit
agneau, et la regardant tendrement : «Que vous ai-je

donc fait, belle bergère, lui dit-il, qui m'attire de si terribles marques de votre aversion? Vous reprochez à vos yeux le moindre de leurs regards: vous me fuyez, ma passion vous paraît-elle si offensante? En pouvez-vous souhaiter une plus pure et plus fidèle? Mes paroles, mes actions n'ont-elles pas toujours été remplies de respect et d'ardeur? Mais sans doute vous aimez ailleurs, votre cœur est prévenu pour un autre.» Elle lui repartit aussitôt:

Berger, lorsque je vous évite,
Devez-vous vous en alarmer?
On connaît assez par ma fuite
Que je crains de vous trop aimer;
Je fuirais avec moins de peine,
Si la haine me faisait fuir;
Mais lorsque la raison m'entraîne
L'amour cherche à me retenir.
Tout m'alarme: en ce moment même
Je sens que vos regards affaiblissent mon cœur.
Je reste toutefois: quand l'amour est extrême,
Berger, que le devoir paraît plein de rigueur!
Et qu'on fuit lentement quand on fuit ce qu'on aime!
Adieu. Si vous m'aimez, hélas!
Mon repos en dépend, gardez-vous de me suivre:
Peut-être que sans vous je ne pourrai plus vivre;
Mais toutefois, berger, ne suivez point mes pas.

En achevant ces mots, Brillante s'éloigna: le prince amoureux et désespéré voulut la suivre; mais sa douleur devint si forte qu'il tomba sans connaissance au pied d'un arbre. Ah! vertu sévère et trop farouche, pourquoi redoutez-vous un homme qui vous a chérie dès sa plus tendre enfance? Il n'est point capable de vous méconnaître, et sa passion est tout innocente; mais la princesse se défiait autant d'elle que de lui. Elle ne pouvait s'empêcher de rendre justice au mérite de ce charmant berger, et elle savait bien qu'il faut éviter ce qui nous paraît trop aimable.

On n'a jamais tant pris sur soi qu'elle y prit dans ce moment : elle s'arrachait à l'objet le plus tendre et le plus chèrement aimé qu'elle eût vu de sa vie ; elle ne put s'empêcher de tourner plusieurs fois la tête pour regarder s'il la suivait ; elle l'aperçut tomber demi-mort : elle l'aimait, et elle se refusa la consolation de le secourir. Lorsqu'elle fut dans la plaine, elle leva pitoyablement les yeux ; et joignant ses bras l'un sur l'autre : « Ô vertu ! ô gloire ! ô grandeur ! je te sacrifie mon repos, s'écria-t-elle. Ô destin ! ô Trasimène ! je renonce à ma fatale beauté ; rends-moi ma laideur ou rends-moi, sans que j'en puisse rougir, l'amant que j'abandonne ! » Elle s'arrêta à ces mots, incertaine si elle continuerait de fuir, ou si elle retournerait sur ses pas ; son cœur voulait qu'elle rentrât dans le bois où elle avait laissé Sans-Pair ; mais sa vertu triompha de sa tendresse : elle prit la généreuse résolution de ne le plus voir.

Depuis qu'elle avait été transportée dans ces lieux, elle avait entendu parler d'un célèbre enchanteur, qui demeurait dans un château qu'il avait bâti avec sa sœur aux confins de l'île[1] : on ne parlait que de leur savoir ; c'étaient tous les jours de nouveaux prodiges. Elle pensa qu'il ne fallait pas moins qu'un pouvoir magique pour effacer de son cœur l'image du charmant berger ; et sans en rien dire à sa charitable hôtesse, qui l'avait reçue et qui la traitait comme sa fille, elle se mit en chemin, si occupée de ses déplaisirs qu'elle ne faisait aucune réflexion au péril qu'elle courait, étant belle et jeune, de voyager toute seule ; elle ne s'arrêtait ni jour ni nuit ; elle ne buvait ni ne mangeait, tant elle avait envie d'arriver au château pour guérir de sa tendresse. Mais en passant dans un bois, elle ouït quelqu'un qui chantait : elle crut entendre son nom et reconnaître la

voix d'une de ses compagnes; elle s'arrêta pour
l'écouter; elle entendit ces paroles:

> *Sans-Pair, de son hameau*
> *Le mieux fait, le plus beau,*
> *Aimait la bergère Brillante*
> *Aimable, jeune et belle, enfin toute charmante:*
> *Par mille petits soins ce berger chaque jour*
> *Lui déclarait assez ce qu'il sentait pour elle.*
> *Mais la jeune rebelle*
> *Ignorait ce que c'est qu'amour;*
> *Son cœur plein de tristesse*
> *Soupirait toutefois, loin du berger absent,*
> *Ce qui marque de la tendresse*
> *Et ce qu'on ne fait pas pour un indifférent.*
> *Il est vrai qu'à notre bergère*
> *De tels chagrins n'arrivaient guère*
> *Car son amant la suivait en tous lieux*
> *(Elle ne demandait pas mieux).*
> *Souvent couchés dessus l'herbette,*
> *Il lui chantait des vers de sa façon;*
> *La belle avec plaisir écoutait sa musette,*
> *Et même apprenait sa chanson*[1].

«Ah! c'en est trop! dit-elle en versant des larmes.
Indiscret berger, tu t'es vanté des faveurs innocentes que je t'ai accordées! Tu as osé présumer que
mon faible cœur serait plus sensible à ta passion
qu'à mon devoir! Tu as fait confidence de tes
injustes désirs, et tu es cause que l'on me chante
dans les bois et dans les plaines!» Elle en conçut un
dépit si violent qu'elle se crut en état de le voir avec
indifférence, et peut-être avec de la haine. «Il est
inutile, continua-t-elle, que j'aille plus loin pour chercher des remèdes à ma peine; je n'ai rien à craindre
d'un berger en qui je connais si peu de mérite: je
vais retourner au hameau avec la bergère que je
viens d'entendre.» Elle l'appela de toute sa force sans
que personne lui répondît, et cependant elle enten-

dait de temps en temps chanter assez proche d'elle :
l'inquiétude et la peur la prirent ; en effet, ce bois
appartenait à l'enchanteur, et l'on n'y passait point
sans avoir quelque aventure.

Brillante, plus incertaine que jamais, se hâta de
sortir du bois : « Le berger que je craignais, disait-
elle, m'est-il devenu si peu redoutable, que je doive
m'exposer à le revoir ? N'est-ce point plutôt que
mon cœur, d'intelligence avec lui, cherche à me
tromper ? Ah ! fuyons, fuyons ; c'est le meilleur parti
pour une princesse aussi malheureuse que moi. »
Elle continua son chemin vers le château de l'enchanteur ; elle y parvint, et elle y entra sans obstacle :
elle traversa plusieurs grandes cours, où l'herbe et
les ronces étaient si hautes, qu'il semblait qu'on
n'y avait pas marché depuis cent ans ; elle les ran-
gea avec ses mains, qu'elle égratigna en plus d'un
endroit. Elle entra dans une salle où le jour ne venait
que par un petit trou, elle était tapissée d'ailes de
chauves-souris, il y avait douze chats pendus au
plancher[1], qui servaient de lustres, et qui faisaient
un miaulis[2] à faire perdre patience, et sur une
longue table douze grosses souris attachées par la
queue, qui avaient chacune devant elle un morceau
de lard où elles ne savaient atteindre : de sorte que
les chats voyaient les souris sans les pouvoir manger, les souris craignaient les chats et désespéraient
de faim auprès d'un bon morceau de lard.

La princesse considérait le supplice de ces animaux, lorsqu'elle vit entrer l'enchanteur avec une
longue robe noire : il avait sur sa tête un crocodile
qui lui servait de bonnet, et jamais il n'a été une
coiffure si effrayante. Ce vieillard portait des lunettes
et un fouet à la main d'une vingtaine de longs serpents tous en vie. Oh ! que la princesse eut de peur !
Qu'elle regretta dans ce moment son berger, ses
moutons et son chien ! Elle ne pensa qu'à fuir ; et

sans dire un mot à ce terrible homme, elle courut
vers la porte, mais elle était couverte de toiles d'araignées; elle en leva une, et elle en trouva une autre
qu'elle leva encore, et à laquelle une troisième
succéda; elle la lève, il en paraît une nouvelle qui
était devant une autre: enfin, ces vilaines portières
de toiles d'araignées étaient sans compte et sans
nombre. La pauvre princesse n'en pouvait plus de
lassitude, ses bras n'étaient pas assez forts pour
soutenir ces toiles: elle voulut s'asseoir par terre
afin de se reposer un peu, elle sentit de longues
épines qui la pénétraient: elle fut bientôt relevée et
se mit encore en devoir de passer; mais toujours il
paraissait une toile sur l'autre. Le méchant vieillard,
qui la regardait, faisait des éclats de rire à s'en
engouer; à la fin il l'appela et lui dit: «Tu passerais
là le reste de ta vie sans en venir à bout; tu me
sembles jeune et plus belle que tout ce que j'ai vu de
plus beau; si tu veux je t'épouserai; je te donnerai
ces douze chats que tu vois pendus au plancher
pour en faire tout ce que tu voudras, et ces douze
souris qui sont sur cette table seront tiennes aussi:
les chats sont autant de princes et les souris autant
de princesses. Les friponnes en différents temps
avaient eu l'honneur de me plaire (car j'ai toujours été aimable et galant), aucune d'elles ne voulut m'aimer: ces princes étaient mes rivaux et plus
heureux que moi; la jalousie me prit, je trouvai le
moyen de les attirer ici, et à mesure que je les ai
attrapés, je les ai métamorphosés en chats et en souris; ce qui est de plaisant, c'est qu'ils se haïssent
autant qu'ils se sont aimés, et que l'on ne peut guère
trouver une vengeance plus complète. — Ah! Seigneur, s'écria Brillante, rendez-moi souris; je ne
le mérite pas moins que ces pauvres princesses.
— Comment? dit le magicien, petite bérgeronnette[1],
tu ne veux donc pas m'aimer? — J'ai résolu de n'ai-

mer jamais, dit-elle. — Oh! que tu es simple! continua-t-il. Je te nourrirai à merveille; je te ferai des
contes; je te donnerai les plus beaux habits du
monde; tu n'iras qu'en carrosse et en litière[1], tu t'ap-
pelleras madame[2]. — J'ai résolu de n'aimer jamais,
dit encore la princesse. — Prends garde à ce que tu
dis, s'écria l'enchanteur en colère, tu t'en repenti-
rais pour longtemps. — N'importe, dit Brillante, j'ai
résolu de n'aimer jamais. — Ho bien! trop indifférente créature, dit-il en la touchant, puisque tu ne
veux pas aimer, tu dois être d'une espèce particulière : tu ne seras donc à l'avenir ni chair, ni poisson; tu n'auras ni sang, ni os; tu seras verte, parce
que tu es encore dans ta verte jeunesse; tu seras
légère et fringante; tu vivras dans les prairies comme
tu vivais : on t'appellera Sauterelle. » Au même
moment, la princesse Brillante devint la plus jolie
sauterelle du monde; et jouissant de la liberté, elle
se rendit promptement dans le jardin.

   Dès qu'elle fut en état de se plaindre, elle s'écria
douloureusement : «Ah! ma jatte, ma chère jatte,
qu'êtes-vous devenue? Voilà donc l'effet de vos promesses, Trasimène? Voilà donc ce qu'on me gardait
depuis deux cents ans avec tant de soin? Une beauté
aussi peu durable que les fleurs du printemps, et
pour conclusion, un habit de crêpe vert, une petite
figure singulière, qui n'est ni chair, ni poisson, qui
n'a ni os, ni sang : je suis bien malheureuse! Hélas!
une couronne aurait caché tous mes défauts; j'eusse
trouvé un époux digne de moi; et si j'étais restée bergère, l'aimable Sans-Pair ne souhaitait que la possession de mon cœur; il n'est que trop vengé de mes
injustes dédains; me voilà sauterelle, destinée à chanter jour et nuit, quand mon cœur rempli d'amer-
tume m'invite à pleurer! » C'est ainsi que parlait la
Sauterelle, cachée entre les herbes fines qui bor-
daient un ruisseau.

Mais que faisait le prince Sans-Pair, absent[1] de son adorable bergère ? La dureté avec laquelle elle l'avait quitté le pénétra si vivement qu'il n'eut pas la force de la suivre ; avant qu'il l'eût jointe il s'évanouit, et il resta longtemps sans aucune connaissance au pied de l'arbre où Brillante l'avait vu tomber. Enfin, la fraîcheur de la terre ou quelque puissance inconnue le fit revenir à lui ; il n'osa aller ce jour-là chez elle ; et repassant dans son esprit les derniers vers qu'elle lui avait dits :

> *Et pour fuir un amant*
> *Tendre, jeune et constant,*
> *On ne prend guère tant de peine,*
> *Quand on ne le fuit que par haine,*

en prit des espérances assez flatteuses, et il se promit du temps et de ses soins un peu de reconnaissance ; mais que devint-il, lorsque ayant été chez la vieille bergère où Brillante se retirait, il apprit qu'elle n'avait point paru depuis la veille ? Il pensa mourir d'inquiétude ; il s'éloigna, accablé de mille pensées diverses ; il s'assit tristement au bord de la rivière ; il fut près cent fois de s'y jeter, et de chercher dans la fin de sa vie celle de ses malheurs ; enfin il prit un poinçon et grava ces vers sur l'écorce d'un alisier :

> *Belle fontaine, clair ruisseau,*
> *Vallons délicieux, et vous fertiles plaines,*
> *Séjour que je trouvais si beau,*
> *Hélas ! vous augmentez mes peines.*
> *Le tendre objet de mon amour,*
> *Dont vous empruntez tous vos charmes,*
> *Pour fuir un malheureux, vous quitte sans retour.*
> *Vous ne me verrez plus que répandre des larmes.*
> *Quand l'Aurore aux mortels vient annoncer le jour,*
> *Elle me voit plongé dans ma douleur profonde ;*
> *Le soleil chaque instant est témoin de mes pleurs,*

> *Et quand il est caché dans l'onde,*
> *Je n'interromps point mes douleurs.*
> *Ô toi ! tendre arbrisseau, pardonne les blessures*
> *Que pour graver mes maux j'ose faire à ton sein :*
> *Ce sont de légères peintures,*
> *De ce qu'a fait au mien cet objet inhumain.*
> *La pointe de ce fer ne t'ôte point la vie ;*
> *Des chiffres de son nom tu paraîtras plus beau ;*
> *Mais hélas ! ma plus chère envie,*
> *Lorsque je perds Brillante, est d'entrer au tombeau.*

Il n'en put écrire davantage, parce qu'il fut abordé par une petite vieille qui avait une fraise au cou, un vertugadin, un moule sous ses cheveux blancs, un chaperon de velours[1] ; et son antiquité avait quelque chose de vénérable. « Mon fils, lui dit-elle, vous poussez des regrets bien amers ; je vous prie de m'en apprendre le sujet. — Hélas ! ma bonne mère, lui dit Sans-Pair, je déplore l'éloignement d'une aimable bergère qui me fuit ; j'ai résolu de l'aller chercher par toute la terre, jusqu'à ce que je l'aie trouvée. — Allez de ce côté-là, mon enfant, lui dit-elle, en lui montrant le chemin du château où la pauvre Brillante était devenue sauterelle : j'ai un pressentiment que vous ne la chercherez pas longtemps. » Sans-Pair la remercia, et pria l'Amour de lui être favorable.

Le prince n'eut aucune rencontre sur sa route digne de l'arrêter, mais en arrivant dans le bois proche du château du magicien et de sa sœur, il crut voir la bergère : il se hâta de la suivre ; elle s'éloigna. « Brillante, lui criait-il, Brillante que j'adore, arrêtez un peu, daignez m'entendre. » Le fantôme fuyait encore plus fort, et dans cet exercice, le reste du jour se passa. Lorsque la nuit fut venue, il vit beaucoup de lumières dans le château : il se flatta que sa bergère y pouvait être, il y court, il entre sans aucun empêchement ; il monte et trouve dans un salon magnifique, une grande vieille fée d'une horrible maigreur ; ses yeux ressemblaient à deux lampes éteintes ; on voyait le jour au travers de ses joues, ses bras étaient comme des lattes, ses doigts comme des fuseaux, une peau de chagrin noir couvrait son squelette ; avec cela elle avait du rouge, des mouches, des rubans verts et couleur de rose, un manteau de brocart d'argent, une couronne de diamants sur sa tête, et des pierreries partout.

« Enfin, Prince, lui dit-elle, vous arrivez dans un lieu où je vous souhaite depuis longtemps ; ne songez plus à votre petite bergère, une passion si disproportionnée vous doit faire rougir ; je suis la reine des Météores[1], je vous veux du bien, et je puis vous en faire d'infinis si vous m'aimez. — Vous aimer ? s'écria le prince en la regardant d'un œil indigné, vous aimer, Madame ? Hé ! suis-je maître de mon cœur ? Non, je ne saurais consentir à une infidélité ; et je sens même que si je changeais l'objet de mes amours, ce ne serait pas vous qui le deviendriez ; choisissez dans vos météores quelque influence qui vous accommode, aimez l'air, aimez les vents et laissez les mortels en paix. »

La fée était fière et colère : en deux coups de baguette elle remplit la galerie de monstres affreux, contre lesquels il fallut que le jeune prince exerçât son adresse et sa valeur : les uns paraissaient avec plusieurs têtes et plusieurs bras ; les autres avaient la figure d'un centaure ou d'une sirène ; plusieurs lions à la face humaine, des sphinx et des dragons volants. Sans-Pair n'avait que sa seule houlette, et un petit épieu dont il s'était armé en commençant son voyage. La grande fée faisait cesser de temps en temps le chamaillis[2], et lui demandait s'il voulait l'aimer. Il disait toujours qu'il se vouait à l'amour fidèle, qu'il ne pouvait changer. Lassée de sa fer-

meté, elle fit paraître Brillante : « Hé bien ! lui dit-
elle, tu vois ta maîtresse au fond de cette galerie,
songe à ce que tu vas faire ; si tu refuses de m'épouser, elle sera déchirée et mise en pièces à tes yeux
par des tigres. — Ah ! Madame, s'écria le prince en
se jetant à ses pieds, je me dévoue volontiers à la
mort, pour sauver ma chère maîtresse ; épargnez ses
jours en abrégeant les miens. — Il n'est pas question de ta mort, répliqua la fée, traître, il est question
de ton cœur et de ta main. » Pendant qu'ils parlaient, le prince entendait la voix de sa bergère qui
semblait se plaindre : « Voulez-vous me laisser dévorer ? lui disait-elle. Si vous m'aimez, déterminez-
vous à faire ce que la reine vous ordonne. »

Le pauvre prince hésitait : « Hé quoi ? Bénigne,
s'écria-t-il, m'avez-vous donc abandonné, après tant
de promesses ? Venez, venez nous secourir. » Ces
mots furent à peine prononcés, qu'il entendit une
voix dans les airs, qui prononçait distinctement ces
paroles :

Laisse agir le destin, mais sois fidèle et cherche le Rameau
[d'or.

La grande fée, qui s'était crue victorieuse par le
secours de tant de différentes illusions, pensa se
désespérer de trouver en son chemin un aussi puissant obstacle que la protection de Bénigne : « Fuis
ma présence, s'écria-t-elle, prince malheureux et
opiniâtre ; puisque ton cœur est rempli de tant de
flammes, tu seras un grillon, ami de la chaleur et du
feu. »

Sur-le-champ, le beau et merveilleux prince Sans-
Pair devint un petit grillon noir, qui se serait brûlé
tout vif dans la première cheminée ou le premier four,
s'il ne s'était souvenu de la voix favorable qui l'avait
rassuré : « Il faut, dit-il, chercher le Rameau d'or,

peut-être que je m'y dégrillonnerai. Ah! si j'y trouvais ma bergère, que manquerait-il à ma félicité?»

Le Grillon se hâta de sortir du fatal palais; et sans savoir où il fallait aller, il se recommanda aux soins de la belle fée Bénigne, puis il partit sans équipage et sans bruit; car un grillon ne craint ni les voleurs, ni les mauvaises rencontres. Au premier gîte, qui fut dans le trou d'un arbre, il trouva une sauterelle fort triste, elle ne chantait point; le Grillon ne s'avisant pas de soupçonner que ce fût une personne toute pleine d'esprit et de raison, lui dit: «Où va ainsi ma commère la Sauterelle?» Elle lui répondit aussitôt: «Et vous, mon compère le Grillon, où allez-vous?» Cette réponse surprit étrangement l'amoureux Grillon. «Quoi? vous parlez? s'écria-t-il. — Hé! vous parlez bien! s'écria-t-elle. Pensez-vous qu'une sauterelle ait des privilèges moins étendus qu'un grillon? — Je puis bien parler, dit Grillon, puisque je suis un homme. — Et par la même règle, dit la Sauterelle, je dois encore plus parler que vous, puisque je suis une fille. — Vous avez donc éprouvé un sort semblable au mien? dit Grillon. — Sans doute, dit la Sauterelle; mais encore où allez-vous? — Je serais ravi, ajouta Grillon, que nous fussions longtemps ensemble. — Une voix qui m'est inconnue, répliqua-t-elle, s'est fait entendre dans l'air; elle a dit:

Laisse aller le destin, et cherche le Rameau d'or.

Il m'a semblé que cela ne pouvait être dit que pour moi; sans hésiter je suis partie, quoique j'ignore où je dois aller.»

Leur conversation fut interrompue par deux souris qui couraient de toute leur force, et qui, voyant un trou au pied de l'arbre, se jetèrent dedans la tête la première, et pensèrent étouffer le compère Grillon

et la commère Sauterelle ; ils se rangèrent de leur
mieux dans un petit coin. « Ah ! Madame, dit la plus
grosse souris, j'ai mal au côté d'avoir tant couru.
Comment se porte Votre Altesse ? — J'ai arraché ma
queue, répliqua la plus jeune souris ; car sans cela je
tiendrais encore sur la table de ce vieux sorcier :
mais as-tu vu comme il nous a poursuivies ? Que
nous sommes heureuses, d'être sauvées de son palais
infernal ! — Je crains un peu les chats et les ratières,
ma Princesse, continua la grosse souris, et je fais
des vœux ardents pour arriver bientôt au Rameau
d'or. — Tu en sais donc le chemin ? dit l'altesse sou-
rissonne. — Si je le sais, Madame ? Comme celui de
ma maison, répliqua l'autre. Ce rameau est merveilleux ; une seule de ses feuilles suffit pour être
toujours riche ; elle fournit de l'argent, elle désen-
chante, elle rend belle, elle conserve la jeunesse ! Il
faut avant le jour nous mettre en campagne. — Nous
aurons l'honneur de vous accompagner, un honnête
grillon que voici et moi, si vous le trouvez bon, Mes-
dames, dit la Sauterelle ; car nous sommes aussi
bien que vous, pèlerins du Rameau d'or. » Il y eut
alors beaucoup de compliments faits de part et
d'autre ; les souris étaient les princesses que ce
méchant enchanteur avait liées sur la table, et pour
Grillon et la Sauterelle, ils avaient une politesse qui
ne se démentait jamais.

Chacun d'eux s'éveilla très matin, ils partirent de
compagnie fort silencieusement, car ils craignaient
que des chasseurs à l'affût les entendant parler, ne
les prissent pour les mettre en cage. Ils arrivèrent
ainsi au Rameau d'or : il était planté au milieu d'un
jardin merveilleux ; au lieu de sable les allées étaient
remplies de petites perles orientales[1], plus rondes
que des pois ; les roses étaient de diamants incarnats,
et les feuilles d'émeraudes ; les fleurs de grenades
de grenats, les soucis de topazes, les jonquilles de

brillants jaunes, les violettes de saphirs, les bluets de turquoises, les tulipes d'améthystes, opales et diamants : enfin la quantité et la diversité de ces belles fleurs brillaient plus que le soleil.

C'était donc là (comme je l'ai déjà dit) qu'était le Rameau d'or, le même que le prince Sans-Pair reçut de l'aigle, et dont il toucha la fée Bénigne lorsqu'elle était enchantée. Il était devenu aussi haut que les plus grands arbres, et tout chargé de rubis, qui formaient des cerises. Dès que le Grillon, la Sauterelle et les deux souris s'en furent approchés, ils reprirent leur forme naturelle. Quelle joie ! Quels transports ne ressentit point l'amoureux prince à la vue de sa belle bergère ! Il se jeta à ses pieds ; il allait lui dire tout ce qu'une surprise si agréable et si peu espérée lui faisait ressentir, lorsque la reine Bénigne et le roi Trasimène parurent dans une pompe sans pareille : car tout répondait à la magnificence du jardin ; quatre Amours, armés de pied en cap, l'arc au côté, le carquois sur l'épaule, soutenaient avec leurs flèches un petit pavillon de brocart or et bleu, sous lequel paraissaient deux riches couronnes : « Venez, aimables amants, s'écria la reine en leur tendant les bras ; venez recevoir de nos mains les couronnes que votre vertu, votre naissance et votre fidélité méritent ; vos travaux[1] vont se changer en plaisirs. Princesse Brillante, continua-t-elle, ce berger si terrible à votre cœur est le même prince qui vous fut destiné par votre père et par le sien ; il n'est point mort dans la tour, recevez-le pour époux, et me laissez le soin de votre repos et de votre bonheur. » La princesse ravie, se jeta au cou de Bénigne ; et lui laissant voir les larmes qui coulaient de ses yeux, elle connut par son silence que l'excès de joie lui ôtait l'usage de la parole. Sans-Pair s'était mis aux genoux de cette généreuse fée, il baisait respectueusement ses mains, et disait mille choses sans ordre et sans suite. Trasimène lui faisait de grandes caresses, et Bénigne leur conta en peu de mots qu'elle ne les avait presque point quittés ; que c'était elle qui avait proposé à Brillante de souffler dans le manchon jaune et blanc ; qu'elle avait pris la figure d'une vieille bergère pour loger la princesse chez elle ; que c'était encore elle qui avait enseigné au prince de quel côté il fallait suivre sa bergère : «À la vérité, continua-t-elle, vous avez eu des peines que je vous aurais évitées, si j'en avais été la maîtresse ; mais enfin, les plaisirs d'amour veulent être achetés.»

L'on entendit aussitôt une douce symphonie qui retentit de tous côtés ; les Amours se hâtèrent de couronner les jeunes amants ; l'hymen se fit, et pendant cette cérémonie les deux princesses qui venaient de quitter la figure de souris, conjurèrent la fée d'user de son pouvoir, pour délivrer du château de l'enchanteur les souris et les chats infortunés qui s'y désespéraient. «Ce jour-ci est trop célèbre[1], dit-elle, pour vous rien refuser.» En même temps elle frappa trois fois le Rameau d'or ; et tous ceux qui avaient été retenus dans le château parurent ; chacun sous sa forme naturelle y retrouva sa maîtresse. La fée libérale voulant que tout se ressentît de la fête, leur donna l'armoire du donjon à partager entre eux : ce présent valait plus que dix royaumes de ce temps-là. Il est aisé d'imaginer leur satisfaction et leur reconnaissance. Bénigne et Trasimène achevèrent ce grand ouvrage, par une générosité qui surpassait tout ce qu'ils avaient fait jusqu'alors, déclarant que le palais et le jardin du Rameau d'or seraient à l'avenir au roi Sans-Pair et à la reine Brillante ; cent autres rois en étaient tributaires, et cent royaumes en dépendaient.

Lorsqu'une fée offrait son secours à Brillante,
Qui ne l'était pas trop pour lors,
Elle pouvait d'une beauté charmante

Demander les rares trésors ;
C'est une chose bien tentante !
Je n'en veux prendre pour témoins,
Que les embarras et les soins
Dont pour la conserver le sexe se tourmente.
Mais Brillante n'écouta pas
Le désir séducteur de se voir des appas,
Elle aima mieux avoir l'esprit et l'âme belle :
Les roses et les lis d'un visage charmant
Comme les autres fleurs passent en un moment,
Et l'âme demeure immortelle.

LE NAIN JAUNE

Conte [1]

Il était une fois une reine, à laquelle il ne resta de plusieurs enfants qu'elle avait eus, qu'une fille qui en valait plus de mille : mais sa mère se voyant veuve, et n'ayant rien au monde de si cher que cette jeune princesse, elle [2] avait une si terrible appréhension de la perdre, qu'elle ne la corrigeait point de ses défauts ; de sorte que cette merveilleuse personne, qui se voyait d'une beauté plus céleste que mortelle, et destinée à porter une couronne, devint si fière, et si entêtée de ses charmes naissants, qu'elle méprisait tout le monde.

La reine sa mère aidait par ses caresses, et par ses complaisances, à lui persuader qu'il n'y avait rien qui pût être digne d'elle ; on la voyait presque toujours vêtue en Pallas ou en Diane [3], suivie des premières dames de la Cour, habillées en nymphes ; enfin pour donner le dernier coup à sa vanité, la reine la nomma Toute-Belle, et l'ayant fait peindre par les plus habiles peintres, elle envoya son portrait chez plusieurs rois, avec lesquels elle entretenait une étroite amitié. Lorsqu'ils virent ce portrait, il n'y en eut aucun qui se défendît du pouvoir inévitable de ses charmes ; les uns en tombèrent malades, les autres en perdirent l'esprit, et les plus heureux arrivèrent en bonne santé auprès d'elle ;

mais sitôt qu'elle parut, ces pauvres princes devinrent ses esclaves.

Il n'a jamais été une Cour plus galante et plus polie ; vingt rois à l'envi essayaient de lui plaire ; et après avoir dépensé trois ou quatre cents millions à lui donner seulement une fête, lorsqu'ils en avaient tiré un «cela est joli», ils se trouvaient trop récompensés. Les adorations qu'on avait pour elle ravissaient la reine ; il n'y avait point de jour qu'on ne reçût à sa cour sept ou huit mille sonnets, autant d'élégies, de madrigaux et de chansons, qui étaient envoyés par tous les poètes de l'univers. Toute-Belle était l'unique objet de la prose et de la poésie des auteurs de son temps ; l'on ne faisait jamais de feux de joie qu'avec ces vers, qui pétillaient et brûlaient mieux qu'aucune sorte de bois.

La princesse avait déjà quinze ans, personne n'osait prétendre à l'honneur d'être son époux, et il n'y avait personne qui ne désirât de le devenir : mais comment toucher un cœur de ce caractère ? On se serait pendu cinq ou six fois par jour pour lui plaire, qu'elle aurait traité cela de bagatelle ; ses amants murmuraient fort contre sa cruauté, et la reine qui voulait la marier, ne savait comment s'y prendre pour l'y résoudre : «Ne voulez-vous pas, lui disait-elle, quelquefois rabattre un peu de cet orgueil insupportable, qui vous fait regarder avec mépris tous les rois qui viennent à notre cour ? Je veux vous en donner un, vous n'avez aucune complaisance pour moi. — Je suis si heureuse, lui répondait Toute-Belle, permettez, Madame, que je demeure dans une tranquille indifférence, si je l'avais une fois perdue, vous pourriez en être fâchée. — Oui, répliquait la reine, j'en serais fâchée si vous aimiez quelque chose au-dessous de vous ; mais voyez ceux qui vous demandent, et sachez qu'il n'y en a point ailleurs qui les valent.»

Cela était vrai, mais la princesse prévenue de son mérite, croyait valoir encore mieux ; et peu à peu, par un entêtement de rester fille, elle commença de chagriner si fort sa mère, qu'elle se repentit, mais trop tard, d'avoir eu tant de complaisance pour elle.

Incertaine de ce qu'elle devait faire, elle fut toute seule chercher une célèbre fée qu'on appelait la Fée du Désert : mais il n'était pas aisé de la voir, car elle était gardée par des lions. La reine y aurait été bien empêchée, si elle n'avait pas su depuis longtemps, qu'il fallait leur jeter du gâteau fait de farine de millet avec du sucre candi et des œufs de crocodiles [1] ; elle pétrit elle-même ce gâteau, et le mit dans un petit panier à son bras ; comme elle était lasse d'avoir marché si longtemps, n'y étant point accoutumée, elle se coucha au pied d'un arbre pour prendre quelque repos ; insensiblement elle s'assoupit, mais en se réveillant, elle trouva seulement son panier, le gâteau n'y était plus ; et pour comble de malheur, elle entendit les grands lions venir, qui faisaient beaucoup de bruit, car ils l'avaient sentie.

« Hélas ! que deviendrai-je ? s'écria-t-elle douloureusement. Je serai dévorée. » Elle pleurait, et n'ayant pas la force de faire un pas pour se sauver, elle se tenait contre l'arbre où elle avait dormi. En même temps, elle entendit : « Chet, chet, hem, hem ! » Elle regarde de tous côtés ; en levant les yeux, elle aperçoit sur l'arbre un petit homme qui n'avait qu'une coudée de haut, il mangeait des oranges, et lui dit : « Oh ! Reine, je vous connais bien, et je sais la crainte où vous êtes que les lions ne vous dévorent, ce n'est pas sans raison que vous avez peur car ils en ont dévoré bien d'autres, et pour comble de disgrâce vous n'avez point de gâteau. — Il faut me résoudre à la mort, dit la reine en soupirant, hélas ! j'y aurais moins de peine, si ma chère fille était mariée ! — Quoi ! vous avez une fille ? s'écria le Nain Jaune (on le nommait ainsi, à cause de la couleur de son teint, et de l'oranger où il demeurait), vraiment je m'en réjouis, car je cherche une femme par terre et par mer; voyez si vous me la voulez promettre, je vous garantirai des lions, des tigres et des ours.» La reine le regarda, et elle ne fut guère moins effrayée de son horrible petite figure, qu'elle l'était déjà des lions; elle rêvait et ne lui répondait rien. «Quoi! vous hésitez, Madame, lui cria-t-il, il faut que vous n'aimiez guère la vie.» En même temps la reine aperçut les lions sur le haut d'une colline, qui accouraient à elles; ils avaient chacun deux têtes, huit pieds, quatre rangs de dents, et leur peau était aussi dure que de l'écaille et aussi rouge que du maroquin. À cette vue la pauvre reine, plus tremblante que la colombe quand elle aperçoit un milan, cria de toute sa force : «Monseigneur le Nain, Toute-Belle est à vous. — Oh! dit-il d'un air dédaigneux, Toute-Belle est trop belle, je n'en veux point, gardez-la. — Hé! Monseigneur, continua la reine affligée, ne la refusez pas, c'est la plus charmante princesse de l'univers. — Eh bien! répliqua-t-il, je l'accepte par charité, mais souvenez-vous du don que vous m'en faites.» Aussitôt l'oranger sur lequel il était s'ouvrit, la reine se jeta dedans à corps perdu; il se referma, et les lions n'attrapèrent rien.

La reine était si troublée, qu'elle ne voyait pas une porte ménagée dans cet arbre; enfin elle l'aperçut, et l'ouvrit : elle donnait dans un champ d'orties et de chardons. Il était entouré d'un fossé bourbeux, et un peu plus loin était une maisonnette fort basse, couverte de paille; le Nain Jaune en sortit d'un air enjoué; il avait des sabots, une jaquette de bure jaune[1], point de cheveux, de grandes oreilles[2], et tout l'air d'un petit scélérat.

«Je suis ravi, dit-il à la reine, Madame ma belle-mère, que vous voyiez le petit château où votre Toute-

Belle vivra avec moi, elle pourra nourrir de ces orties et de ces chardons, un âne qui la portera à la promenade, elle se garantira sous ce rustique toit de l'injure des saisons, elle boira de cette eau, et mangera quelques grenouilles qui s'y nourrissent grassement; enfin elle m'aura jour et nuit auprès d'elle, beau, dispos et gaillard comme vous me voyez: car je serais bien fâché que mon ombre l'accompagnât mieux que moi.»

L'infortunée reine considérant tout d'un coup la déplorable vie que ce nain promettait à sa chère fille, et ne pouvant soutenir une idée si terrible, elle tomba de sa hauteur sans connaissance et sans avoir eu la force de lui répondre un mot; mais pendant qu'elle était ainsi, elle fut rapportée dans son lit bien proprement, avec les plus belles cornettes de nuit[1] et la fontange du meilleur air qu'elle eût mises de ses jours. La reine s'éveilla et se souvint de ce qui lui était arrivé, elle n'en crut rien du tout: car se trouvant dans son palais au milieu de ses dames, sa fille à ses côtés, il n'y avait guère d'apparence qu'elle eût été au désert, qu'elle y eût couru de si grands périls, et que le nain l'en eût tirée à des conditions si dures, que de lui donner Toute-Belle; cependant ces cornettes d'une dentelle rare, et le ruban, l'étonnaient autant que le rêve qu'elle croyait avoir fait, et dans l'excès de son inquiétude, elle tomba dans une mélancolie si extraordinaire qu'elle ne pouvait presque plus ni parler ni manger ni dormir.

La princesse qui l'aimait de tout son cœur s'en inquiéta beaucoup, elle la supplia plusieurs fois de lui dire ce qu'elle avait; mais la reine cherchant des prétextes, lui répondait, tantôt que c'était l'effet de sa mauvaise santé, et tantôt que quelqu'un de ses voisins la menaçait d'une grande guerre. Toute-Belle voyait bien que ses réponses étaient plausibles, mais que dans le fond il y avait autre chose, et que la

reine s'étudiait à le lui cacher; n'étant plus maîtresse de son inquiétude, elle prit la résolution d'aller trouver la fameuse Fée du Désert, dont le savoir
faisait grand bruit partout; elle avait aussi envie de
lui demander son conseil pour demeurer fille ou
pour se marier, car tout le monde la pressait fortement de choisir un époux; elle prit soin de pétrir
elle-même le gâteau qui pouvait apaiser la fureur
des lions, et faisant semblant de se coucher le soir de
bonne heure, elle sortit par un petit degré dérobé, le
visage couvert d'un grand voile blanc qui tombait
jusqu'à ses pieds, et ainsi seule elle s'achemina vers
la grotte où demeurait cette habile fée.

Mais en arrivant à l'oranger fatal dont j'ai déjà
parlé, elle le vit si couvert de fruits et de fleurs, qu'il
lui prit envie d'en cueillir; elle posa sa corbeille par
terre, et prit des oranges qu'elle mangea[1]: quand il
fut question de retrouver sa corbeille et son gâteau,
il n'y avait plus rien; elle s'inquiète, elle s'afflige, et
voit tout d'un coup auprès d'elle l'affreux petit nain
dont j'ai déjà parlé. «Qu'avez-vous, la belle fille,
qu'avez-vous à pleurer? lui dit-il. — Hélas! qui ne
pleurerait? répondit-elle, j'ai perdu mon panier et
mon gâteau, qui m'étaient si nécessaires pour arriver à bon port chez la Fée du Désert. — Et que lui
voulez-vous, la belle fille? dit ce petit magot, je suis
son parent, son ami, et pour le moins aussi habile
qu'elle. — La reine ma mère, répliqua la princesse,
est tombée depuis quelque temps dans une affreuse
tristesse, qui me fait tout craindre pour sa vie, j'ai
dans l'esprit que j'en suis peut-être la cause, car elle
souhaite de me marier, je vous avoue que je n'ai
encore rien trouvé digne de moi; toutes ces raisons
m'engagent à vouloir parler à la fée. — N'en prenez
point la peine, Princesse, lui dit le nain, je suis plus
propre qu'elle à vous éclaircir sur ces choses.

»La reine votre mère a du chagrin de vous avoir

promise en mariage. — La reine m'a promise? dit-elle en l'interrompant. Ah! sans doute vous vous trompez; elle me l'aurait dit, et j'y ai trop d'intérêt, pour qu'elle m'engage sans mon consentement. — Belle princesse, lui dit le nain en se jetant tout d'un coup à ses genoux, je me flatte que ce choix ne vous déplaira point, quand je vous aurai dit que c'est moi qui suis destiné à ce bonheur. — Ma mère vous veut pour son gendre? s'écria Toute-Belle en reculant quelques pas, est-il une folie semblable à la vôtre? — Je me soucie fort peu, dit le nain en colère, de cet honneur: voici les lions qui s'approchent, en trois coups de dents ils m'auront vengé de votre injuste mépris.»

En même temps la pauvre princesse les entendit qui venaient avec de longs hurlements: «Que vais-je devenir? s'écria-t-elle. Quoi? je finirai donc ainsi mes beaux jours?» Le méchant nain la regardait, et riant dédaigneusement: «Vous aurez au moins la gloire de mourir fille, lui dit-il, et de ne pas mésallier votre éclatant mérite avec un misérable nain tel que moi. — De grâce, ne vous fâchez pas, lui dit la princesse en joignant ses belles mains; j'aimerais mieux épouser tous les nains de l'univers, que de périr d'une manière si affreuse. — Regardez-moi bien, Princesse, avant que de me donner votre parole, répliqua-t-il, car je ne prétends pas vous surprendre. — Je vous ai regardé de reste, lui dit-elle, les lions approchent, ma frayeur augmente; sauvez-moi, sauvez-moi, ou la peur me fera mourir.»

Effectivement elle n'avait pas achevé ces mots, qu'elle tomba évanouie; et sans savoir comment, elle se trouva dans son lit avec le plus beau linge du monde, les plus beaux rubans, et une petite bague faite d'un seul cheveu roux, qui tenait si fort, qu'elle se serait plutôt arraché la peau, qu'elle ne l'aurait ôtée de son doigt.

Quand la princesse vit toutes ces choses et qu'elle
se souvint de ce qui s'était passé la nuit, elle tomba
dans une mélancolie qui surprit et qui inquiéta toute
la Cour; la reine en fut plus alarmée que personne,
elle lui demanda cent et cent fois ce qu'elle avait,
elle s'opiniâtra à lui cacher son aventure. Enfin les
États du royaume impatients de voir leur princesse
mariée, s'assemblèrent, et vinrent ensuite trouver la
reine pour la prier de lui choisir au plus tôt un
époux; elle répliqua qu'elle ne demandait pas mieux,
mais que sa fille y témoignait tant de répugnance,
qu'elle leur conseillait de l'aller trouver et de la
haranguer: ils y furent sur-le-champ. Toute-Belle
avait bien rabattu de sa fierté depuis son aventure
avec le Nain Jaune; elle ne comprenait pas de meilleur moyen pour se tirer d'affaire que de se marier
à quelque grand roi, contre lequel ce petit magot ne
serait pas en état de disputer une conquête si glorieuse; elle répondit donc plus favorablement que
l'on ne l'avait espéré, qu'encore qu'elle se fût estimée
heureuse de rester fille toute sa vie, elle consentait à
épouser le Roi des Mines d'or[1]: c'était un prince
très puissant et très bien fait, qui l'aimait avec la
dernière passion depuis quelques années, et qui jusqu'alors n'avait pas eu lieu de se flatter d'aucun
retour.

Il est aisé de juger de l'excès de sa joie, lorsqu'il
apprit de si charmantes nouvelles, et de la fureur de
tous ses rivaux, de perdre pour toujours une espérance qui nourrissait leur passion: mais Toute-Belle
ne pouvait pas épouser vingt rois; elle avait eu même
bien de la peine d'en choisir un, car sa vanité ne se
démentait point, et elle était fort persuadée que personne au monde ne pouvait lui être comparable.

L'on prépara toutes les choses nécessaires pour la
plus grande fête de l'univers, le Roi des Mines d'or
fit venir des sommes si prodigieuses, que toute la

mer était couverte des navires qui les apportaient;
l'on envoya dans les Cours les plus polies et les plus
galantes, et particulièrement à celle de France, pour
avoir ce qu'il y avait de plus rare, afin de parer la
princesse : elle avait moins besoin qu'une autre des
ajustements qui relèvent la beauté, la sienne était si
parfaite, qu'il ne s'y pouvait rien ajouter, et le Roi
des Mines d'or, se voyant sur le point d'être heureux, ne quittait plus cette charmante princesse.

L'intérêt qu'elle avait à le connaître, l'obligea de
l'étudier avec soin; elle lui découvrit tant de mérite,
tant d'esprit, des sentiments si vifs et si délicats,
enfin une si belle âme dans un corps si parfait,
qu'elle commença de ressentir pour lui une partie de ce qu'il ressentait pour elle. Quels heureux
moments pour l'un et pour l'autre, lorsque dans les
plus beaux jardins du monde, ils se trouvaient en
liberté de se découvrir toute leur tendresse! Ces
plaisirs étaient souvent secondés par ceux de la
musique. Le roi toujours galant et amoureux, faisait
des vers et des chansons pour la princesse; en voici
une qu'elle trouva fort agréable :

> *Ces bois en vous voyant sont parés de feuillages,*
> *Et ces prés font briller leurs charmantes couleurs.*
> *Le Zéphyr sous vos pas fait éclore les fleurs.*
> *Les oiseaux amoureux redoublent leurs ramages,*
>   *Dans ce charmant séjour*
> *Tout rit, tout reconnaît la fille de l'Amour.*

L'on était au comble de la joie, les rivaux du roi,
désespérés de sa bonne fortune, avaient quitté la
Cour, ils étaient retournés chez eux accablés de
la plus vive douleur, ne pouvant être témoins du
mariage de Toute-Belle; ils lui dirent adieu d'une
manière si touchante, qu'elle ne sut s'empêcher de
les plaindre. «Ah! Madame, lui dit le Roi des Mines

d'or, quel larcin me faites-vous aujourd'hui? Vous
accordez votre pitié à des amants qui sont trop
payés de leurs peines par un seul de vos regards.
— Je serais fâchée, répliqua Toute-Belle, que vous
fussiez insensible à la compassion que j'ai témoi-
gnée aux princes qui me perdent pour toujours,
c'est une preuve de votre délicatesse dont je vous
tiens compte: mais, Seigneur, leur état est si diffé-
rent du vôtre; vous devez être si content de moi; ils
ont si peu de sujet de s'en louer, que vous ne devez
pas pousser plus loin votre jalousie.» Le Roi des
Mines d'or, tout confus de la manière obligeante
dont la princesse prenait une chose qui pouvait la
chagriner, se jeta à ses pieds, et lui baisant les mains,
il lui demanda mille fois pardon.

Enfin ce jour tant attendu et tant souhaité arriva,
tout étant prêt pour les noces de Toute-Belle, les
instruments et les trompettes annoncèrent par toute
la ville cette grande fête; l'on tapissa les rues, elles
furent jonchées de fleurs, le peuple en foule accourut dans la grande place du palais; la reine ravie
s'était à peine couchée, et elle se leva plus matin
que l'aurore, pour donner les ordres nécessaires, et
pour choisir les pierreries dont la princesse devait
être parée; ce n'était que diamants jusqu'à ses souliers, ils en étaient faits, sa robe de brocart d'argent
était chamarrée d'une douzaine de rayons du soleil
que l'on avait achetés bien cher: mais aussi rien
n'était plus brillant, et il n'y avait que la beauté de
cette princesse qui pût être plus éclatante; une
riche couronne ornait sa tête, ses cheveux flottaient
jusqu'à ses pieds, et la majesté de sa taille se faisait
distinguer au milieu de toutes les dames qui l'accompagnaient. Le Roi des Mines d'or n'était pas
moins accompli, ni moins magnifique; sa joie
paraissait sur son visage et dans toutes ses actions,
personne ne l'abordait qui ne s'en retournât chargé

de ses libéralités ; car il avait fait arranger autour de la salle des festins mille tonneaux remplis d'or, et de grands sacs de velours en broderie de perles, que l'on remplissait de pistoles : chacun en pouvait tenir cent mille, on les donnait indifféremment à ceux qui tendaient la main ; de sorte que cette petite cérémonie, qui n'était pas une des moins utiles et des moins agréables de la noce, y attira beaucoup de personnes qui étaient peu sensibles à tous les autres plaisirs.

La reine et la princesse s'avançaient pour sortir avec le roi, lorsqu'elles virent entrer dans une longue galerie où elles étaient, deux gros coqs d'Inde[1] qui traînaient une boîte fort mal faite ; il venait derrière eux une grande vieille, dont l'âge avancé et la décrépitude ne surprirent pas moins que son extrême laideur ; elle s'appuyait sur une béquille ; elle avait une fraise de taffetas noir, un chaperon de velours rouge, un vertugadin en guenille[2] ; elle fit trois tours avec les coqs d'Inde sans dire une parole, puis s'arrêtant au milieu de la galerie, et branlant sa béquille d'une manière menaçante : «Ho! Ho! Reine! Ho! Ho! Princesse! s'écria-t-elle, vous prétendez donc fausser impunément la parole que vous avez donnée à mon ami le Nain Jaune? Je suis la Fée du Désert ; sans lui, sans son oranger, ne savez-vous pas que mes grands lions vous auraient dévorées? L'on ne souffre pas dans le royaume de Féerie de telles insultes, songez promptement à ce que vous voulez faire ; car je jure par mon escofion[3] que vous l'épouserez, ou que je brûlerai ma béquille.»

«Ah! Princesse! dit la reine en pleurant, qu'est-ce que j'apprends? Qu'avez-vous promis? — Ah! ma mère! répliqua douloureusement Toute-Belle, qu'avez-vous promis vous-même?» Le Roi des Mines d'or indigné de ce qui se passait, et que cette méchante vieille vînt s'opposer à sa félicité, s'approcha d'elle l'épée à la main, et la portant à sa gorge :

«Malheureuse, lui dit-il, éloigne-toi de ces lieux pour jamais, ou la perte de ta vie me vengera de ta malice.»

Il eut à peine prononcé ces mots, que le dessus de la boîte sauta jusqu'au plancher avec un bruit affreux, et l'on en vit sortir le Nain Jaune, monté sur un gros chat d'Espagne[1], qui vint se mettre entre la Fée du Désert et le Roi des Mines d'or: «Jeune téméraire, lui dit-il, ne pense pas outrager cette illustre fée; c'est à moi seul que tu as affaire, je suis ton rival, je suis ton ennemi; l'infidèle princesse qui veut se donner à toi m'a donné sa parole et reçu la mienne; regarde si elle n'a pas une bague d'un de mes cheveux, tâche de lui ôter, et tu verras par ce petit essai que ton pouvoir est moindre que le mien. — Misérable monstre, lui dit le roi, as-tu bien la témérité de te dire l'adorateur de cette divine princesse, et de prétendre à une possession si glorieuse? Songes-tu que tu es un magot, dont l'hideuse figure fait mal aux yeux, et que je t'aurais déjà ôté la vie, si tu étais digne d'une mort si glorieuse?» Le Nain Jaune offensé jusqu'au fond de l'âme, appuya l'éperon dans le ventre de son chat, qui commença un miaulis[2] épouvantable, et sautant deçà et delà, il faisait peur à tout le monde, hors au brave roi, qui serrait le nain de près, quand il tira un large coutelas, dont il était armé, et défiant le roi au combat, il descendit dans la place du palais, avec un bruit étrange.

Le roi courroucé le suivit à grands pas: à peine furent-ils vis-à-vis l'un de l'autre, et toute la Cour sur des balcons, que le soleil devenant tout d'un coup aussi rouge que s'il eût été ensanglanté, il s'obscurcit à tel point qu'à peine se voyait-on; le tonnerre et les éclairs semblaient vouloir abîmer[3] le monde; les deux coqs d'Inde parurent aux côtés du mauvais nain, comme deux géants plus hauts que des montagnes, qui jetaient le feu par la bouche et par les

yeux, avec une telle abondance que l'on eût cru que
c'était une fournaise ardente ; toutes ces choses n'auraient point été capables d'effrayer le cœur magna-
nime du jeune monarque ; il marquait une intrépidité
dans ses regards et dans ses actions, qui rassurait
tous ceux qui s'intéressaient à sa conservation, et
qui embarrassait peut-être bien le Nain Jaune ; mais
son courage ne fut pas à l'épreuve de l'état où il
aperçut sa chère princesse lorsqu'il vit la Fée du
Désert, coiffée en Tisiphone[1], sa tête couverte de
longs serpents, montée sur un griffon ailé[2], armée
d'une lance, dont elle la frappa si rudement, qu'elle
la fit tomber entre les bras de la reine, toute baignée
de son sang. Cette tendre mère plus blessée du coup
que sa fille ne l'avait été, poussa des cris, et fit des
plaintes que l'on ne peut représenter ; le roi perdit
alors son courage et sa raison ; il abandonna le combat, et courut vers la princesse pour la secourir, ou
pour expirer avec elle : mais le Nain Jaune ne lui
laissa pas le temps de s'en approcher, il s'élança
avec son chat espagnol dans le balcon où elle était ;
il l'arracha des mains de la reine et de celles de
toutes ses dames, puis sautant sur le toit du palais,
il disparut avec sa proie.

Le roi confus et immobile, regardait avec le dernier désespoir une aventure si extraordinaire, et à
laquelle il était assez malheureux de ne pouvoir
apporter aucun remède, quand pour comble de disgrâce, il sentit que ses yeux se couvraient, qu'ils
perdaient la lumière, et que quelqu'un d'une force
extraordinaire l'emportait dans le vaste espace de
l'air : que de disgrâces ! Amour, cruel Amour, est-ce
ainsi que tu traites ceux qui te reconnaissent pour
leur vainqueur ?

Cette mauvaise Fée du Désert, qui était venue
avec le Nain Jaune, pour le seconder dans l'enlèvement de la princesse, eut à peine vu le Roi des Mines

d'or, que son cœur barbare devenant sensible au mérite de ce jeune prince, elle en voulut faire sa proie, et l'emporta au fond d'une affreuse caverne, où elle le chargea de chaînes, qu'elle avait attachées à un rocher; elle espérait que la crainte d'une mort prochaine lui ferait oublier Toute-Belle, et l'engagerait de faire ce qu'elle voudrait. Dès qu'elle fut arrivée, elle lui rendit la vue, sans lui rendre la liberté, et empruntant de l'art de féerie les grâces et les charmes que la nature lui avait déniés, elle parut devant lui comme une aimable nymphe, que le hasard conduisait dans ces lieux.

«Que vois-je? s'écria-t-elle. Quoi? C'est vous, Prince charmant? Quelle infortune vous accable et vous retient dans un si triste séjour?» Le roi déçu[1] par des apparences si trompeuses, lui répliqua: «Hélas! belle nymphe, j'ignore ce que me veut la furie infernale qui m'a conduit ici; bien qu'elle m'ait ôté l'usage de mes yeux lorsqu'elle m'a enlevé, et qu'elle n'ait point paru depuis, je n'ai pas laissé de reconnaître au son de sa voix, que c'est la Fée du Désert. — Ah! Seigneur, s'écria la fausse nymphe, si vous êtes entre les mains de cette femme, vous n'en sortirez point qu'après l'avoir épousée; elle a fait ce tour à plus d'un héros, et c'est la personne du monde la moins traitable sur ses entêtements.» Pendant qu'elle feignait de prendre beaucoup de part à l'affliction du roi, il aperçut les pieds de la nymphe, qui étaient semblables à ceux d'un griffon, c'était toujours à cela qu'on reconnaissait la fée dans ses différentes métamorphoses: car à l'égard de ce griffonnage[2], elle ne pouvait le changer.

Le roi n'en témoigna rien, et lui parlant sur un ton de confidence: «Je ne sens aucune aversion, lui dit-il, pour la Fée du Désert; mais il ne m'est pas supportable qu'elle protège le Nain Jaune contre moi, et qu'elle me tienne enchaîné comme un cri-

minel; que lui ai-je fait? J'ai aimé une princesse
charmante; mais si elle me rend ma liberté, je sens
bien que la reconnaissance m'engagera à n'aimer
qu'elle. — Parlez-vous sincèrement? lui dit la
nymphe déçue. — N'en doutez pas, répliqua le roi;
je ne sais point l'art de feindre, et je vous avoue
qu'une fée peut flatter davantage ma vanité qu'une
simple princesse; mais quand je devrais mourir
d'amour pour elle, je lui témoignerai toujours de la
haine, jusqu'à ce que je sois maître de ma liberté. »

La Fée du Désert trompée par ces paroles, prit la
résolution de transporter le roi dans un lieu aussi
agréable que cette solitude était affreuse; de manière
que l'obligeant à monter dans son chariot où elle
avait attaché des cygnes, au lieu de chauves-souris
qui le conduisaient ordinairement, elle vola d'un
pôle à l'autre.

Mais que devint ce prince, lorsqu'en traversant
ainsi le vaste espace de l'air, il aperçut sa chère
princesse dans un château tout d'acier, dont les
murs frappés par les rayons du soleil, faisaient des
miroirs ardents qui brûlaient tous ceux qui voulaient en approcher; elle était dans un bocage, couchée sur le bord d'un ruisseau, une de ses mains
sous sa tête, et de l'autre elle semblait essuyer ses
larmes; comme elle levait les yeux vers le ciel pour
lui demander quelque secours, elle vit passer le roi,
avec la Fée du Désert, qui ayant employé l'art de
féerie, où elle était experte, pour paraître belle aux
yeux du jeune monarque, parut en effet à ceux de la
princesse, la plus merveilleuse personne du monde.
«Quoi! s'écria-t-elle, ne suis-je donc pas assez malheureuse dans cet inaccessible château où l'affreux
Nain Jaune m'a transportée? Faut-il que pour comble
de disgrâce, le démon de la jalousie vienne me persécuter? Faut-il que par une aventure si extraordinaire, j'apprenne l'infidélité du Roi des Mines d'or?

Il a cru en me perdant de vue, être affranchi de tous les serments qu'il m'a faits : mais qui est cette redoutable rivale dont la fatale beauté surpasse la mienne ? »

Pendant qu'elle parlait ainsi, l'amoureux roi ressentait une peine mortelle de s'éloigner avec tant de vitesse du cher objet de ses vœux ; s'il avait moins connu le pouvoir de la fée, il aurait tout tenté pour se séparer d'elle, soit en lui donnant la mort, ou par quelque autre moyen que son amour et son courage lui auraient fourni : mais que faire contre une personne si puissante ? Il n'y avait que le temps et l'adresse qui pussent le retirer de ses mains.

La fée avait aperçu Toute-Belle, et cherchait dans les yeux du roi à pénétrer l'effet que cette vue aurait produit sur son cœur. « Personne ne peut mieux que moi vous apprendre, lui dit-il, ce que vous voulez savoir ; la rencontre imprévue d'une princesse malheureuse, et pour laquelle j'avais de l'attachement, avant d'en prendre pour vous, m'a un peu ému ; mais vous êtes si fort au-dessus d'elle dans mon esprit, que j'aimerais mieux mourir que de vous faire une infidélité. — Ah ! Prince, lui dit-elle, puis-je me flatter de vous avoir inspiré des sentiments si avantageux en ma faveur ? — Le temps vous en convaincra, Madame, lui dit-il ; mais si vous vouliez me convaincre que j'ai quelque part dans vos bonnes grâces, ne me refusez point votre secours pour Toute-Belle. — Pensez-vous à ce que vous me demandez ? lui dit la fée, en fronçant le sourcil et le regardant de travers. Vous voulez que j'emploie ma science contre le Nain Jaune, qui est mon meilleur ami, que je retire de ses mains une orgueilleuse princesse, que je ne puis regarder que comme ma rivale ? » Le roi soupira sans rien répondre : qu'aurait-il répondu à cette pénétrante personne ?

Ils arrivèrent dans une vaste prairie, émaillée de

mille fleurs différentes; une profonde rivière l'entourait, et plusieurs ruisseaux de fontaine coulaient doucement sous des arbres touffus, où l'on trouvait une fraîcheur éternelle; l'on voyait en éloignement s'élever un superbe palais, dont les murs étaient de transparentes émeraudes; aussitôt que les cygnes qui conduisaient la fée, se furent abaissés sous un portique, dont le pavé était de diamants et les voûtes de rubis, il parut de tous côtés mille belles personnes, qui vinrent la recevoir avec de grandes acclamations de joie; elles chantaient ces paroles:

Quand l'Amour veut d'un cœur remporter la victoire,
On fait pour résister des efforts superflus,
*   On ne fait qu'augmenter sa gloire;*
Les plus puissants vainqueurs sont les premiers vaincus.

La Fée du Désert était ravie d'entendre chanter ses amours, elle conduisit le roi dans le plus superbe appartement qui se soit jamais vu de mémoire de fée, et elle l'y laissa quelques moments pour qu'il ne se crût pas absolument captif; il se douta bien qu'elle ne s'éloignait guère, et qu'en quelque lieu cachée, elle observait ce qu'il faisait; cela l'obligea de s'approcher d'un grand miroir[1], et s'adressant à lui: «Fidèle conseiller, lui dit-il, permets que je voie ce que je peux faire pour me rendre agréable à la charmante Fée du Désert, car l'envie de lui plaire m'occupe sans cesse.» Aussitôt il se peigna, se poudra, se mit une mouche, et voyant sur une table un habit plus magnifique que le sien, il le mit en diligence.

La fée entra si transportée de joie, qu'elle ne pouvait la modérer: «Je vous tiens compte, lui dit-elle, des soins que vous prenez pour me plaire, vous en avez trouvé le secret, même sans le chercher; jugez donc, Seigneur, s'il vous sera difficile, lorsque vous le voudrez.»

Le roi qui avait des raisons pour dire des dou-
ceurs à la vieille fée, ne les épargna pas, et il en
obtint insensiblement la liberté de s'aller promener
le long du rivage de la mer. Elle l'avait rendue par
son art si terrible et si orageuse, qu'il n'y avait point
de pilotes assez hardis pour naviguer dessus ; ainsi
elle ne devait rien craindre de la complaisance
qu'elle avait pour son prisonnier ; il sentit quelque
soulagement à ses peines, de pouvoir rêver seul sans
être interrompu par sa méchante geôlière.

Après avoir marché assez longtemps sur le sable,
il se baissa et écrivit ces vers avec une canne qu'il
tenait dans sa main :

> *Enfin je puis en liberté*
> *Adoucir mes douleurs par un torrent de larmes :*
> *Hélas ! je ne vois plus les charmes*
> *De l'adorable objet, qui m'avait enchanté.*
> *Toi qui rends aux mortels ce bord inaccessible,*
> *Mer orageuse, mer terrible,*
> *Que poussent les vents furieux*
> *Tantôt jusqu'aux enfers, et tantôt jusqu'aux cieux,*
> *Mon cœur est encor moins paisible,*
> *Que tu ne parais à mes yeux.*
> *Toute-Belle ! Ô destin barbare,*
> *Je perds l'objet de mon amour,*
> *Ô Ciel dont l'arrêt m'en sépare,*
> *Pourquoi diffères-tu de me ravir le jour ?*
> *Divinités des ondes,*
> *Vous avez de l'amour ressenti le pouvoir :*
> *Sortez de vos grottes profondes,*
> *Secourez un amant réduit au désespoir.*

Comme il écrivait, il entendit une voix, qui attira
malgré lui toute son attention ; et voyant que les flots
grossissaient, il regardait de tous côtés, lorsqu'il
aperçut une femme d'une beauté extraordinaire :
son corps n'était couvert que par ses longs cheveux,

qui doucement agités des zéphyrs, flottaient sur
l'onde. Elle tenait un miroir dans l'une de ses mains,
et un peigne dans l'autre, une longue queue de poisson avec des nageoires terminait son corps[1]. Le roi
demeura bien surpris d'une rencontre si extraordinaire ; dès qu'elle fut à portée de lui parler, elle lui
dit : «Je sais le triste état où vous êtes réduit par
l'éloignement de votre princesse, et par la bizarre
passion que la Fée du Désert a prise pour vous ; si
vous voulez je vous tirerai de ce lieu fatal où vous
languirez peut-être encore plus de trente ans.» Le
roi ne savait que répondre à cette proposition ; ce
n'était pas manque d'envie de sortir de sa captivité,
mais il craignait que la Fée du Désert n'eût emprunté
cette figure pour le décevoir ; comme il hésitait, la
sirène, qui devina ses pensées, lui dit : «Ne croyez
pas que ce soit un piège que je vous tends : je suis de
trop bonne foi pour vouloir servir vos ennemis, le
procédé de la Fée du Désert, et celui du Nain Jaune,
m'ont aigrie contre eux, je vois tous les jours votre
infortunée princesse, sa beauté et son mérite me
font une égale pitié, et je vous le répète encore, si
vous avez de la confiance en moi, je vous sauverai.
— J'y en ai une si parfaite, s'écria le roi, que je ferai
tout ce que vous m'ordonnerez, mais puisque vous
avez vu ma princesse, apprenez-moi de ses nouvelles. — Nous perdrions trop de temps à nous
entretenir, lui dit-elle, venez avec moi, je vais vous
porter au Château d'Acier, et laisser sur ce rivage
une figure qui vous ressemblera si fort, que la fée en
sera la dupe.»

Elle coupa aussitôt des joncs marins, elle en fit un
gros paquet, et soufflant trois fois dessus, elle leur
dit : «Joncs marins, mes amis, je vous ordonne de
rester étendus sur le sable, sans en partir, jusqu'à ce
que la Fée du Désert vous vienne enlever.» Les
joncs parurent couverts de peau, et si semblables au

Roi des Mines d'or, qu'il n'avait jamais vu une chose
si surprenante ; ils étaient vêtus d'un habit comme
lui, ils étaient pâles et défaits, comme s'il se fût noyé ;
en même temps la bonne sirène fit asseoir le roi sur
sa grande queue de poisson, et tous les deux voguè-
rent en pleine mer, avec une égale satisfaction.

« Je veux bien à présent, lui dit-elle, vous apprendre
que lorsque le méchant Nain Jaune eut enlevé Toute-
Belle, il la mit malgré la blessure que la Fée du
Désert lui avait faite, en trousse derrière lui sur son
terrible chat d'Espagne ; elle perdait tant de sang, et
elle était si troublée de cette aventure, que ses forces
l'abandonnèrent ; elle resta évanouie pendant tout
le chemin ; mais le Nain Jaune ne voulut point s'arrêter pour la secourir, qu'il ne se vît en sûreté dans
son terrible palais d'acier : il y fut reçu par les plus
belles personnes du monde, qu'il y a transportées.
Chacune à l'envi lui marqua son empressement pour
servir la princesse ; elle fut mise dans un lit de drap
d'or, chamarré de perles plus grosses que des noix.
— Ah ! s'écria la Roi des Mines d'or en interrompant
la sirène, il l'a épousée, je me pâme, je me meurs !
— Non, lui dit-elle, Seigneur, rassurez-vous, la fermeté de Toute-Belle l'a garantie des violences de cet
affreux nain. — Achevez donc, dit le roi. — Qu'ai-je
à vous dire davantage ? continua la sirène. Elle était
dans le bois lorsque vous avez passé, elle vous a vu
avec la Fée du Désert, elle était si fardée qu'elle lui
a paru d'une beauté supérieure à la sienne ; son
désespoir ne se peut comprendre, elle croit que vous
l'aimez. — Elle croit que je l'aime, justes dieux !
s'écria le roi, dans quelle fatale erreur est-elle tombée, et que dois-je faire pour l'en détromper ? —
Consultez votre cœur, répliqua la sirène avec un
gracieux sourire, lorsque l'on est fortement engagé,
l'on n'a pas besoin de conseils. » En achevant ces
mots, ils arrivèrent au Château d'Acier, le côté de la

mer était le seul endroit que le Nain Jaune n'avait
pas revêtu de ces formidables murs qui brûlaient
tout le monde.

« Je sais fort bien, dit la sirène au roi, que Toute-
Belle est au bord de la même fontaine où vous la
vîtes en passant ; mais comme vous aurez des ennemis à combattre avant que d'y arriver, voici une
épée avec laquelle vous pouvez tout entreprendre,
et affronter les plus grands périls, pourvu que vous
ne la laissiez pas tomber. Adieu, je vais me retirer
sous le rocher que vous voyez, si vous avez besoin
de moi pour vous conduire plus loin avec votre
chère princesse, je ne vous manquerai pas, car la
reine sa mère est ma meilleure amie, et c'est pour la
servir que je suis venue vous chercher. » En achevant ces mots, elle donna au roi une épée faite d'un
seul diamant[1] ; les rayons du soleil brillent moins ; il
en comprit toute l'utilité, et ne pouvant trouver des
termes assez forts pour lui marquer sa reconnaissance, il la pria d'y vouloir suppléer, en imaginant
ce qu'un cœur bien fait est capable de ressentir
pour de si grandes obligations.

Il faut dire quelque chose de la Fée du Désert.
Comme elle ne vit point revenir son aimable amant,
elle se hâta de l'aller chercher ; elle fut sur le rivage
avec cent filles de sa suite, toutes chargées de présents magnifiques pour le roi. Les unes portaient de
grandes corbeilles remplies de diamants, les autres
des vases d'or d'un travail merveilleux, plusieurs
de l'ambre gris[2], du corail, et des perles ; d'autres
avaient sur leurs têtes des ballots d'étoffes d'une
richesse inconcevable, quelques autres encore des
fruits, des fleurs, et jusqu'à des oiseaux ; mais que
devint la fée qui marchait après cette galante et nombreuse troupe, lorsqu'elle aperçut les joncs marins si
semblables au Roi des Mines d'or, que l'on n'y
reconnaissait aucune différence ? À cette vue, frap-

pée d'étonnement et de la plus vive douleur, elle jeta
un cri si épouvantable, qu'il pénétra les cieux, fit
trembler les monts et retentit jusqu'aux enfers.
Mégère furieuse, Alecto, Tisiphone[1] ne sauraient
prendre des figures plus redoutables que celle qu'elle
prit. Elle se jeta sur le corps du roi, elle pleura, elle
hurla, elle mit en pièces cinquante des plus belles
personnes qui l'avaient accompagnée, les immolant
aux mânes de ce cher défunt. Ensuite elle appela
onze de ses sœurs qui étaient fées comme elle, les
priant de lui aider à faire un superbe mausolée à ce
jeune héros. Il n'y en eut pas une qui ne fût la dupe
des joncs marins : cet événement est assez propre à
surprendre, car les fées savaient tout, mais l'habile
sirène en savait encore plus qu'elles.

Pendant qu'elles fournissaient le porphyre, le jaspe,
l'agate et le marbre, les statues, les devises, l'or et le
bronze, pour immortaliser la mémoire du roi qu'elles
croyaient mort, il remerciait l'aimable sirène, la
conjurant de lui accorder sa protection ; elle s'y
engagea de la meilleure grâce du monde, et disparut à ses yeux, il n'eut plus rien à faire qu'à s'avancer vers le Château d'Acier.

Ainsi guidé par son amour, il marcha à grands
pas, regardant d'un œil curieux s'il apercevrait son
adorable princesse ; mais il ne fut pas longtemps
sans occupation : quatre sphinx terribles l'environ-
nèrent, et jetant sur lui leurs griffes aiguës, ils l'auraient mis en pièces, si l'épée de diamant n'avait
commencé à lui être aussi utile que la sirène l'avait
prédit. Il la fit à peine briller aux yeux de ces
monstres, qu'ils tombèrent sans force à ses pieds ; il
donna à chacun un coup mortel, puis s'avançant
encore, il trouva six dragons couverts d'écailles plus
difficiles à pénétrer que le fer. Quelque effrayante
que fût cette rencontre, il demeura intrépide, et se
servant de sa redoutable épée, il n'y en eut pas un

qu'il ne coupât par la moitié ; il espérait d'avoir
surmonté les plus grandes difficultés, quand il lui
en survint une bien embarrassante. Vingt-quatre
nymphes, belles et gracieuses, vinrent à sa rencontre,
tenant de longues guirlandes de fleurs dont elles lui
fermaient le passage[1] : «Où voulez-vous aller, Seigneur ? lui dirent-elles. Nous sommes commises à la
garde de ces lieux ; si nous vous laissions passer, il
en arriverait à vous et à nous des malheurs infinis,
de grâce, ne vous opiniâtrez point : voudriez-vous
tremper votre main victorieuse dans le sang de vingt-
quatre filles innocentes qui ne vous ont jamais causé
de déplaisir ? » Le roi à cette vue demeura interdit et
en suspens, il ne savait à quoi se résoudre, lui qui
faisait profession de respecter le beau sexe, et d'en
être le chevalier à toutes outrances ; il fallait que
dans cette occasion il se portât à le détruire : mais
une voix qu'il entendit le fortifia tout d'un coup :
«Frappe, frappe, n'épargne rien, lui dit cette voix,
ou tu perds ta princesse pour jamais. »

En même temps sans rien répondre à ces nymphes,
il se jette au milieu d'elles, rompt leurs guirlandes,
les attaque sans nul quartier, et les dissipe en un
moment : c'était un des derniers obstacles qu'il devait
trouver ; il entra dans le petit bois où il avait vu
Toute-Belle : elle y était au bord de la fontaine, pâle
et languissante, il l'aborde en tremblant, il veut se
jeter à ses pieds ; mais elle s'éloigne de lui avec
autant de vitesse et d'indignation que s'il avait été le
Nain Jaune. «Ne me condamnez pas sans m'entendre, Madame, lui dit-il, je ne suis ni infidèle, ni
coupable, je suis un malheureux qui vous a déplu
sans le vouloir. — Ah ! barbare ! s'écria-t-elle, je
vous ai vu traverser les airs avec une personne
d'une beauté extraordinaire, est-ce malgré vous que
vous faisiez ce voyage ? — Oui, Princesse, lui dit-il,
c'était malgré moi, la méchante Fée du Désert ne

s'est pas contentée de m'enchaîner à un rocher, elle
m'a enlevé dans son char jusqu'à un des bouts de la
terre, où je serais encore à languir sans le secours
d'une sirène bienfaisante, qui m'a conduit jusqu'ici :
je viens, ma Princesse, pour vous arracher des
indignes mains qui vous retiennent captive, ne refusez pas le secours du plus fidèle de tous les amants. »
Il se jeta à ses pieds, et l'arrêtant par sa robe, il
laissa malheureusement tomber sa redoutable épée.
Le Nain Jaune qui se tenait caché sous une laitue,
ne la vit pas plus tôt hors de la main du roi, qu'en
connaissant tout le pouvoir, il se jeta dessus et s'en
saisit.

La princesse poussa un cri terrible en apercevant
le nain, mais ces plaintes ne servirent qu'à aigrir ce
petit monstre ; avec deux mots de son grimoire, il
fit paraître deux géants, qui chargèrent le roi de
chaînes et de fers : « C'est à présent, dit le nain, que
je suis maître de la destinée de mon rival, mais je lui
veux bien accorder la vie et la liberté de partir de
ces lieux, pourvu que sans différer vous consentiez à
m'épouser. — Ah ! que je meure plutôt mille fois !
s'écria l'amoureux roi. — Que vous mouriez, hélas !
dit la princesse, Seigneur, est-il rien de si terrible ?
— Que vous deveniez la victime de ce monstre,
répliqua le roi, est-il rien de si affreux ? — Mourons
donc ensemble, continua-t-elle. — Laissez-moi, ma
Princesse, la consolation de mourir pour vous. — Je
consens plutôt, dit-elle au nain, à ce que vous souhaitez. — À mes yeux, reprit le roi, à mes yeux, vous
en ferez votre époux, cruelle princesse ? La vie me
serait odieuse. — Non, dit le Nain Jaune, ce ne sera
point à tes yeux que je deviendrai son époux, un
rival aimé m'est trop redoutable. »

En achevant ces mots, malgré les cris et les pleurs
de Toute-Belle, il frappa le roi droit au cœur et
l'étendit à ses pieds. La princesse ne pouvant sur-

vivre à son cher amant, se laissa tomber sur son corps et ne fut pas longtemps sans unir son âme à la sienne : c'est ainsi que périrent ces illustres infortunés, sans que la sirène y pût apporter aucun remède, car la force du charme était dans l'épée de diamant.

Le méchant nain aima mieux voir la princesse privée de vie, que de la voir entre les bras d'un autre ; et la Fée du Désert ayant appris cette aventure, détruisit le mausolée qu'elle avait élevé, concevant autant de haine pour la mémoire du Roi des Mines d'or qu'elle avait conçu de passion pour sa personne. La secourable sirène désolée d'un si grand malheur, ne put rien obtenir du destin, que de les métamorphoser en palmiers. Ces deux corps si parfaits devinrent deux beaux arbres, conservant toujours un amour fidèle l'un pour l'autre, ils se caressent de leurs branches entrelacées, et immortalisent leurs feux par leur tendre union[1].

> *Tel qui promet dans le naufrage*
> *Une hécatombe aux immortels,*
> *Ne va pas seulement embrasser leurs autels*
> *Quand il se voit sur le rivage*[2].
> *Chacun promet dans le danger :*
> *Mais le destin de Toute-Belle*
> *T'apprend à ne point t'engager,*
> *Si ton cœur aux serments ne peut être fidèle.*

LA BICHE AU BOIS

Conte [1]

Il était une fois un roi et une reine dont l'union était parfaite, ils s'aimaient tendrement, et leurs sujets les adoraient; mais il manquait à la satisfaction des uns et des autres, de leur voir un héritier. La reine qui était persuadée que le roi l'aimerait encore davantage si elle en avait un, ne manquait pas au printemps d'aller boire des eaux qui étaient excellentes [2]. L'on y venait en foule, et le nombre d'étrangers était si grand, qu'il s'en trouvait là de toutes les parties du monde [3].

Il y avait plusieurs fontaines dans un grand bois où l'on allait boire; elles étaient entourées de marbre et de porphyre; car chacun se piquait de les embellir. Un jour que la reine était assise au bord de la fontaine, elle dit à toutes ses dames de s'éloigner et de la laisser seule; puis elle commença ses plaintes ordinaires: «Ne suis-je pas bien malheureuse, dit-elle, de n'avoir point d'enfant? Les plus pauvres femmes en ont, il y a cinq ans que j'en demande au Ciel, je n'ai pu encore le toucher; mourrai-je sans avoir cette satisfaction?»

Comme elle parlait ainsi, elle remarqua que l'eau de la fontaine s'agitait, puis une grosse écrevisse parut, et lui dit: «Grande reine, vous aurez enfin ce que vous désirez. Je vous avertis qu'il y a ici proche

un palais superbe que les fées ont bâti ; mais il est
impossible de le trouver, parce qu'il est environné
de nuées fort épaisses, que l'œil d'une personne
mortelle ne peut pénétrer. Cependant comme je suis
votre très humble servante, si vous voulez vous fier
à la conduite d'une pauvre écrevisse, je m'offre de
vous y mener. »

La reine l'écoutait sans l'interrompre, la nouveauté
de voir parler une écrevisse l'ayant fort surprise ;
elle lui dit qu'elle accepterait avec plaisir ses offres,
sans qu'elle ne savait pas aller en reculant comme
elle. L'écrevisse sourit, et sur-le-champ elle prit la
figure d'une belle petite vieille : « Eh bien Madame,
lui dit-elle, n'allons pas à reculons, j'y consens ; mais
surtout regardez-moi comme une de vos amies ; car
je ne souhaite que ce qui peut vous être avantageux. »

Elle sortit de la fontaine sans être mouillée, ses
habits étaient blancs doublés de cramoisi, et ses cheveux gris tout renoués de rubans verts. Il ne s'est
guère vu de vieille dont l'air fût plus galant ; elle
salua la reine, elle en fut embrassée, et sans tarder
davantage, elle la conduisit dans une route du bois
qui surprit cette princesse ; car encore qu'elle y fût
venue mille et mille fois, elle n'était jamais entrée
dans celle-là : comment y serait-elle entrée ? C'était
le chemin des fées pour aller à la fontaine. Il était
ordinairement fermé de ronces et d'épines ; mais
quand la reine et sa conductrice parurent, aussitôt
les rosiers poussèrent des roses, les jasmins et les
orangers entrelacèrent leurs branches pour faire un
berceau couvert de feuilles et de fleurs, la terre fut
couverte de violettes, et mille oiseaux différents
chantaient à l'envi sur les arbres.

La reine n'était pas encore revenue de sa surprise
lorsque ses yeux furent frappés par l'éclat sans
pareil d'un palais tout de diamants, les murs et les
toits, les plafonds, les planchers, les degrés, les bal-

cons, jusqu'aux terrasses, tout était de diamants. Dans l'excès de son admiration, elle ne put s'empêcher de pousser un grand cri, et de demander à la galante vieille qui l'accompagnait, si ce qu'elle voyait était un songe ou une réalité. «Rien n'est plus réel, Madame», répliqua-t-elle; aussitôt les portes du palais s'ouvrirent, il en sortit six fées; mais quelles fées! Les plus belles et les plus magnifiques qui aient jamais paru dans leur empire. Elles vinrent toutes faire une profonde révérence à la reine et chacune lui présenta une fleur de pierreries pour lui faire un bouquet; il y avait une rose, une tulipe, une anémone, une ancolie, un œillet et une grenade. «Madame, lui dirent-elles, nous ne pouvons vous donner une plus grande marque de notre considération qu'en vous permettant de nous venir voir ici; mais nous sommes bien aises de vous annoncer que vous aurez une belle princesse, que vous nommerez Désirée; car l'on doit avouer qu'il y a longtemps que vous la désirez: ne manquez pas, aussitôt qu'elle sera au monde, de nous appeler, parce que nous voulons la douer de toutes sortes de bonnes qualités: vous n'aurez qu'à prendre le bouquet que nous vous donnons, et nommer chaque fleur en pensant à nous, soyez certaine qu'aussitôt nous serons dans votre chambre.»

La reine transportée de joie, se jeta à leur cou, et les embrassades durèrent plus d'une grosse demi-heure. Après cela elles prièrent la reine d'entrer dans leur palais, dont on ne peut faire une assez belle description; elles avaient pris pour le bâtir, l'architecte du Soleil. Il avait fait en petit ce que celui[1] du Soleil est en grand; la reine qui n'en soutenait l'éclat qu'avec peine, fermait à tout moment les yeux. Elles la conduisirent dans leur jardin; il n'a jamais été de si beaux fruits. Les abricots étaient plus gros que la tête, et l'on ne pouvait manger une cerise sans la couper en quatre, d'un goût si exquis

qu'après que la reine en eut mangé, elle ne voulut
de sa vie en manger d'autres. Il y avait un verger
tout d'arbres confits, qui ne laissaient pas d'avoir
vie, et de croître comme les autres.

De dire tous les transports de la reine, combien
elle parla de la petite princesse Désirée, combien
elle remercia les aimables personnes qui lui annonçaient une si agréable nouvelle, c'est ce que je n'en-
treprendrai point ; mais enfin il n'y eut aucun terme
de tendresse et de reconnaissance oublié. La Fée de
la Fontaine y trouva toute la part qu'elle méritait,
la reine demeura jusqu'au soir dans le palais ; elle
aimait la musique, on lui fit entendre des voix qui
lui parurent célestes, on la chargea de présents, et
après avoir remercié ces grandes dames, elle revint
avec la Fée de la Fontaine.

Toute sa maison était très en peine d'elle, on la
cherchait avec beaucoup d'inquiétude, on ne pouvait imaginer en quel lieu elle était ; ils craignaient
même que quelques étrangers audacieux ne l'eussent enlevée ; car elle avait de la beauté et de la jeunesse, de sorte que chacun témoigna une joie extrême
de son retour ; et comme elle ressentait de son côté
une satisfaction infinie des bonnes espérances qu'on
venait de lui donner, elle avait une conversation
agréable et brillante qui charmait tout le monde[1].

La Fée de la Fontaine la quitta proche de chez
elle, les compliments et les caresses redoublèrent à
leur séparation, et la reine étant restée encore huit
jours aux eaux, ne manqua point de retourner au
palais des fées avec sa coquette vieille, qui paraissait d'abord en écrevisse, et puis qui prenait sa
forme naturelle.

La reine partit ; elle devint grosse, et mit au monde
une princesse qu'elle appela Désirée : aussitôt elle
prit le bouquet qu'elle avait reçu, elle nomma toutes
les fleurs l'une après l'autre, et sur-le-champ elle vit

arriver les fées. Chacune avait son chariot de différente manière ; l'un était d'ébène tiré par des pigeons
blancs, l'autre d'ivoire que de petits corbeaux traînaient, d'autres encore de cèdre et de ca[l]ambour[1].
C'était là leur équipage d'alliance et de paix ; car
lorsqu'elles étaient fâchées, ce n'était que des dragons volants, que couleuvres qui jetaient le feu par
la gueule et par les yeux ; que lions, que léopards,
que panthères, sur lesquels elles se transportaient
d'un bout du monde à l'autre, en moins de temps
qu'il n'en faut pour dire bonjour ou bonsoir ; mais
cette fois ici[2], elles étaient de la meilleure humeur
qu'il est possible.

La reine les vit entrer dans sa chambre avec un
air gai et majestueux, leurs nains et leurs naines les
suivaient tout chargés de présents. Après qu'elles
eurent embrassé la reine et baisé la petite princesse,
elles déployèrent sa layette, dont la toile était si fine
et si bonne qu'on pouvait s'en servir cent ans sans
l'user. Les fées la filaient à leurs heures de loisir ;
pour les dentelles elles surpassaient encore ce que
j'ai dit de la toile, toute l'histoire du monde y était
représentée, soit à l'aiguille ou au fuseau. Après cela
elles montrèrent les langes et les couvertures, qu'elles
avaient brodés exprès ; l'on y voyait représentés mille
jeux différents auxquels les enfants s'amusent. Depuis
qu'il y a des brodeurs et des brodeuses, il ne s'est
rien vu de si merveilleux[3] ; mais quand le berceau
parut, la reine s'écria d'admiration : car il surpassait encore tout ce qu'elle avait vu jusqu'alors. Il
était d'un bois si rare, qu'il coûtait cent mille écus la
livre. Quatre petits Amours le soutenaient, c'étaient
quatre chefs-d'œuvre, où l'art avait tellement sur-
passé la matière, quoiqu'il fût de diamants et de
rubis, que l'on n'en peut assez parler. Ces petits
Amours avaient été animés par les fées, de sorte que
lorsque l'enfant criait, ils le berçaient et l'endor-

maient: cela était d'une commodité merveilleuse pour les nourrices.

Les fées prirent elles-mêmes la petite princesse sur leurs genoux, elles l'emmaillotèrent et lui donnèrent plus de cent baisers; car elle était déjà si belle, qu'on ne pouvait la voir sans l'aimer. Elles remarquèrent qu'elle avait besoin de téter, aussitôt elles frappèrent la terre avec leur baguette, il parut une nourrice telle qu'il la fallait pour cet aimable poupard. Il ne fut plus question que de douer l'enfant, les fées s'empressèrent de le faire; l'une la doua de vertu et l'autre d'esprit; la troisième d'une beauté miraculeuse; celle d'après, d'une heureuse fortune; la cinquième lui désira une longue santé; et la dernière, qu'elle fît bien toutes les choses qu'elle entreprendrait.

La reine ravie, les remerciait mille et mille fois des faveurs qu'elles venaient de faire à la petite princesse, lorsque l'on vit entrer dans la chambre une si grosse écrevisse, que la porte fut à peine assez large pour qu'elle pût passer: «Ha! trop ingrate reine, dit l'écrevisse, vous n'avez donc pas daigné vous souvenir de moi? Est-il possible que vous ayez sitôt oublié la Fée de la Fontaine, et les bons offices que je vous ai rendus en vous menant chez mes sœurs? Quoi! vous les avez toutes appelées, je suis la seule que vous négligez: il est certain que j'en avais un pressentiment, et c'est ce qui m'obligea de prendre la figure d'une écrevisse, lorsque je vous parlai la première fois, voulant marquer par là, que votre amitié au lieu d'avancer reculerait[1].»

La reine inconsolable de la faute qu'elle avait faite, l'interrompit, et lui demanda pardon: elle lui dit qu'elle avait cru nommer sa fleur comme celle des autres, que c'était le bouquet de pierreries qui l'avait trompée, qu'elle n'était pas capable d'oublier les obligations qu'elle lui avait, qu'elle la suppliait de

ne lui point ôter son amitié, et particulièrement
d'être favorable à la princesse. Toutes les fées qui
craignaient qu'elle ne la douât de misère et d'infor-
tunes, secondèrent la reine pour l'adoucir : « Ma
chère sœur, lui disaient-elles, que Votre Altesse ne
soit point fâchée contre une reine qui n'a jamais eu
dessein de vous déplaire, quittez de grâce cette
figure d'écrevisse, faites que nous vous voyions avec
tous vos charmes. »

J'ai déjà dit que la Fée de la Fontaine était assez
coquette, les louanges que ses sœurs lui donnèrent
l'adoucirent un peu : « Eh bien, dit-elle, je ne ferai
pas à Désirée tout le mal que j'avais résolu ; car
assurément j'avais envie de la perdre, et rien n'aurait pu m'en empêcher ; cependant je veux bien
vous avertir que si elle voit le jour avant l'âge de
quinze ans, elle aura lieu de s'en repentir, il lui en
coûtera peut-être la vie. » Les pleurs de la reine et
les prières des illustres[1] fées ne changèrent point
l'arrêt qu'elle venait de prononcer, elle se retira à
reculons ; car elle n'avait pas voulu quitter sa robe
d'écrevisse.

Dès qu'elle fut éloignée de la chambre, la triste
reine demanda aux fées un moyen pour préserver sa
fille des maux qui la menaçaient. Elles tinrent aussitôt conseil, et enfin après avoir agité plusieurs avis
différents, elles s'arrêtèrent à celui-ci : qu'il fallait
bâtir un palais sans portes ni fenêtres, y faire une
entrée souterraine, et nourrir la princesse dans ce
lieu jusqu'à l'âge fatal où elle était menacée.

Trois coups de baguette commencèrent et finirent
ce grand édifice. Il était de marbre blanc et vert par
dehors, les plafonds et les planchers de diamants et
d'émeraudes, qui formaient des fleurs, des oiseaux
et mille choses agréables. Tout était tapissé de velours
de différentes couleurs, brodé de la main des fées ;
et comme elles étaient savantes dans l'Histoire, elles

s'étaient fait un plaisir de tracer les plus belles et les plus remarquables ; l'avenir n'y était pas moins présent que le passé, les actions héroïques du plus grand roi du monde[1] remplissaient plusieurs tentures.

> Ici du démon de la Thrace[2]
> Il a le port victorieux,
> Les éclairs redoublés qui partent de ses yeux,
> Marquent sa belliqueuse audace.
> Là plus tranquille et plus serein,
> Il gouverne la France dans une paix profonde,
> Il fait voir par ses lois que le reste du monde
> Lui doit envier son destin.
> Par les peintres les plus habiles,
> Il y paraissait peint avec ces divers traits,
> Redoutable en prenant des villes,
> Généreux en faisant la paix.

Ces sages fées avaient imaginé ce moyen pour apprendre plus aisément à la jeune princesse, les divers événements de la vie des héros et des autres hommes.

L'on ne voyait chez elle que par la lumière des bougies ; mais il y en avait une si grande quantité, qu'elles faisaient un jour perpétuel. Tous les maîtres dont elle avait besoin pour se rendre parfaite, furent conduits en ce lieu ; son esprit, sa vivacité et son adresse prévenaient presque toujours ce qu'ils voulaient lui enseigner ; et chacun d'eux demeurait dans une admiration continuelle des choses surprenantes qu'elle disait, dans un âge où les autres savent à peine nommer leur nourrice ; aussi n'est-on pas douée par les fées pour demeurer ignorante et stupide.

Si son esprit charmait tous ceux qui l'approchaient, sa beauté n'avait pas des effets moins puissants, elle ravissait les plus insensibles, et la reine sa mère ne l'aurait jamais quittée de vue, si son devoir ne l'avait pas attachée auprès du roi. Les bonnes fées venaient voir la princesse de temps en temps, elles lui apportaient des raretés sans pareilles et des habits si bien entendus, si riches et si galants, qu'ils semblaient avoir été faits pour la noce d'une jeune princesse, qui n'est pas moins aimable que celle dont je parle[1] ; mais entre toutes les fées qui la chérissaient, Tulipe l'aimait davantage, et recommandait plus soigneusement à la reine de ne lui pas laisser voir le jour, avant qu'elle eût quinze ans : « Notre sœur de la fontaine est vindicative, lui disait-elle, quelque intérêt que nous prenions en cette enfant, elle lui fera du mal, si elle peut ; ainsi Madame, vous ne sauriez être trop vigilante là-dessus. » La reine lui promettait de veiller sans cesse à une affaire si importante ; mais comme sa chère fille approchait du temps où elle devait sortir de ce château, elle la fit peindre, et son portrait fut porté dans les plus grandes cours de l'univers. À sa vue il n'y eut aucun prince qui se défendît de l'admirer ; mais il y en eut un qui en fut si touché, qu'il ne pouvait s'en séparer. Il le mit dans son cabinet, il s'enfermait avec lui, et lui parlant comme s'il eût été sensible, et qu'il eût pu l'entendre, il lui disait les choses du monde les plus passionnées.

Le roi qui ne voyait presque plus son fils, s'informa de ses occupations, et de ce qui pouvait l'empêcher de paraître aussi gai qu'à son ordinaire. Quelques courtisans trop empressés de parler, car il y en a plusieurs de ce caractère, lui dirent qu'il était à craindre que le prince ne perdît l'esprit, parce qu'il demeurait des jours entiers enfermé dans son cabinet, où l'on entendait qu'il parlait seul comme s'il eût été avec quelqu'un.

Le roi reçut cet avis avec inquiétude : « Est-il possible, disait-il à ses confidents, que mon fils perde la raison ? Il en a toujours tant marqué : vous savez l'admiration qu'on a eue pour lui jusqu'à présent, et je ne trouve encore rien d'égaré dans ses yeux, il me paraît seulement plus triste ; il faut que je l'entretienne, je démêlerai peut-être de quelle sorte de folie il est attaqué. »

En effet, il l'envoya quérir, il commanda qu'on se retirât, et après lui avoir parlé de plusieurs choses auxquelles il n'avait pas une grande attention, et auxquelles aussi il répondait assez mal, le roi lui demanda ce qu'il pouvait avoir, pour que son humeur et sa personne fussent si changées. Le prince croyant ce moment favorable, se jeta à ses pieds : « Vous avez résolu, lui dit-il, de me faire épouser la princesse Noire, vous trouvez des avantages dans son alliance que je ne puis vous promettre dans celle de la princesse Désirée ; mais, Seigneur, je trouve des charmes dans celle-ci, que je ne rencontrerai point dans l'autre. — Et où les avez-vous vues ? dit le roi. — Les portraits de l'une et de l'autre m'ont été apportés, répliqua le prince Guerrier (c'est ainsi qu'on le nommait depuis qu'il avait gagné trois grandes batailles) ; je vous avoue que j'ai pris une si forte passion pour la princesse Désirée, que si vous ne retirez les paroles que vous avez données à la Noire, il faut que je meure ; heureux de cesser de vivre, en perdant l'espérance d'être à ce que j'aime.

« C'est donc avec son portrait, reprit gravement le roi, que vous prenez en gré de faire des conversations qui vous rendent ridicule à tous les courtisans ; ils vous croient insensé, et si vous saviez ce qui m'est revenu là-dessus, vous auriez honte de marquer tant de faiblesse. — Je ne puis me reprocher une si belle flamme, répondit-il, lorsque vous aurez vu le portrait de cette charmante princesse, vous approuverez ce que je sens pour elle. — Allez donc le quérir tout à l'heure », dit le roi, avec un air d'impatience qui faisait assez connaître son chagrin ; le prince en aurait eu de la peine, s'il n'avait pas été certain que

rien au monde ne pouvait égaler la beauté de Désirée. Il courut dans son cabinet et revint chez le roi ;
il demeura presque aussi enchanté que son fils :
« Ha ! dit-il, mon cher Guerrier, je consens à ce que
vous souhaitez, je rajeunirai lorsque j'aurai une si
aimable princesse à ma cour ; je vais dépêcher sur-
le-champ des ambassadeurs à celle de la Noire pour
retirer ma parole, quand je devrais avoir une rude
guerre contre elle ; j'aime mieux m'y résoudre. »

Le prince baisa respectueusement les mains de
son père, et lui embrassa plus d'une fois les genoux.
Il avait tant de joie, qu'on le reconnaissait à peine ; il
pressa le roi de dépêcher des ambassadeurs non seulement à la Noire, mais aussi à la Désirée, et il sou-
haita qu'il choisît pour cette dernière, l'homme le
plus capable et le plus riche, parce qu'il fallait
paraître[1] dans une occasion si célèbre[2], et persuader
ce qu'il désirait. Le roi jeta les yeux sur Becafigue[3] ;
c'était un jeune seigneur très éloquent, qui avait cent
millions de rentes. Il aimait passionnément le prince
Guerrier, il fit pour lui plaire le plus grand équipage
et la plus belle livrée qu'il pût imaginer. Sa diligence fut extrême ; car l'amour du prince augmen-
tait chaque jour, et sans cesse il le conjurait de
partir : « Songez, lui disait-il confidemment, qu'il y
va de ma vie, que je perds l'esprit, lorsque je pense
que le père de cette princesse peut prendre des engagements avec quelqu'autre sans vouloir les rompre
en ma faveur, et que je la perdrais pour jamais. »
Becafigue le rassurait afin de gagner du temps ; car il
était bien aise que la dépense lui fît honneur. Il mena
quatre-vingts carrosses tout brillants d'or et de diamants, la miniature la mieux finie n'approche pas
de celle qui les ornait ; il y avait cinquante autres
carrosses, vingt-quatre mille pages à cheval, plus
magnifiques que des princes ; et le reste de ce grand
cortège ne se démentait en rien.

Lorsque l'ambassadeur prit son audience de congé du prince, il l'embrassa étroitement : « Souvenez-vous, mon cher Becafigue, lui dit-il, que ma vie dépend du mariage que vous allez négocier, n'oubliez rien pour persuader, et amenez l'aimable princesse que j'adore. » Il le chargea aussitôt de mille présents, où la galanterie égalait la magnificence ; ce n'était que devises amoureuses gravées sur des cachets de diamants ; des montres dans des escarboucles, chargées des chiffres de Désirée, des bracelets de rubis taillés en cœur : enfin que n'avait-il pas imaginé pour lui plaire ?

L'ambassadeur portait le portrait de ce jeune prince, qui avait été peint par un homme si savant, qu'il parlait et faisait de petits compliments pleins d'esprit. À la vérité il ne répondait pas à tout ce qu'on lui disait ; mais il ne s'en fallait guère. Becafigue promit au prince de ne rien négliger pour sa satisfaction ; et il ajouta qu'il portait tant d'argent, que si on lui refusait la princesse, il trouverait le moyen de gagner quelqu'une de ses femmes et de l'enlever : « Ha ! s'écria le prince, je ne puis m'y résoudre, elle serait offensée d'un procédé si peu respectueux. » Becafigue ne répondit rien là-dessus et partit.

Le bruit de son voyage prévint son arrivée, le roi et la reine en furent ravis, ils estimaient beaucoup son maître et savaient les grandes actions du prince Guerrier : mais ce qu'ils connaissaient encore mieux, c'était son mérite personnel ; de sorte que quand ils auraient cherché dans tout l'univers un mari pour leur fille, ils n'auraient su en trouver un plus digne d'elle. On prépara un palais pour loger Becafigue, et l'on donna tous les ordres nécessaires pour que la Cour parût dans la dernière magnificence.

Le roi et la reine avaient résolu que l'ambassadeur verrait Désirée ; mais la fée Tulipe vint trouver

la reine, et lui dit : « Gardez-vous bien, Madame, de
mener Becafigue chez notre enfant (c'est ainsi qu'elle
nommait la princesse), il ne faut pas qu'il la voie si
tôt, et ne consentez point à l'envoyer chez le roi qui
la demande, qu'elle n'ait passé quinze ans ; car je
suis assurée que si elle part plus tôt, il lui arrivera quelque malheur. » La reine embrassa la bonne
Tulipe, elle lui promit de suivre ses conseils, et sur-
le-champ elles allèrent voir la princesse.

L'ambassadeur arriva, son équipage demeura vingt-
trois heures à passer ; car il avait six cent mille
mulets[1], dont les clochettes et les fers étaient d'or,
leurs couvertures de velours et de brocart en broderie de perles ; c'était un embarras sans pareil dans
les rues, tout le monde était accouru pour le voir. Le
roi et la reine allèrent au-devant de lui, tant ils
étaient aises de sa venue. Il est inutile de parler de la
harangue qu'il fit, et des cérémonies qui se passèrent
de part et d'autre, on peut assez les imaginer ; mais
lorsqu'il demanda à saluer la princesse, il demeura
bien surpris que cette grâce lui fût déniée. « Si nous
vous refusons, lui dit le roi, seigneur Becafigue, une
chose qui paraît si juste, ce n'est point par un caprice
qui nous soit particulier, il faut vous raconter l'étrange
aventure de notre fille, afin que vous y preniez part.

» Une fée au moment de sa naissance la prit en
aversion, et la menaça d'une très grande infortune,
si elle voyait le jour avant l'âge de quinze ans ; nous
la tenons dans un palais, où les plus beaux appartements sont sous terre. Comme nous étions dans la
résolution de vous y mener, la fée Tulipe nous a
prescrit de n'en rien faire. — Eh quoi, Sire ! répliqua
l'ambassadeur, aurai-je le chagrin de m'en retourner
sans elle ? Vous l'accordez au roi mon maître pour
son fils, elle est attendue avec mille impatiences :
est-il possible que vous vous arrêtiez à des bagatelles comme sont les prédictions des fées ? Voilà le

portrait du prince Guerrier que j'ai ordre de lui présenter ; il est si ressemblant que je crois le voir lui-
même, lorsque je le regarde. » Il le déploya aussitôt,
le portrait, qui n'était instruit que pour parler de
la princesse, dit : «Belle Désirée, vous ne pouvez
imaginer avec quelle ardeur je vous attends : venez
bientôt dans notre Cour l'orner des grâces qui vous
rendent incomparable. » Le portrait ne dit plus rien,
le roi et la reine demeurèrent si surpris, qu'ils prièrent Becafigue de le leur donner pour le porter à
la princesse ; il en fut ravi, et le remit entre leurs
mains.

   La reine n'avait point parlé jusqu'alors à sa fille
de ce qui se passait, elle avait même défendu aux
dames qui étaient auprès d'elle de lui rien dire de
l'arrivée de l'ambassadeur ; elles ne lui avaient pas
obéi, et la princesse savait qu'il s'agissait d'un grand
mariage ; mais elle était si prudente, qu'elle n'en
avait rien témoigné à sa mère. Quand elle lui montra le portrait du prince qui parlait, et qui lui fit un
compliment aussi tendre que galant, elle en fut fort
surprise ; car elle n'avait rien vu d'égal à cela, et la
bonne mine du prince, l'air d'esprit, la régularité
de ses traits, ne l'étonnaient pas moins que ce que
disait le portrait. «Seriez-vous fâchée, lui dit la
reine en riant, d'avoir un époux qui ressemblât à ce
prince ? — Madame, répliqua-t-elle, ce n'est point à
moi à faire un choix ; ainsi je serai toujours contente
de celui que vous me destinerez. — Mais enfin, ajouta
la reine, si le sort tombait sur lui, ne vous estime-
riez-vous pas heureuse ?» Elle rougit, baissa les
yeux et ne répondit rien. La reine la prit entre ses
bras et la baisa plusieurs fois ; elle ne put s'empêcher de verser des larmes, lorsqu'elle pensa qu'elle
était sur le point de la perdre ; car il ne s'en fallait
plus que trois mois qu'elle n'eût quinze ans ; et
cachant son déplaisir, elle lui déclara tout ce qui la

regardait dans l'ambassade du célèbre Becafigue,
elle lui donna même les raretés qu'il avait apportées
pour lui présenter. Elle les admira, elle loua avec
beaucoup de goût ce qu'il y avait de plus curieux ;
mais de temps en temps, ses regards s'échappaient
pour s'attacher sur le portrait du prince, avec un
plaisir qui lui avait été inconnu jusqu'alors.

L'ambassadeur voyant qu'il faisait des instances
inutiles pour qu'on lui donnât la princesse, et qu'on
se contentait de lui promettre, mais si solennelle-
ment qu'il n'y avait pas lieu d'en douter, demeura peu
auprès du roi et retourna en poste rendre compte à
ses maîtres de sa négociation.

Quand le prince sut qu'il ne pouvait espérer sa
chère Désirée de plus de trois mois, il fit des plaintes
qui affligèrent toute la Cour ; il ne dormait plus, il
ne mangeait point ; il devint triste et rêveur, la vivacité de son teint se changea en couleur de soucis, il
demeurait des jours entiers couché sur un canapé
dans son cabinet à regarder le portrait de sa princesse, il lui écrivait à tous moments et présentait les
lettres à ce portrait, comme s'il eût été capable de
les lire ; enfin ses forces diminuèrent peu à peu, il
tomba dangereusement malade, et pour en deviner
la cause, il ne fallait ni médecins ni docteurs.

Le roi se désespérait, il aimait son fils plus tendrement que jamais père n'a aimé le sien. Il se trouvait sur le point de le perdre : quelle douleur pour
un père ! Il ne voyait aucun remède qui pût guérir
le prince, il souhaitait Désirée, sans elle il fallait
mourir. Il prit donc la résolution, dans une si grande
extrémité, d'aller trouver le roi et la reine qui
l'avaient promise, pour les conjurer d'avoir pitié de
l'état où le prince était réduit, et de ne plus différer
un mariage qui ne se ferait jamais, s'ils voulaient
obstinément attendre que la princesse eût quinze ans.

Cette démarche était extraordinaire ; mais il l'au-

rait été bien davantage qu'il eût laissé périr un fils si
aimable et si cher. Cependant il se trouva une difficulté qui était insurmontable : c'est que son grand
âge ne lui permettait que d'aller en litière, et cette
voiture s'accordait mal avec l'impatience de son fils ;
de sorte qu'il envoya en poste le fidèle Becafigue, et
il écrivit les lettres du monde les plus touchantes,
pour engager le roi et la reine à ce qu'il souhaitait.

Pendant ce temps, Désirée n'avait guère moins de
plaisir à voir le portrait du prince, qu'il en avait à
regarder le sien. Elle allait à tout moment dans le
lieu où il était, et quelques soins qu'elle prît de
cacher ses sentiments, on ne laissait pas de les
pénétrer : entre autres Giroflée et Longue Épine, qui
étaient ses filles d'honneur, s'aperçurent des petites
inquiétudes qui commençaient à la tourmenter. Giroflée l'aimait passionnément et lui était fidèle ; Longue
Épine de tout temps sentait une jalousie secrète de
son mérite et de son rang : sa mère avait élevé la
princesse ; après avoir été sa gouvernante elle devint
sa dame d'honneur ; elle aurait dû l'aimer comme la
chose du monde la plus aimable, sans qu'elle chérissait sa fille jusqu'à la folie, et voyant la haine
qu'elle avait pour la belle princesse, elle ne pouvait
lui vouloir du bien.

L'ambassadeur que l'on avait dépêché à la cour
de la princesse Noire ne fut pas bien reçu, lorsqu'on apprit le compliment dont il était chargé ;
cette Éthiopienne était la plus vindicative créature
du monde ; elle trouva que c'était la traiter cavaliè-
rement, après avoir pris des engagements avec elle,
de lui envoyer dire ainsi qu'on la remerciait. Elle
avait vu un portrait du prince dont elle s'était enté-
tée, et les Éthiopiennes quand elles se mêlent d'aimer, aiment avec plus d'extravagance que les autres :
« Comment, monsieur l'ambassadeur, dit-elle, est-ce
que votre maître ne me croit pas assez riche et assez

belle ? Promenez-vous dans mes États, vous trouverez qu'il n'en est guère de plus vastes, venez dans
mon trésor royal, voir plus d'or que toutes les mines
du Pérou n'en ont jamais fourni ; enfin regardez la
noirceur de mon teint, ce nez écrasé, ces grosses
lèvres, n'est-ce pas ainsi qu'il faut être pour être
belle[1] ? — Madame, répondit l'ambassadeur, qui
craignait les bastonnades (plus que tous ceux qu'on
envoie à la Porte[2]), je blâme mon maître, autant
qu'il est permis à un sujet, et si le Ciel m'avait mis
sur le premier trône de l'univers, je sais vraiment
bien à qui je l'offrirais. — Cette parole vous sauvera
la vie, lui dit-elle, j'avais résolu de commencer ma
vengeance sur vous ; mais il y aurait de l'injustice,
puisque vous n'êtes pas cause du mauvais procédé
de votre prince : allez lui dire qu'il me fait plaisir de
rompre avec moi, parce que je n'aime pas les mal-
honnêtes gens.» L'ambassadeur qui ne demandait
pas mieux que son congé, l'eut à peine obtenu qu'il
en profita.

Mais l'Éthiopienne était trop piquée contre le
prince Guerrier pour lui pardonner, elle monta dans
un char d'ivoire, traîné par six autruches, qui faisaient dix lieues par heure. Elle se rendit au palais
de la Fée de la Fontaine ; c'était sa marraine et sa
meilleure amie : elle lui raconta son aventure et la
pria avec les dernières instances, de servir son ressentiment. La fée fut sensible à la douleur de sa
filleule, elle regarda dans le Livre qui dit tout, et elle
connut aussitôt que le prince Guerrier ne quittait la
princesse Noire que pour la princesse Désirée, qu'il
l'aimait éperdument, et qu'il était même malade de
la seule impatience de la voir. Cette connaissance
ralluma sa colère qui était presque éteinte, et comme
elle ne l'avait point vue depuis le moment de sa
naissance, il est à croire qu'elle aurait négligé de lui
faire du mal, si la vindicative Noiron ne l'en avait

pas conjurée : « Quoi ! s'écria-t-elle, cette malheureuse Désirée veut donc toujours me déplaire ? Non,
charmante princesse, non, ma mignonne, je ne souf-
frirai pas qu'on te fasse un affront ; les cieux et tous
les éléments s'intéressent dans cette affaire : retourne
chez toi, et te repose sur ta chère marraine. » La
princesse Noire la remercia, elle lui fit des présents
de fleurs et de fruits, qu'elle reçut fort agréablement.

L'ambassadeur Becafigue s'avançait en toute diligence vers la ville capitale où le père de Désirée faisait son séjour, il se jeta aux pieds du roi et de la
reine, il versa beaucoup de larmes et leur dit dans
les termes les plus touchants, que le prince Guerrier
mourrait s'ils lui retardaient plus longtemps le plaisir de voir la princesse leur fille, qu'il ne s'en fallait
plus que trois mois qu'elle n'eût quinze ans, qu'il ne
lui pouvait rien arriver de fâcheux dans un espace si
court, qu'il prenait la liberté de les avertir qu'une si
grande crédulité pour de petites fées, faisait tort à la
majesté royale ; enfin il harangua si bien, qu'il eut le
don de persuader. L'on pleura avec lui, se représen-
tant le triste état où le jeune prince était réduit, et
puis on lui dit qu'il fallait quelques jours pour se
déterminer et lui répondre. Il repartit, qu'il ne pouvait donner que quelques heures, que son maître
était à l'extrémité, qu'il s'imaginait que la princesse
le haïssait, et que c'était elle qui retardait son voyage ;
on l'assura donc que le soir il saurait ce qu'on pouvait faire.

La reine courut au palais de sa chère fille, elle lui
conta tout ce qui se passait. Désirée sentit alors une
douleur sans pareille, son cœur se serra, elle s'évanouit, et la reine connut les sentiments qu'elle avait
pour le prince : « Ne vous affligez point, ma chère
enfant, lui dit-elle, vous pouvez tout pour sa guérison, je ne suis inquiète que pour les menaces que
la Fée de la Fontaine fit à votre naissance. — Je

me flatte, Madame, répliqua-t-elle, qu'en prenant quelques mesures nous tromperons la méchante fée : par exemple, ne pourrais-je pas aller dans un carrosse tout fermé où je ne verrais point le jour ? On l'ouvrirait la nuit pour nous donner à manger ; ainsi j'arriverais heureusement chez le prince Guerrier. »

La reine goûta beaucoup cet expédient, elle en fit part au roi qui l'approuva aussi ; de sorte qu'on envoya dire à Becafigue de venir promptement, et il reçut des assurances certaines que la princesse partirait au plus tôt, qu'ainsi il n'avait qu'à s'en retourner pour donner cette bonne nouvelle à son maître, et que pour se hâter davantage on négligerait de lui faire l'équipage et les riches habits qui convenaient à son rang. L'ambassadeur transporté de joie, se jeta encore aux pieds de Leurs Majestés pour les remercier ; il partit ensuite sans avoir vu la princesse.

La séparation du roi et de la reine lui aurait semblé insupportable, si elle avait été moins prévenue en faveur du prince ; mais il est de certains sentiments qui étouffent presque tous les autres. On lui fit un carrosse de velours vert par dehors, orné de grandes plaques d'or, et par dedans, de brocart d'argent et couleur de rose rebrodé ; il n'y avait aucune glace, il était fort grand, il fermait mieux qu'une boîte, et un seigneur des premiers du royaume fut chargé des clefs qui ouvraient les serrures qu'on avait mises aux portières.

> Autour d'elle on voyait les Grâces,
> Les Ris, les Plaisirs et les Jeux,
> Et les Amours respectueux
> Empressés à suivre ses traces ;
> Elle avait l'air majestueux,
> Avec une douceur céleste ;
> Elle s'attirait tous les vœux,
> Sans compter ici tout le reste,

Elle avait les mêmes attraits
Que fit briller Adélaïde [1],
Quand l'Hymen lui servant de guide,
Elle vint dans ces lieux pour cimenter la paix.

L'on nomma peu d'officiers pour l'accompagner, afin qu'une peu nombreuse suite n'embarrassât point ; et après lui avoir donné les plus belles pierreries du monde, et quelques habits très riches, après, dis-je, des adieux qui pensèrent faire étouffer le roi, la reine et toute la Cour à force de pleurer, on l'enferma dans le carrosse sombre avec sa dame d'honneur, Longue Épine et Giroflée.

On a peut-être oublié que Longue Épine n'aimait point la princesse Désirée ; mais elle aimait fort le prince Guerrier, car elle avait vu son portrait parlant. Le trait qui l'avait blessée était si vif, qu'étant sur le point de partir, elle dit à sa mère qu'elle mourrait si le mariage de la princesse s'accomplissait, et que, si elle voulait la conserver, il fallait absolument qu'elle trouvât un moyen de rompre cette affaire. La dame d'honneur lui dit de ne se point affliger, qu'elle tâcherait de remédier à sa peine, en la rendant heureuse.

Lorsque la reine envoya sa chère enfant, elle la recommanda au-delà de tout ce qu'on peut dire à cette mauvaise femme : « Quel dépôt ne vous confié-je pas ? lui dit-elle. C'est plus que ma vie : prenez soin de la santé de ma fille ; mais surtout, soyez soigneuse d'empêcher qu'elle ne voie le jour, tout serait perdu : vous savez de quels maux elle est menacée, et je suis convenue avec l'ambassadeur du prince Guerrier, que jusqu'à ce qu'elle ait quinze ans on la mettra dans un château, où elle ne verra aucune lumière que celle des bougies. » La reine combla cette dame de présents, pour l'engager à une plus grande exactitude, elle lui promit de veiller à la

conservation de la princesse et de lui en rendre bon
compte aussitôt qu'elles seraient arrivées.

Ainsi le roi et la reine se reposant sur ses soins,
n'eurent point d'inquiétude pour leur chère fille ;
cela servit en quelque façon à modérer la douleur que
son éloignement leur causait. Mais Longue Épine
qui apprenait tous les soirs, par les officiers de la
princesse qui ouvraient le carrosse pour lui servir à
souper, que l'on approchait de la ville où elles étaient
attendues, pressait sa mère d'exécuter son dessein,
craignant que le roi ou le prince ne vinssent au-
devant d'elle, et qu'il ne fût plus temps ; de sorte
qu'environ l'heure de midi, où le soleil darde ses
rayons avec force, elle coupa tout d'un coup l'impériale[1] du carrosse où elles étaient renfermées avec
un grand couteau fait exprès, qu'elle avait apporté.
Alors, pour la première fois, la princesse Désirée vit
le jour. À peine l'eut-elle regardé et poussé un profond soupir, qu'elle se précipita du carrosse sous la
forme d'une biche blanche, et se mit à courir jusqu'à la forêt prochaine, où elle s'enfonça dans un
lieu sombre, pour y regretter sans témoins, la charmante figure qu'elle venait de perdre[2].

La Fée de la Fontaine, qui conduisait cette étrange
aventure, voyant que tous ceux qui accompagnaient
la princesse se mettaient en devoir, les uns de la
suivre et les autres d'aller à la ville, pour avertir
le prince Guerrier du malheur qui venait d'arriver,
sembla aussitôt bouleverser la nature ; les éclairs et
le tonnerre effrayèrent les plus assurés, et par son
merveilleux savoir, elle transporta tous ses gens fort
loin, afin de les éloigner du lieu où leur présence lui
déplaisait.

Il ne resta que la dame d'honneur, Longue Épine
et Giroflée. Celle-ci courut après sa maîtresse, faisant retentir les bois et les rochers de son nom et de
ses plaintes. Les deux autres ravies d'être en liberté,

ne perdirent pas un moment à faire ce qu'elles
avaient projeté. Longue Épine mit les plus riches
habits de Désirée. Le manteau royal qui avait été fait
pour ses noces, était d'une richesse sans pareille, et
la couronne avait des diamants deux ou trois fois
gros comme le poing, son sceptre était d'un seul
rubis, le globe qu'elle tenait dans l'autre main, d'une
perle plus grosse que la tête ; cela était rare et très
lourd à porter ; mais il fallait persuader qu'elle était
la princesse, et ne rien négliger de tous les ornements royaux.

En cet équipage, Longue Épine suivie de sa mère
qui portait la queue de son manteau, s'achemine
vers la ville. Cette fausse princesse marchait gravement, elle ne doutait pas que l'on ne vînt les recevoir ;
et en effet elles n'étaient guère avancées, quand elles
aperçurent un gros[1] de cavalerie, et au milieu deux
litières brillantes d'or et de pierreries, portées par
des mulets ornés de longs panaches de plumes vertes
(c'était la couleur favorite de la princesse[2]). Le roi
qui était dans l'une et le prince malade dans l'autre,
ne savaient que juger de ces dames qui venaient à
eux. Les plus empressés galopèrent vers elles, et
jugèrent par la magnificence de leurs habits qu'elles
devaient être des personnes de distinction. Ils mirent
pied à terre et les abordèrent respectueusement :
« Obligez-moi de m'apprendre, leur dit Longue Épine,
qui est dans ces litières. — Madame, répliquèrent-ils,
c'est le roi et le prince son fils, qui viennent au-
devant de la princesse Désirée. — Allez, je vous prie,
leur dire, continua-t-elle, que la voici ; une fée jalouse
de mon bonheur, a dispersé tous ceux qui m'accompagnaient, par une centaine de coups de tonnerre,
d'éclairs et de prodiges surprenants ; mais voici ma
dame d'honneur, qui est chargée des lettres du roi
mon père et de mes pierreries. »

Aussitôt ces cavaliers lui baisèrent le bas de sa

robe, et furent en diligence annoncer au roi que la princesse approchait : « Comment ! s'écria-t-il, elle vient à pied en plein jour ? » Ils lui racontèrent ce qu'elle leur avait dit. Le prince brûlant d'impatience, les appela, et sans leur faire aucune question : « Avouez, leur dit-il, que c'est un prodige de beauté, un miracle, une princesse tout accomplie. » Ils ne répondirent rien, et surprirent le prince : « Pour avoir trop à louer, continua-t-il, vous aimez mieux vous taire ? — Seigneur, vous l'allez voir, lui dit le plus hardi d'entre eux ; apparemment que la fatigue du voyage l'a changée. » Le prince demeura surpris ; s'il avait été moins faible, il se serait précipité de la litière, pour satisfaire son impatience et sa curiosité. Le roi descendit de la sienne, et s'avançant avec toute la Cour, il joignit la fausse princesse ; mais aussitôt qu'il eut jeté les yeux sur elle, il poussa un grand cri ; et reculant de quelques pas : « Que vois-je ? dit-il, quelle perfidie ! — Sire, dit la dame d'honneur en s'avançant hardiment : voici la princesse Désirée avec les lettres du roi et de la reine ; je remets aussi entre vos mains la cassette de pierreries dont ils me chargèrent en partant. »

Le roi gardait à tout cela un morne silence, et le prince s'appuyant sur Becafigue s'approcha de Longue Épine : Ô dieux ! que devint-il après avoir considéré cette fille, dont la taille extraordinaire faisait peur ? Elle était si grande, que les habits de la princesse lui couvraient à peine les genoux, sa maigreur [était] affreuse, son nez plus crochu que celui d'un perroquet brillait d'un rouge luisant, il n'a jamais été des dents plus noires et plus mal rangées ; enfin elle était aussi laide que Désirée était belle.

Le prince qui n'était occupé que de la charmante idée de sa princesse, demeura transi et comme immobile à la vue de celle-ci, il n'avait pas la force

de proférer une parole, il la regardait avec étonnement; et s'adressant ensuite au roi : «Je suis trahi,
lui dit-il, ce merveilleux portrait sur lequel j'enga-
geai ma liberté, n'a rien de la personne qu'on nous
envoie, l'on a cherché à nous tromper, l'on y a
réussi, il m'en coûtera la vie. — Comment l'enten-
dez-vous, Seigneur ? dit Longue Épine : l'on a cherché à vous tromper ? Sachez que vous ne le serez
jamais en m'épousant.» Son effronterie et sa fierté
n'avaient pas d'exemples. La dame d'honneur ren-
chérissait encore par-dessus : «Ha! ma belle princesse, s'écriait-elle, où sommes-nous venues ? Est-ce
ainsi que l'on reçoit une personne de votre rang ?
Quelle inconstance! quel procédé! Le roi votre père
en saura bien tirer raison. — C'est nous qui nous la
ferons faire, répliqua le roi; il nous avait promis
une belle princesse, il nous envoie un squelette, une
momie qui fait peur : je ne m'étonne plus qu'il ait
gardé ce beau trésor caché pendant quinze ans, il
voulait attraper quelque dupe, c'est sur nous que le
sort a tombé; mais il n'est pas impossible de s'en
venger.»

    «Quels outrages! s'écria la fausse princesse : ne
suis-je pas bien malheureuse, d'être venue sur la
parole de telles gens ? Voyez que l'on a grand tort de
s'être fait peindre un peu plus belle que l'on n'est!
cela n'arrive-t-il pas tous les jours ? Si pour tels
inconvénients, les princes renvoyaient leurs fian-
cées, peu se marieraient.»

    Le roi et le prince transportés de colère, ne dai-
gnèrent pas lui répondre, ils remontèrent chacun
dans leur litière, et sans autre cérémonie, un garde
du corps mit la princesse en trousse derrière lui, et
la dame d'honneur fut traitée de même; on les mena
dans la ville; par ordre du roi elles furent enfermées
dans le château des Trois Pointes[1].

    Le prince Guerrier avait été si accablé du coup

qui venait de le frapper, que son affliction s'était
toute renfermée dans son cœur. Lorsqu'il eut assez
de force pour se plaindre, que ne dit-il pas sur sa
cruelle destinée? Il était toujours amoureux, et
n'avait pour tout objet de sa passion qu'un portrait.
Ses espérances ne subsistaient plus, toutes ses idées
si charmantes qu'il s'était faites sur la princesse
Désirée se trouvaient échouées; il aurait mieux
aimé mourir que d'épouser celle qu'il prenait pour
elle; enfin, jamais désespoir n'a été égal au sien, il
ne pouvait plus souffrir la Cour, et il résolut, dès
que sa santé put lui permettre, de s'en aller secrètement, et de se rendre dans quelque lieu solitaire
pour y passer le reste de sa triste vie.

Il ne communiqua son dessein qu'au fidèle Becafigue, il était bien persuadé qu'il le suivrait partout,
et il le choisit pour parler avec lui plus souvent
qu'avec un autre, du mauvais tour qu'on lui avait
joué. À peine commença-t-il à se porter mieux, qu'il
partit et laissa une grande lettre pour le roi, sur la
table de son cabinet, l'assurant qu'aussitôt que son
esprit serait un peu tranquillisé, il reviendrait auprès
de lui; mais qu'il le suppliait en attendant, de penser à leur commune vengeance et de retenir toujours la laide princesse prisonnière.

Il est aisé de juger de la douleur qu'eut le roi, lorsqu'il reçut cette lettre. La séparation d'un fils si
cher, pensa le faire mourir. Pendant que tout le
monde était occupé à le consoler, le prince et Becafigue s'éloignaient, et au bout de trois jours ils se
trouvèrent dans une vaste forêt, si sombre par l'épais-
seur des arbres, si agréable par la fraîcheur de
l'herbe et des ruisseaux qui coulaient de tous côtés,
que le prince fatigué de la longueur du chemin (car
il était encore malade) descendit de cheval et se jeta
tristement sur la terre, sa main sous sa tête, ne pouvant presque parler, tant il était faible: «Seigneur,

lui dit Becafigue, pendant que vous allez vous reposer, je vais chercher quelques fruits pour vous rafraîchir, et reconnaître un peu le lieu où nous sommes. »
Le prince ne lui répondit rien, il lui témoigna seulement par un signe qu'il le pouvait.

Il y a longtemps que nous avons laissé la Biche au Bois, je veux parler de l'incomparable princesse. Elle pleura en biche désolée, lorsqu'elle vit sa figure dans une fontaine qui lui servit de miroir : « Quoi ! c'est moi ? disait-elle. C'est aujourd'hui que je me trouve réduite à subir la plus étrange aventure qui puisse arriver du règne des fées à une innocente princesse telle que je suis ; combien durera ma métamorphose ? Où me retirer, pour que les lions, les ours et les loups ne me dévorent point ? Comment pourrai-je manger de l'herbe ? » Enfin elle se faisait mille questions, et ressentait la plus cruelle douleur qu'il est possible ; il est vrai que si quelque chose pouvait la consoler, c'est qu'elle était une aussi belle biche, qu'elle avait été belle princesse.

La faim pressant Désirée, elle brouta l'herbe de bon appétit, et demeura surprise que cela pût être. Ensuite elle se coucha sur la mousse, la nuit la surprit, elle la passa avec des frayeurs inconcevables[1]. Elle entendait les bêtes féroces proche d'elle, et souvent, oubliant qu'elle était biche, elle essayait de grimper sur un arbre. La clarté du jour la rassura un peu ; elle admirait sa beauté, et le soleil lui paraissait quelque chose de si merveilleux qu'elle ne se lassait point de le regarder ; tout ce qu'elle en avait entendu dire lui semblait fort au-dessous de ce qu'elle voyait ; c'était l'unique consolation qu'elle pouvait trouver dans un lieu si désert ; elle y resta toute seule pendant plusieurs jours.

La fée Tulipe, qui avait toujours aimé cette princesse, ressentait vivement son malheur ; mais elle avait un véritable dépit, que la reine et elle eussent

fait si peu de cas de ses avis; car elle leur avait dit
plusieurs fois, que si la princesse partait avant que
d'avoir quinze ans elle s'en trouverait mal; cependant elle ne voulait point l'abandonner aux furies de
la Fée de la Fontaine, et ce fut elle qui conduisit les
pas de Giroflée vers la forêt, afin que cette fidèle
confidente pût la consoler dans sa disgrâce.

Cette belle biche passait doucement le long d'un
ruisseau quand Giroflée, qui ne pouvait presque
plus marcher, se coucha pour se reposer. Elle rêvait
tristement de quel côté elle pourrait aller pour trouver sa chère princesse. Lorsque la biche l'aperçut,
elle franchit tout d'un coup le ruisseau, qui était
large et profond, elle vint se jeter sur Giroflée et lui
faire mille caresses. Elle en demeura surprise, elle
ne savait si les bêtes de ce canton avaient quelque
amitié particulière pour les hommes, qui les rendis-
sent humaines, ou si elle la connaissait; car enfin il
était fort singulier, qu'une biche s'avisât de faire si
bien les honneurs de la forêt. Elle la regarda attentivement, et vit avec une extrême surprise de grosses
larmes qui coulaient de ses yeux; elle ne douta plus
que ce ne fût sa chère princesse. Elle prit ses pieds,
elle les baisa, avec autant de respect qu'elle avait
baisé ses mains. Elle lui parla, et connut que la biche
l'entendait, mais qu'elle ne pouvait lui répondre; les
larmes et les soupirs redoublèrent de part et d'autre.
Giroflée promit à sa maîtresse qu'elle ne la quitte-
rait point, la biche lui fit mille petits signes de la tête
et des yeux, qui marquaient qu'elle en serait très
aise, et qu'elle la consolerait d'une partie de ses
peines.

Elles étaient demeurées presque tout le jour
ensemble, Bichette eut peur que sa fidèle Giroflée
n'eût besoin de manger, elle la conduisit dans un
endroit de la forêt où elle avait remarqué des fruits
sauvages, qui ne laissaient pas d'être bons. Elle en

prit quantité, car elle mourait de faim ; mais après
que sa collation fut finie, elle tomba dans une grande
inquiétude, ne sachant où elles se retireraient pour
dormir ; car de rester au milieu de la forêt, exposées
à tous les périls qu'elles pouvaient courir, il n'était
pas possible de s'y résoudre. « N'êtes-vous point
effrayée, charmante Biche, lui dit-elle, de passer la
nuit ici ? » La biche leva les yeux vers le ciel, et soupira. « Mais, continua Giroflée, vous avez déjà parcouru une partie de cette vaste solitude, n'y a-t-il
point de maisonnette, un charbonnier, un bûcheron, un ermitage ? » La biche marqua par les mouvements de sa tête, qu'elle n'avait rien vu. « Ô dieux !
s'écria Giroflée, je ne serai pas en vie demain :
quand j'aurais le bonheur d'éviter les tigres et les
ours, je suis certaine que la peur suffit pour me tuer,
et ne croyez pas au reste, ma chère princesse, que je
regrette la vie par rapport à moi, je la regrette par
rapport à vous. Hélas ! vous laisser dans ces lieux
dépourvue de toute consolation ! Se peut-il rien de
plus triste ? » La petite biche se prit à pleurer, elle
sanglotait presque comme une personne.

Ses larmes touchèrent la fée Tulipe, qui l'aimait
tendrement ; malgré sa désobéissance elle avait toujours veillé à sa conservation ; et paraissant tout
d'un coup : « Je ne veux point vous gronder, lui dit-
elle, l'état où je vous vois me fait trop de peine. »
Bichette et Giroflée l'interrompirent en se jetant à
ses genoux : la première lui baisait les mains et la
caressait le plus joliment du monde, l'autre la conjurait d'avoir pitié de la princesse, et de lui rendre sa
figure naturelle : « Cela ne dépend pas de moi, dit
Tulipe ; celle qui lui fait tant de mal a beaucoup de
pouvoir ; mais j'accourcirai le temps de sa pénitence,
et pour l'adoucir, aussitôt que [le jour laissera sa
place à la nuit [1]], elle quittera sa forme de biche ; mais
à peine l'aurore paraîtra-t-elle qu'il faudra qu'elle la

reprenne, et qu'elle coure les plaines et les forêts comme les autres.»

C'était déjà beaucoup de cesser d'être biche pendant la nuit, la princesse en témoigna sa joie par des sauts et des bonds qui réjouirent Tulipe : «Avancez-vous, leur dit-elle, dans ce petit sentier, vous y trouverez une cabane assez propre pour un endroit champêtre.» En achevant ces mots elle disparut; Giroflée obéit, elle entra avec Bichette dans la route qu'elles voyaient, et trouvèrent une vieille femme, assise sur le pas de la porte, qui achevait un panier d'osier fort fin. Giroflée la salua : «Voudriez-vous, ma bonne mère, lui dit-elle, me retirer[1] avec ma biche? Il me faudrait une petite chambre. — Oui ma belle fille, répondit-elle, je vous donnerai volontiers une retraite ici; entrez avec votre biche.» Elle les mena aussitôt dans une chambre très jolie, toute boisée de merisier, il y avait deux petits lits de toile blanche, des draps fins, et tout paraissait si simple et si propre, que la princesse a dit depuis qu'elle n'avait rien trouvé de plus à son gré.

Dès que la nuit fut entièrement venue, Désirée cessa d'être biche; elle embrassa cent fois sa chère Giroflée, elle la remercia de l'affection qui l'engageait à suivre sa fortune, et lui promit qu'elle rendrait la sienne très heureuse, dès que sa pénitence serait finie.

La vieille vint frapper doucement à leur porte, et sans entrer, elle donna des fruits excellents à Giroflée, dont la princesse mangea avec grand appétit; ensuite elles se couchèrent, et sitôt que le jour parut, Désirée étant devenue biche, se mit à gratter à la porte afin que Giroflée lui ouvrît. Elles se témoignèrent un sensible regret de se séparer, quoique ce ne fût pas pour longtemps, et Bichette s'étant élancée dans le plus épais du bois, elle commença d'y courir à son ordinaire.

J'ai déjà dit que le prince Guerrier s'était arrêté dans la forêt, et que Becafigue la parcourait pour trouver quelques fruits. Il était assez tard lorsqu'il se rendit à la maisonnette de la bonne vieille dont j'ai parlé. Il lui parla civilement, et lui demanda les choses dont il avait besoin pour son maître. Elle se hâta d'emplir une corbeille et lui donna: « Je crains, dit-elle, que si vous passez la nuit ici sans retraite, il ne vous arrive quelque accident; je vous en offre une, bien pauvre, mais au moins elle met à l'abri des lions. » Il la remercia, et lui dit qu'il était avec un de ses amis, qu'il allait lui proposer de venir chez elle. En effet, il sut si bien persuader le prince, qu'il se laissa conduire chez cette bonne femme. Elle était encore à sa porte, et sans faire aucun bruit, elle les mena dans une chambre semblable à celle que la princesse occupait, si proches l'une de l'autre, qu'elles n'étaient séparées que par une cloison.

Le prince passa la nuit avec ses inquiétudes ordinaires; dès que les premiers rayons du soleil eurent brillé à ses fenêtres, il se leva, et pour divertir sa tristesse, il sortit dans la forêt, disant à Becafigue de ne point venir avec lui. Il marcha longtemps sans tenir aucune route certaine; enfin il arriva dans un lieu assez spacieux, couvert d'arbres et de mousses, aussitôt une biche en partit. Il ne put s'empêcher de la suivre, son penchant dominant était pour la chasse: mais il n'était plus si vif depuis la passion qu'il avait dans le cœur. Malgré cela il poursuivit la pauvre biche, et de temps en temps, il lui décochait des traits qui la faisaient mourir de peur, quoiqu'elle n'en fût pas blessée; car son amie Tulipe la garantissait, et il ne fallait pas moins que la main secourable d'une fée, pour la préserver de périr sous des coups si justes. L'on n'a jamais été si lasse que l'était la princesse des biches, l'exercice qu'elle faisait lui était bien nouveau; enfin elle se détourna à un sentier, si heureusement que le dangereux chasseur la perdant de vue, et se trouvant lui-même extrêmement fatigué, il ne s'obstina pas à la suivre.

Le jour s'était passé de cette manière, la biche vit avec joie l'heure de se retirer, elle tourna ses pas vers la maison où Giroflée l'attendait impatiemment. Dès qu'elle fut dans sa chambre elle se jeta sur le lit, haletant; elle était tout en nage. Giroflée lui fit mille caresses, elle mourait d'envie de savoir ce qui lui était arrivé. L'heure de se débichonner[1] étant arrivée, la belle princesse reprit sa forme ordinaire, jetant les bras au cou de sa favorite. « Hélas ! lui dit-elle, je croyais n'avoir à craindre que la Fée de la Fontaine, et les cruels hôtes des forêts; mais j'ai été poursuivie aujourd'hui par un jeune chasseur, que j'ai vu à peine tant j'étais pressée de fuir, mille traits décochés après moi me menaçaient d'une mort inévitable; j'ignore encore par quel bonheur j'ai pu m'en sauver. — Il ne faut plus sortir, ma princesse, répliqua Giroflée, passez dans cette chambre le temps fatal de votre pénitence, j'irai dans la ville la plus proche acheter des livres pour vous divertir, nous lirons les contes nouveaux que l'on a faits sur les fées[2], nous ferons des vers et des chansons. — Tais-toi, ma chère fille, reprit la princesse, la charmante idée du prince Guerrier suffit pour m'occuper agréablement; mais le même pouvoir qui me réduit pendant le jour à la triste condition de biche, me force malgré moi de faire ce qu'elles font; je cours, je saute et je mange l'herbe comme elles; dans ce temps-là une chambre me serait insupportable. » Elle était si harassée de la chasse, qu'elle demanda promptement à manger; ensuite ses beaux yeux se fermèrent jusqu'au lever de l'aurore. Dès qu'elle l'aperçut, la métamorphose ordinaire se fit, et elle retourna dans la forêt.

Le prince de son côté était venu sur le soir

rejoindre son favori : «J'ai passé le temps, lui dit-il,
à courir après la plus belle biche que j'aie jamais
vue, elle m'a trompé cent fois avec une adresse merveilleuse, j'ai tiré si juste, que je ne comprends point
comment elle a évité mes coups ; aussitôt qu'il fera
jour, j'irai la chercher encore, et ne la manquerai
point.» En effet ce jeune prince, qui voulait éloigner de son cœur une idée qu'il croyait chimérique,
n'étant pas fâché que la passion de la chasse l'occu-
pât, se rendit de bonne heure dans le même endroit
où il avait trouvé la biche ; mais elle se garda bien
d'y aller, craignant une aventure semblable à celle
qu'elle avait eue. Il jeta les yeux de tous côtés, il
marcha longtemps ; et comme il s'était échauffé, il
fut ravi de trouver des pommes, dont la couleur lui
fit plaisir[1] ; il en cueillit, il en mangea, et presque
aussitôt il s'endormit d'un profond sommeil, il se
jeta sur l'herbe fraîche sous des arbres, où mille
oiseaux semblaient s'être donné rendez-vous.

Dans le temps qu'il dormait, notre craintive biche
avide des lieux écartés[2], passa dans celui où il était.
Si elle l'avait aperçu plus tôt elle aurait fui ; mais
elle se trouva si proche de lui, qu'elle ne put s'empêcher de le regarder, et son assoupissement la rassura si bien qu'elle se donna le loisir de considérer
tous ses traits : ô dieux ! que devint-elle, quand elle
le reconnut ! Son esprit était trop rempli de sa charmante idée pour l'avoir perdue en si peu de temps ;
Amour, Amour, que veux-tu donc, faut-il que Bichette
s'expose à perdre la vie par les mains de son amant ?
Oui, elle s'y expose, il n'y a plus moyen de songer à
sa sûreté. Elle se coucha à quelques pas de lui, et
ses yeux ravis de le voir, ne pouvaient s'en détourner un moment : elle soupirait, elle poussait de petits
gémissements ; enfin devenant plus hardie, elle s'approcha encore davantage, et elle le touchait lorsqu'il s'éveilla.

Sa surprise parut extrême, il reconnut la même biche qui lui avait donné tant d'exercice et qu'il avait cherchée longtemps ; mais la trouver si familière lui paraissait une chose rare. Elle n'attendit pas qu'il eût essayé de la prendre, elle s'enfuit de toute sa force, et il la suivit de toute la sienne. De temps en temps ils s'arrêtaient pour reprendre haleine ; car la belle biche était encore lasse d'avoir tant couru la veille, et le prince ne l'était pas moins qu'elle ; mais ce qui ralentissait le plus la fuite de Bichette, hélas ! faut-il le dire ? c'était la peine de s'éloigner de celui qui l'avait plus blessée par son mérite, qu'il ne pouvait la blesser par toutes les flèches qu'il tirait sur elle. Il la voyait très souvent qui tournait la tête vers lui, comme pour lui demander s'il voulait qu'elle pérît sous ses coups, et lorsqu'il était sur le point de la joindre, elle faisait de nouveaux efforts pour se sauver. «Ha ! si tu pouvais m'entendre, petite biche, lui criait-il, tu ne m'éviterais pas, je t'aime, je veux te nourrir, tu es charmante, j'aurai soin de toi.» L'air emportait ses paroles, elles n'allaient point jusqu'à elle.

Enfin après avoir fait tout le tour de la forêt, notre biche ne pouvant plus courir ralentit ses pas, et le prince redoublant les siens, la joignit avec une joie dont il ne croyait plus être capable ; il vit bien qu'elle avait perdu toutes ses forces, elle était couchée comme une pauvre petite bête demi-morte, et elle n'attendait que de voir finir sa vie par les mains de son vainqueur ; mais au lieu de lui être cruel il se mit à la caresser : «Belle biche, lui disait-il, n'aie point de peur, je veux t'emmener avec moi, et que tu me suives partout.» Il coupa exprès des branches d'arbres, il les plia adroitement, il les couvrit de feuilles, d'herbes et de mousses, il y jeta des roses dont quelques buissons étaient chargés, ensuite il prit la biche entre ses bras, il appuya sa tête sur son

cou et vint la coucher doucement sur ses ramées,
puis il s'assit auprès d'elle, cherchant de temps en
temps des herbes fines qu'il lui présentait et qu'elle
mangeait dans sa main.

Le prince continuait de lui parler, quoiqu'il fût
persuadé qu'elle ne l'entendait pas ; cependant,
quelque plaisir qu'elle eût de le voir, elle s'inquiétait
parce que la nuit s'approchait : «Que serait-ce, disait-
elle en elle-même, s'il me voyait changer tout d'un
coup de forme ? Il serait effrayé et me fuirait, ou s'il
ne me fuyait pas, que n'aurais-je pas à craindre
ainsi seule dans une forêt ? » Elle ne faisait que penser de quelle manière elle pourrait se sauver, lorsqu'il lui en fournit le moyen ; car ayant peur qu'elle
n'eût besoin de boire, il alla voir où il pourrait trouver quelque ruisseau afin de l'y conduire ; pendant
qu'il cherchait, elle se déroba promptement et vint à
la maisonnette où Giroflée l'attendait. Elle se jeta
encore sur son lit, la nuit vint, sa métamorphose
cessa, et elle lui apprit son aventure.

«Le croirais-tu, ma chère ? lui dit-elle, mon prince
Guerrier est dans cette forêt, c'est lui qui m'a chassée
depuis deux jours, et qui m'ayant prise, m'a fait mille
caresses. Ah ! que le portrait qu'on m'en apporta
est peu fidèle ! Il est cent fois mieux fait, tout le
désordre où l'on voit les chasseurs ne dérobe rien à
sa bonne mine et lui conserve des agréments que je
ne saurais t'exprimer ; ne suis-je pas bien malheureuse d'être obligée de fuir ce prince, lui qui m'est
destiné par mes plus proches, lui qui m'aime et que
j'aime ? Il faut qu'une méchante fée me prenne en
aversion le jour de ma naissance, et trouble tous
ceux de ma vie. » Elle se prit à pleurer, Giroflée la
consola et lui fit espérer que dans quelque temps ses
peines seraient changées en plaisirs.

Le prince revint vers sa chère biche, dès qu'il eut
trouvé une fontaine ; mais elle n'était plus au lieu où

il l'avait laissée. Il la chercha inutilement partout, et sentit autant de chagrin contre elle que si elle avait dû avoir de la raison : « Quoi ? s'écria-t-il, je n'aurai donc jamais que des sujets de me plaindre de ce sexe trompeur et infidèle ? » Il retourna chez la bonne vieille plein de mélancolie, il conta à son confident l'aventure de Bichette, et l'accusa d'ingratitude. Becafigue ne put s'empêcher de sourire de la colère du prince, il lui conseilla de punir la biche quand il la rencontrerait : « Je ne reste plus ici que pour cela, répondit le prince ; ensuite nous partirons pour aller plus loin. »

Le jour revint, et avec lui la princesse reprit sa figure de biche blanche. Elle ne savait à quoi se résoudre, ou d'aller dans les mêmes lieux que le prince parcourait ordinairement, ou de prendre une route tout opposée pour l'éviter. Elle choisit ce dernier parti, et s'éloigna beaucoup ; mais le jeune prince qui était aussi fin qu'elle, en usa tout de même, croyant bien qu'elle aurait cette petite ruse ; de sorte qu'il la découvrit dans le plus épais de la forêt. Elle s'y trouvait en sûreté, lorsqu'elle l'aperçut ; aussitôt elle bondit, elle saute par-dessus les buissons, et comme si elle l'eût appréhendé davantage à cause du tour qu'elle lui avait fait le soir, elle fuit plus légère que les vents ; mais dans le moment qu'elle traversait un sentier, il la mire si bien qu'il lui enfonce une flèche dans la jambe. Elle sentit une douleur violente, et n'ayant plus assez de force pour fuir, elle se laissa tomber.

Amour cruel et barbare, où étais-tu donc ? Quoi ! tu laisses blesser une fille incomparable par son tendre amant ? Cette triste catastrophe était inévitable, car la Fée de la Fontaine y avait attaché la fin de l'aventure. Le prince s'approcha, il eut un sensible regret de voir couler le sang de la biche ; il prit des herbes, il les lia sur sa jambe pour la soulager et lui fit un nouveau lit de ramée, il tenait la tête de Bichette appuyée sur ses genoux : « N'es-tu pas cause, petite volage, lui disait-il, de ce qui t'est arrivé ? Que t'avais-je fait hier pour m'abandonner ? Il n'en sera pas aujourd'hui de même, je t'emporterai. » La biche ne disait rien : qu'aurait-elle dit ? Elle avait tort et ne pouvait parler. Car ce n'est pas toujours une conséquence que ceux qui ont tort se taisent. Le prince lui faisait mille caresses : « Que je souffre de t'avoir blessée ! lui disait-il ; tu me haïras et je veux que tu m'aimes. » Il semblait à l'entendre qu'un secret génie lui inspirait tout ce qu'il disait à Bichette ; enfin l'heure de revenir chez la vieille hôtesse approchait, il se chargea de sa chasse, et n'était pas médiocrement embarrassé à la porter, à la mener, et quelquefois à la traîner. Elle n'avait nulle envie d'aller avec lui : « Qu'est-ce que je vais devenir ? disait-elle. Quoi ! je me trouverai toute seule avec ce prince ? Ha ! mourons plutôt ! » Elle faisait la pesante et l'accablait, il était tout en eau de tant de fatigue ; et quoiqu'il n'y eût pas loin pour se rendre à la petite maison, il sentait bien que sans quelque secours il n'y pourrait arriver. Il fut quérir son fidèle Becafigue ; mais avant de quitter sa proie, il l'attacha avec plusieurs rubans au pied d'un arbre dans la crainte qu'elle ne s'enfuît.

Hélas ! qui aurait pu penser que la plus belle princesse du monde serait un jour traitée ainsi par un prince qui l'adorait ? Elle essaya inutilement d'arracher les rubans, ses efforts les nouèrent plus serrés, et elle était prête de s'étrangler avec un nœud coulant qu'il avait malheureusement fait, lorsque Giroflée, lasse d'être toujours enfermée dans sa chambre, sortit pour prendre l'air, et passa dans le lieu où Biche blanche se débattait. Que devint-elle, quand elle aperçut sa chère maîtresse ? Elle ne pouvait se hâter assez de la défaire, les rubans étaient noués

par différents endroits ; enfin le prince arriva avec
Becafigue, comme elle allait emmener la biche.

« Quelque respect que j'aie pour vous, Madame,
lui dit le prince, permettez-moi de m'opposer au
larcin que vous voulez me faire : j'ai blessé cette
biche, elle est à moi, je l'aime, je vous supplie de
m'en laisser le maître. — Seigneur, répliqua civilement Giroflée (car elle était bien faite et gracieuse),
la biche que voici est à moi avant que d'être à vous, je
renoncerais aussitôt à ma vie qu'à elle, et si vous voulez voir comme elle me connaît, je ne vous demande
que de lui donner un peu de liberté : allons, ma
petite Blanche, dit-elle, embrassez-moi », Bichette
se jeta à son cou. « Baisez-moi la joue droite », elle
obéit. « Touchez mon cœur », elle y porta le pied.
« Soupirez », elle soupira. Il ne fut plus permis au
prince de douter de ce que Giroflée lui disait : « Je
vous la rends, lui dit-il honnêtement ; mais j'avoue
que ce n'est pas sans chagrin. » Elle s'en alla aussitôt avec sa biche.

Elles ignoraient que le prince demeurait dans leur
maison, il les suivait d'assez loin, et demeura surpris de les voir entrer chez la vieille bonne femme.
Il s'y rendit fort peu après elles, et poussé d'un mouvement de curiosité dont Biche blanche était cause,
il lui demanda qui était cette jeune personne ; elle
répliqua qu'elle ne la connaissait pas, qu'elle l'avait
reçue chez elle avec sa biche, qu'elle la payait bien,
et qu'elle vivait dans une grande solitude. Becafigue
s'informa en quel lieu était sa chambre, elle lui dit
que c'était si proche de la sienne, qu'elle n'était séparée que par une cloison.

Lorsque le prince fut retiré, son confident lui dit
qu'il était le plus trompé des hommes, ou que cette
fille avait demeuré avec la princesse Désirée, qu'il
l'avait vue au palais, quand il y était allé en ambassade. « Quel funeste souvenir me rappelez-vous ? lui

dit le prince, et par quel hasard serait-elle ici ? —
C'est ce que j'ignore, Seigneur, ajouta Becafigue ;
mais j'ai envie de la voir encore, et puisqu'une
simple menuiserie nous sépare, j'y vais faire un trou.
— Voilà une curiosité bien inutile », dit le prince
tristement ; car les paroles de Becafigue avaient
renouvelé toutes ses douleurs : en effet il ouvrit sa
fenêtre qui regardait dans la forêt et se mit à rêver.

Cependant Becafigue travaillait, et il eut bientôt fait un assez grand trou pour voir la charmante
princesse vêtue d'une robe de brocart d'argent, mêlé
de quelques fleurs incarnates rebrodées d'or avec
des émeraudes ; ses cheveux tombaient par grosses
boucles sur la plus belle gorge du monde, son teint
brillait des plus vives couleurs, et ses yeux ravissaient[1]. Giroflée était à genoux devant elle, qui lui
bandait le bras, dont le sang coulait avec abondance.
Elles paraissaient toutes deux assez embarrassées
de cette blessure : «Laisse-moi mourir, disait la princesse, la mort me sera plus douce que la déplorable
vie que je mène : quoi ! être biche tout le jour, voir
celui à qui je suis destinée sans lui parler, sans lui
apprendre ma fatale aventure ! Hélas ! si tu savais
tout ce qu'il m'a dit de touchant sous ma métamorphose, quel son de voix il a, quelles manières nobles
et engageantes, tu me plaindrais encore plus que tu
ne fais de n'être point en état de l'éclaircir de ma
destinée. »

L'on peut assez juger de l'étonnement de Becafigue par tout ce qu'il venait de voir et d'entendre, il
courut vers le prince, il l'arracha de la fenêtre avec
des transports de joie inexprimables : «Ha ! Seigneur, lui dit-il, ne différez pas de vous approcher
de cette cloison, vous verrez le véritable original du
portrait qui vous a charmé. » Le prince regarda, et
reconnut aussitôt sa princesse ; il serait mort de
plaisir, sans qu'il craignait d'être déçu par quelque

enchantement; car enfin, comme quoi[1] accommo-
der une rencontre si surprenante avec Longue Épine
et sa mère, qui étaient renfermées dans le château
des Trois Pointes et qui prenaient le nom, l'une de
Désirée et l'autre de sa dame d'honneur?

Cependant sa passion le flattait, l'on a un penchant naturel à se persuader ce que l'on souhaite, et
dans une telle occasion il fallait mourir d'impatience
ou s'éclaircir. Il alla sans différer frapper doucement à la porte de la chambre où était la princesse;
Giroflée ne doutant pas que ce ne fût la bonne vieille,
et ayant même besoin de son secours pour lui aider
à bander le bras de sa maîtresse, se hâta d'ouvrir, et
demeura bien surprise de voir le prince qui vint se
jeter aux pieds de Désirée. Les transports qui l'ani-
maient lui permirent si peu de faire un discours
suivi, que quelque soin que j'aie eu de m'informer
de ce qu'il lui dit dans ces premiers moments, je
n'ai trouvé personne qui m'en ait bien éclaircie;
la princesse ne s'embarrassa pas moins dans ses
réponses; mais l'Amour, qui sert souvent d'inter-
prète aux muets, se mit en tiers, et persuada à l'un
et à l'autre qu'il ne s'était jamais rien dit de plus spirituel; au moins ne s'était-il jamais rien dit de plus
touchant et de plus tendre. Les larmes, les soupirs,
les serments et même quelques sourires gracieux,
tout en fut. La nuit se passa ainsi, le jour parut sans
que Désirée y eût fait aucune réflexion, et elle ne
devint plus biche. Elle s'en aperçut, rien n'est égal à
sa joie, le prince lui était trop cher pour différer de
la partager avec lui; au même moment elle commença le récit de son histoire, qu'elle fit avec une
grâce et une éloquence naturelle, qui surpassait
celle des plus habiles.

«Quoi! s'écria-t-il, ma charmante princesse, c'est
vous que j'ai blessée sous la figure d'une biche
blanche! Que ferai-je pour expier un si grand crime?

Suffira-t-il d'en mourir de douleur à vos yeux?» Il
était tellement affligé que son déplaisir se voyait
peint sur son visage. Désirée en souffrit plus que de
sa blessure, elle l'assura que ce n'était presque rien,
et qu'elle ne pouvait s'empêcher d'aimer un mal qui
lui procurait tant de bien.

La manière dont elle lui parla était si obligeante,
qu'il ne put douter de ses bontés. Pour l'éclaircir à
son tour de toutes choses, il lui raconta la superche-
rie que Longue Épine et sa mère avaient faite, ajoutant qu'il fallait se hâter d'envoyer dire au roi son
père le bonheur qu'il avait eu de la trouver, parce
qu'il allait faire une terrible guerre, pour tirer raison de l'affront qu'il croyait avoir reçu. Désirée le
pria d'écrire par Becafigue; il voulait lui obéir, lorsqu'un bruit perçant de trompettes, clairons, timbales et tambours se répandit dans la forêt; il leur
sembla même qu'ils entendaient passer beaucoup
de monde proche de la petite maison; le prince
regarda par la fenêtre, il reconnut plusieurs officiers, ses drapeaux et ses guidons[1]: il leur commanda de s'arrêter et de l'attendre.

Jamais surprise n'a été plus agréable que celle de
cette armée, chacun était persuadé que leur prince
allait la conduire et tirer vengeance du père de Désirée. Le père du prince les menait malgré son grand
âge. Il venait dans une litière de velours en broderie
d'or, elle était suivie d'un chariot découvert, Longue
Épine y était avec sa mère. Le prince Guerrier ayant
vu la litière y courut, et le roi lui tendant les bras,
l'embrassa avec mille témoignages d'un amour paternel. «Et d'où venez-vous, mon cher fils? s'écria-t-il,
est-il possible que vous m'ayez livré à la douleur que
votre absence me cause? — Seigneur, dit le prince,
daignez m'écouter.» Le roi aussitôt descendit de sa
litière et se retirant dans un lieu écarté, son fils lui

apprit l'heureuse rencontre qu'il avait faite, et la fourberie de Longue Épine.

Le roi ravi de cette aventure leva les mains et les yeux au Ciel pour lui en rendre grâce ; dans ce moment il vit paraître la princesse Désirée, plus belle et plus brillante que tous les astres ensemble. Elle montait un superbe cheval qui n'allait que par courbettes, cent plumes de différentes couleurs paraient sa tête, et les plus gros diamants du monde avaient été mis à son habit ; elle était vêtue en chasseuse[1], Giroflée, qui la suivait, n'était guère moins parée qu'elle. C'étaient là des effets de la protection de Tulipe, elle avait tout conduit avec soin et avec succès, la jolie maison du bois fut faite en faveur de la princesse, et sous la figure d'une vieille, elle l'avait régalée pendant plusieurs jours.

Dès que le prince reconnut ses troupes et qu'il alla trouver le roi son père, elle entra dans la chambre de Désirée, elle souffla sur son bras pour guérir sa blessure, elle lui donna ensuite les riches habits sous lesquels elle parut aux yeux du roi, qui demeura si charmé qu'il avait bien de la peine à la croire une personne mortelle. Il lui dit tout ce qu'on peut imaginer de plus obligeant dans une semblable occasion, et la conjura de ne point différer à ses sujets le bonheur de l'avoir pour reine : « Car je suis résolu, continua-t-il, de céder mon royaume au prince Guerrier, afin de le rendre plus digne de vous. » Désirée lui répondit avec toute la politesse qu'on devait attendre d'une personne si bien élevée ; puis jetant les yeux sur les deux misérables prisonnières qui étaient dans le chariot, et qui se cachaient le visage de leurs mains, elle eut la générosité de demander leur grâce, et que le même chariot où elles étaient, servît à les conduire où elles voudraient aller. Le roi consentit à ce qu'elle souhaitait ; ce ne fut pas sans

admirer son bon cœur, et sans lui donner de grandes
louanges[1].

On ordonna que l'armée retournerait sur ses pas,
le prince monta à cheval pour accompagner sa belle
princesse, on les reçut dans la ville capitale avec
mille cris de joie ; l'on prépara tout pour le jour des
noces, qui devint très solennel par la présence des
six bénignes fées qui aimaient la princesse. Elles lui
firent les plus riches présents qui se soient jamais
imaginés ; entre autres, ce magnifique palais, où la
reine les avait été voir, parut tout d'un coup en l'air,
porté par cinquante mille Amours, qui le posèrent
dans une belle plaine au bord de la rivière : après un
tel don il ne s'en pouvait plus faire de considérables.

Le fidèle Becafigue pria son maître de parler à
Giroflée, et de l'unir avec elle lorsqu'il épouserait la
princesse ; il le voulut bien ; cette aimable fille fut
très aise de trouver un établissement si avantageux
en arrivant dans un royaume étranger. La fée Tulipe,
qui était encore plus libérale que ses sœurs, lui
donna quatre mines d'or dans les Indes[2], afin que
son mari n'eût pas l'avantage de se dire plus riche
qu'elle. Les noces du prince durèrent plusieurs mois,
chaque jour fournissait une fête nouvelle, et les
aventures de Bichette blanche ont été chantées par
tout le monde.

> *La princesse trop empressée*
> *De sortir de ces sombres lieux,*
> *Où voulait une sage fée*
> *Lui cacher la clarté des cieux ;*
> *Ses malheurs, sa métamorphose,*
> *Font assez voir en quel danger*
> *Une jeune beauté s'expose,*
> *Quand trop tôt dans le monde elle ose s'engager.*
> *Ô vous à qui l'Amour, d'une main libérale,*
> *A donné des attraits capables de toucher,*
> *La beauté souvent est fatale,*

Vous ne sauriez trop la cacher.
Vous croyez toujours vous défendre,
En vous faisant aimer, de ressentir l'amour,
Mais sachez qu'à son tour
À force d'en donner, on peut souvent en prendre.

BELLE BELLE OU
LE CHEVALIER FORTUNÉ
Conte [1]

Il était une fois un roi fort aimable, fort doux et
fort puissant ; mais l'empereur Matapa [2] son voisin
était encore plus puissant que lui. Ils avaient eu de
grandes guerres l'un contre l'autre ; dans la dernière, l'empereur gagna une bataille considérable,
et après avoir tué ou fait prisonniers la plupart des
capitaines et des soldats du roi, il vint assiéger sa
ville capitale, et la prit ; de sorte qu'il se rendit
maître de tous les trésors qui étaient dedans. Le roi
eut à peine le loisir de se sauver avec la reine douairière [3] sa sœur. Cette princesse était demeurée veuve
fort jeune ; elle avait de l'esprit et de la beauté ; il est
vrai qu'elle était fière, violente, et d'un assez difficile accès.

L'empereur transporta toutes les pierreries et
les meubles du roi dans son palais : il emmena un
nombre extraordinaire de soldats, de filles, de chevaux, et de toutes les autres choses qui pouvaient lui
être utiles ou agréables ; quand il eut dépeuplé la
plus grande partie du royaume, il revint triomphant
dans le sien, où il fut reçu par l'impératrice et par la
princesse sa fille avec mille témoignages de joie.

Cependant, le roi dépouillé ne souffrait pas sans
impatience l'état où il se trouvait. Il rassembla
quelques troupes dont il composa une petite armée,

et pour la grossir en peu de temps, il fit publier une ordonnance par laquelle il voulait que tous les gentilshommes de son royaume vinssent le servir en personne, ou lui envoyassent un de leurs enfants, qui fussent bien équipés d'armes et de chevaux, et disposés à seconder toutes ses entreprises.

Il y avait vers la frontière un vieux seigneur âgé de quatre-vingts ans tout plein d'esprit et de sagesse, mais si mal partagé des biens de la fortune, qu'après en avoir possédé beaucoup, il se voyait réduit dans une espèce de pauvreté qu'il aurait soufferte patiemment, si elle n'avait été commune avec trois belles filles qui lui restaient. Elles avaient tant de raison qu'elles ne murmuraient point de leurs disgrâces, et si par hasard elles en parlaient à leur père, c'était plutôt pour le consoler que pour rien ajouter à ses peines.

Elles passaient leur vie avec lui, sans ambition sous un toit rustique, lorsque l'ordonnance du roi parvint aux oreilles du vieillard; il appela ses filles, et les regardant tristement: «Qu'allons-nous faire? leur dit-il; le roi ordonne à toutes les personnes distinguées de son royaume de se rendre auprès de lui pour le servir contre l'empereur, ou il les condamne à une très grosse amende, si elles y manquent. Je ne suis point en état de payer la taxe; voilà de terribles extrémités, elles renferment ma mort ou notre ruine.» Ses trois filles s'affligèrent avec lui, mais elles ne laissèrent pas de le prier de prendre un peu de courage, parce qu'elles étaient persuadées qu'elles pourraient trouver quelque remède à son affliction.

En effet le lendemain matin, l'aînée fut trouver son père, qui se promenait tristement dans un verger, dont il prenait lui-même le soin: «Seigneur, lui dit-elle, je viens vous supplier de me permettre de partir pour l'armée; je suis d'une taille avantageuse et assez robuste, je m'habillerai en homme, et je pas-

serai pour votre fils; si je ne fais pas des actions
héroïques, tout au moins je vous épargnerai le voyage
ou la taxe, et c'est beaucoup en l'état où nous
sommes.» Le comte l'embrassa tendrement, et voulut d'abord s'opposer à un dessein si extraordinaire: mais elle lui dit avec tant de fermeté qu'elle
n'envisageait point d'autres remèdes, qu'enfin il y
consentit.

Il ne fut plus question que de lui faire des habits
convenables au personnage qu'elle allait jouer. Son
père lui donna des armes, et le meilleur cheval de
quatre qui servaient à labourer; les adieux et les
regrets furent tendres de part et d'autre; après
quelques journées de chemin, elle passa le long d'un
pré bordé de haies vives[1]. Elle vit une vieille bergère
bien affligée, qui tâchait de retirer un de ses moutons d'un fossé, où il était tombé. «Que faites-vous
là, bonne bergère? lui dit-elle. — Hélas! répliqua
la bergère, j'essaie de sauver mon mouton, il est
presque noyé, et je suis si faible que je n'ai pas la
force de le retirer. — Je vous plains», dit-elle, et
sans lui offrir son secours elle s'éloigna. La bergère
aussitôt lui cria: «Adieu, belle déguisée.» La surprise
de notre héroïne ne se peut exprimer: «Comment,
dit-elle, est-il possible que je sois si reconnaissable?
Cette vieille bergère m'a vue à peine un moment, et
elle sait que je suis travestie. Où veux-je donc aller?
Je serai reconnue de tout le monde, et si je le suis du
roi, quelle sera ma honte et sa colère! Il croira que
mon père est un lâche, qui n'ose paraître dans les
périls.» Après toutes ces réflexions, elle conclut qu'il
fallait retourner sur ses pas.

Le comte et ses filles parlaient d'elle et comptaient
les jours de son absence, lorsqu'ils la virent entrer;
elle leur apprit son aventure; le bonhomme lui dit
qu'il l'avait bien prévue, que si elle avait voulu le
croire, elle ne serait point partie, parce qu'il est

impossible qu'on ne connaisse pas une fille déguisée. Toute cette petite famille se trouva dans un nouvel embarras, ne sachant que faire, quand la seconde
fille vint à son tour trouver le comte : « Ma sœur, lui
dit-elle, n'avait jamais monté à cheval ; il n'est point
surprenant qu'on l'ait connue ; à mon égard, si vous
me permettez d'aller à sa place, j'ose me promettre
que vous en serez content. »

Quoi que le vieillard pût lui dire pour combattre
son dessein, il n'en put venir à bout. Il fallut qu'il
consentît à la voir partir ; elle prit un autre habit,
d'autres armes et un autre cheval ; ainsi équipée,
elle embrassa mille fois son père et ses sœurs, résolue de bien servir le roi ; mais en passant par le
même pré où sa sœur avait vu la bergère et le mouton, elle le trouva au fond du fossé, et la bergère
occupée à le retirer. « Malheureuse ! s'écriait-elle, la
moitié de mon troupeau est péri de cette manière ;
si quelqu'un m'aidait, je pourrais sauver ce pauvre
animal : mais tout le monde me fuit. — Hé quoi !
bergère, avez-vous si peu de soin de vos moutons
que vous les laissiez tomber dans l'eau ? » Et sans lui
donner d'autre consolation, elle piqua son cheval.

La vieille lui cria de toute sa force : « Adieu, belle
déguisée. » Ce peu de mots n'affligea pas médiocrement notre amazone : « Quelle fatalité ! dit-elle, me
voilà reconnue ; ce qui est arrivé à ma sœur m'arrive, je ne suis pas plus heureuse qu'elle, et ce serait
une chose ridicule que j'allasse à l'armée avec un
air si efféminé, que tout le monde me reconnût. »
Elle retourna sur-le-champ à la maison de son père,
fort triste du mauvais succès de son voyage.

Il la reçut tendrement, et la loua d'avoir eu la
prudence de revenir : mais cela n'empêcha pas que
le chagrin ne recommençât avec d'autant plus de
force qu'il en coûtait déjà l'étoffe de deux habits
inutiles, et plusieurs autres petites choses. Le bon

vieillard se désolait en secret, parce qu'il ne voulait pas montrer toute sa douleur à ses filles.

Enfin sa cadette vint le prier avec les dernières instances de lui accorder la même grâce qu'il avait faite à ses sœurs : «Peut-être, dit-elle, que c'est une présomption d'espérer réussir mieux qu'elles, mais cependant je ne laisserai pas de tenter l'aventure ; ma taille est plus haute que la leur, vous savez que je vais tous les jours à la chasse, cet exercice ne laisse pas de donner quelque talent pour la guerre, et le désir extrême que j'ai de vous soulager dans vos peines m'inspire un courage extraordinaire.» Le comte l'aimait beaucoup plus que ses deux autres sœurs ; elle avait tant de soin de lui, qu'il la regardait comme son unique consolation ; elle lisait des histoires agréables pour le divertir, elle le veillait dans ses maladies, et tout le gibier qu'elle tuait n'était que pour lui ; de sorte qu'il employa des raisons pour la détourner de ce dessein encore plus fortes que celles dont il s'était servi à l'égard de ses sœurs : «Voulez-vous me quitter, ma chère fille ? lui disait-il, votre absence me causera la mort ; quand il serait vrai que la Fortune favoriserait votre voyage, et que vous reviendriez couverte de lauriers, je n'aurais pas le plaisir d'en être le témoin, mon âge avancé et votre absence termineront ma vie. — Non, mon père, lui disait Belle Belle (c'est ainsi qu'il l'avait nommée), ne croyez pas que je tarde longtemps, il faudra bien que la guerre finisse, et si je voyais quelque autre moyen de satisfaire aux ordres du roi, je ne les négligerais pas ; car j'ose vous dire que si mon éloignement vous cause de la peine, il m'en fait encore plus qu'à vous.» Il consentit enfin à ce qu'elle désirait. Elle se fit faire un habit très simple, ceux de ses sœurs avaient trop coûté, et les finances du pauvre comte n'y pouvaient suffire ; elle fut obligée de prendre un fort méchant cheval, parce que

ses sœurs avaient presque estropié les deux autres ;
mais tout cela ne la découragea point. Elle embrassa
son père, reçut respectueusement sa bénédiction, et
après avoir mêlé ses larmes à celles du bonhomme
et de ses sœurs, elle partit.

En passant par le pré dont j'ai déjà parlé, elle
trouva la vieille bergère qui n'avait point encore
retiré son mouton, ou qui voulait en retirer un autre
du milieu d'un fossé profond. « Que faites-vous là,
bergère ? dit Belle Belle en s'arrêtant. — Je ne fais
plus rien, Seigneur, répondit la bergère ; depuis
qu'il est jour, je suis occupée après ce mouton. Mes
peines ont été inutiles, je suis si lasse que je ne puis
respirer ; il n'y a guère de jour qu'il ne m'arrive
quelque nouveau malheur, et je ne trouve personne
qui y prenne part.

— Certainement, je vous plains, dit Belle Belle,
mais pour vous marquer ma pitié, je veux vous
aider. » Elle descendit aussitôt de cheval, il était si
docile qu'elle ne prit pas la peine de l'attacher pour
l'empêcher de s'enfuir. En sautant légèrement par-
dessus la haie, après avoir essuyé quelques égrati-
gnures elle se jeta dans le fossé. Elle se tourmenta
tant qu'elle retira le bien aimé mouton : « Ne pleurez
plus, ma bonne mère, dit-elle à la bergère, voilà
votre mouton, et pour avoir été si longtemps dans
l'eau, je le trouve encore bien gai. »

« Vous n'avez pas obligé une ingrate, dit la bergère, je vous connais, charmante Belle Belle, je sais
où vous allez et tous vos desseins, vos sœurs ont
passé par ce pré, je les connaissais bien aussi et je
n'ignore pas ce qu'elles avaient dans l'esprit : mais
elles m'ont paru si dures, et leur procédé avec moi a
été si peu gracieux, que j'ai trouvé le moyen d'interrompre leur voyage ; la chose est fort différente à
votre égard, vous l'éprouverez, Belle Belle, car je
suis fée, et mon inclination me porte à combler de

biens ceux qui le méritent. Vous avez là un cheval
dont la maigreur effraie ; je veux vous en donner
un. » Aussitôt elle toucha la terre de sa houlette, et
sur-le-champ Belle Belle entendit hennir derrière
un buisson, elle regarda promptement, elle aperçut
le plus beau cheval du monde, il se mit à courir et à
sauter dans le pré. Belle Belle, qui aimait les chevaux, était ravie d'en voir un si parfait, lorsque la
fée appela ce beau coursier ; le touchant de sa houlette, elle dit : « Fidèle Camarade, sois mieux harnaché que le meilleur cheval de l'empereur Matapa. »
Sur-le-champ Camarade eut une housse de velours
vert en broderie de diamants et de rubis, une selle
de même et une bride toute de perles avec les bos-
settes[1] et le mors d'or ; enfin l'on ne pouvait rien
trouver de plus magnifique.

« Ce que vous voyez, dit la fée, est la moindre
chose que l'on doive admirer dans ce cheval. Il a
bien d'autres talents, dont je veux vous parler. Pre-
mièrement il ne mange qu'une fois en huit jours, il
ne faut point prendre la peine de le panser, il sait
le passé, le présent et l'avenir, il est à mon service
depuis longtemps, je l'ai façonné comme pour moi.

» Lorsque vous souhaiterez être informée de
quelque affaire, ou que vous aurez besoin de conseil,
il ne faut que vous adresser à lui, il vous donnera de
si bons avis que les souverains seraient bien heureux d'avoir des conseillers qui lui ressemblassent[2] ;
il faut donc que vous le regardiez plutôt comme
votre ami que comme votre cheval. Au reste votre
habit n'est point à mon gré, je veux vous en donner
un qui vous siéra fort bien. » Elle frappa la terre de
sa houlette, il en sortit un grand coffre couvert de
maroquin du Levant[3], clouté d'or ; les chiffres de
Belle Belle étaient dessus ; la fée chercha parmi les
herbes une clef d'or faite en Angleterre ; elle en ouvrit
le coffre ; il était doublé de peau d'Espagne[4] toute

en broderie, il y avait dedans douze habits, douze
cravates, douze épées, douze plumets[1], et ainsi de
tout par douzaines ; les habits étaient si couverts de
broderies et de diamants que Belle Belle avait de la
peine à les soulever. « Choisissez celui qui vous plaît
davantage, lui dit la fée, et pour les autres ils vous
suivront partout, vous n'aurez qu'à frapper du pied,
en disant : "coffre de maroquin, viens à moi plein
d'habits, coffre de maroquin, viens à moi plein de
linge et de dentelles, coffre de maroquin, viens à
moi plein de pierreries et d'argent". Aussitôt vous le
verrez ou dans la campagne, ou dans votre chambre.
Il faut aussi que vous choisissiez un nom, car Belle
Belle ne convient pas au métier que vous allez faire ;
il me semble que vous pouvez vous appeler le Chevalier Fortuné. Mais il est bien juste encore que
vous me connaissiez, je vais prendre ma figure ordinaire devant vous. » En même temps elle laissa tomber sa vieille peau, et parut si merveilleuse qu'elle
éblouit les yeux de Belle Belle. Son habit était de
velours bleu, doublé d'hermine, ses cheveux nattés
avec des perles, et sur sa tête une superbe couronne.

Belle Belle transportée d'admiration se jeta à ses
pieds, et s'y prosterna avec un respect et une reconnaissance inexprimables ; la fée la releva et l'embrassa tendrement, elle lui dit de prendre un habit
de brocart or et vert[2] : elle obéit à ses ordres, et
montant à cheval, elle continua son voyage, si péné-
trée de toutes les choses extraordinaires qui venaient
de se passer, qu'elle ne pensait plus qu'à cela.

En effet, elle se demandait à elle-même par quel
bonheur inespéré elle avait pu s'attirer la bienveil-
lance d'une fée si puissante : « Car enfin, disait-elle,
je ne lui étais pas nécessaire pour retirer son mouton, puisqu'un seul coup de sa baguette pourrait
faire revenir un troupeau tout entier des antipodes,
s'il y était tombé. J'ai été bien heureuse de me trou-

ver si disposée à l'obliger, ce rien que j'ai fait pour
elle est cause de tout ce qu'elle a fait pour moi ; elle
a connu mon cœur, et mes sentiments lui ont été
agréables. Ah ! si mon père me voyait à présent si
magnifique et si riche, quelle joie pour lui ! Mais
tout au moins j'aurai le plaisir de partager avec ma
famille les biens qu'elle m'a faits. »

En achevant ces diverses réflexions, elle arriva
dans une belle ville fort peuplée, elle s'attira les yeux
de tout le monde, on la suivait, on l'entourait, et chacun disait : « S'est-il jamais vu un chevalier plus beau,
mieux fait, et plus richement habillé ; qu'il a de
grâce à manier ce superbe cheval ! »

On lui faisait de profondes révérences, il[1] les rendait d'un air honnête et civil. Lorsqu'il voulut entrer
dans l'hôtellerie, le gouverneur qui se promenait et
qui l'avait admiré en passant, envoya un gentilhomme lui dire qu'il le priait de venir à son château.
Le Chevalier Fortuné, car il faut enfin l'appeler
ainsi, répliqua que n'ayant point l'honneur de lui
être connu, il ne voulait pas prendre cette liberté,
qu'il irait le voir, et qu'il le suppliait de lui donner
un de ses gens auquel il pût confier quelque chose
de conséquence, pour porter à son père. Le gouverneur lui envoya aussitôt un homme très fidèle, et
Fortuné l'engagea de revenir le soir, parce que ses
dépêches n'étaient pas encore commencées.

Il s'enferma dans sa chambre, puis frappant du
pied, il dit : « Coffre de maroquin, viens à moi plein
de diamants et de pistoles. » Aussitôt le coffre parut,
mais il n'y avait point de clef, et où la trouver ? Quel
dommage de rompre une serrure toute d'or, émaillée de plusieurs couleurs ! De plus, que n'aurait-il
pas eu à craindre de l'indiscrétion d'un serrurier ? À
peine aurait-il parlé des trésors du chevalier, que les
voleurs se seraient assemblés pour le voler, et peut-
être qu'ils l'auraient tué.

Le voilà donc à chercher la clef d'or, et plus il la cherchait, moins il la trouvait : «Quelle désolation ! s'écriait-il, je ne pourrai me prévaloir des bontés de la fée ni faire part à mon père du bien qu'elle m'a fait.» En rêvant ainsi, il pensa que le meilleur parti à prendre, c'était de consulter son cheval, il descendit dans l'écurie et lui dit tout bas : «Je te prie, mon Camarade, apprends-moi où je pourrai trouver la clef du coffre de maroquin ? — Dans mon oreille», répondit-il. Fortuné regarda dans l'oreille de son cheval, il aperçut un ruban vert, il le tire, et voit la clef qu'il souhaitait tant d'avoir : il ouvrit le coffre de maroquin où il y avait plus de diamants et de pistoles qu'il n'en pourrait dans un muid[1] ; le chevalier en emplit trois cassettes, une pour son père, et les deux autres pour ses sœurs ; il en chargea l'homme que le gouverneur lui avait envoyé, et le pria de ne s'arrêter ni jour ni nuit, jusqu'à ce qu'il fût arrivé chez le comte.

Ce messager fit la dernière diligence, et quand il dit au bon vieillard qu'il venait de la part de son fils le chevalier, et qu'il lui apportait une cassette bien lourde, il demeura surpris de ce qui pouvait être dedans. Car il était parti avec si peu d'argent qu'il ne le croyait pas en état d'acheter quelque chose, ni même de payer le voyage de celui qu'il avait chargé de son présent : il ouvrit d'abord sa lettre, et lorsqu'il vit ce que sa chère fille lui mandait, il pensa expirer de joie ; la vue des pierreries et de l'or lui confirma la vérité de ses paroles. Ce qu'il y eut d'extraordinaire, c'est que les deux sœurs de Belle Belle, ayant ouvert leurs boîtes, ne trouvèrent que des verrines[2] au lieu de diamant, et des pistoles fausses, la fée ne voulant pas qu'elles se ressentissent de ses bienfaits ; de sorte qu'elles s'imaginèrent que leur sœur avait voulu se moquer d'elles, et elles en conçurent un dépit inexprimable : mais le comte les

voyant si fâchées, leur donna la plus grande partie
des bijoux qu'il venait de recevoir, et sitôt qu'elles
les touchèrent, elles changèrent comme les autres ;
elles jugèrent par là qu'un pouvoir inconnu agissait
contre elles, et prièrent leur père de garder ce qui
restait pour lui seul.

Le beau Fortuné n'attendit pas le retour de son
messager, il partit, son voyage était trop pressé, il
fallait se rendre aux ordres du roi. Il fut chez le gouverneur, toute la ville s'y assembla pour le voir, sa
personne et toutes ses actions avaient un air si honnête, qu'on ne pouvait s'empêcher de l'admirer et
de le chérir ; il ne disait rien qui ne fît plaisir à
entendre, et la foule était si grande autour de lui,
qu'il ne savait à quoi attribuer une chose si extraordinaire ; car ayant toujours été à la campagne, il
avait vu très peu de monde.

Il continua son chemin sur son excellent cheval,
qui l'entretenait agréablement de mille nouvelles,
ou de ce qu'il y avait de plus remarquable dans les
histoires anciennes et modernes : « Mon cher maître,
disait-il, je suis ravi d'être à vous, je connais que
vous avez beaucoup de franchise et d'honneur, je
suis rebuté de certaines gens, avec lesquelles j'ai vécu
longtemps, et qui me faisaient haïr la vie, tant leur
société m'était insupportable ; il y avait entre autres
un homme qui me faisait mille amitiés, qui m'élevait au-dessus de Pégase et de Bucéphale[1], lorsqu'il
parlait devant moi : mais aussitôt qu'il ne me voyait
plus, il me traitait de rosse et de mazette[2], et il
affectait de me louer sur mes défauts pour me donner lieu d'en contracter de plus grands. Il est vrai
qu'étant un jour fatigué de ses caresses qui étaient à
proprement parler des trahisons, je lui donnai un si
terrible coup de pied, que j'eus le plaisir de lui cas-
ser presque toutes les dents, et je ne le vois jamais
depuis que je ne lui dise avec beaucoup de sincé-

rité : "il n'est pas juste qu'une bouche qui s'ouvre si souvent pour déchirer ceux qui ne vous font aucun chagrin, soit aussi agréable que celle d'un autre". — Ho! ho! s'écria le chevalier, tu es bien vif! Ne craignais-tu point que cet homme en colère ne te passât son épée au travers du corps? — Il n'importe pas, Seigneur, reprit Camarade, et puis j'aurais su son dessein, dès qu'il l'aurait formé. »

Ils parlaient ainsi, lorsqu'ils arrivèrent dans une vaste forêt, Camarade dit au chevalier : « Mon maître, il y a ici un homme qui nous peut être d'une grande utilité, c'est un bûcheron, il a été doué… — Qu'entends-tu par ce terme? interrompit Fortuné. — Doué veut dire qu'il a reçu un ou plusieurs dons des fées, ajouta le cheval, il faut que vous l'engagiez de venir avec vous. » En même temps il fut dans l'endroit où le bûcheron travaillait; le jeune chevalier s'approcha d'un air doux et insinuant, et lui fit plusieurs questions sur le lieu où ils étaient, s'il y avait des bêtes sauvages dans la forêt, et s'il était permis de chasser. Le bûcheron répondit à tout en homme de bon sens; Fortuné lui demanda encore où étaient allés ceux qui lui avaient aidé à jeter tant d'arbres par terre. Le bûcheron répondit qu'il les avait abattus tout seul, que c'était l'ouvrage de quelques heures, et qu'il fallait qu'il en abattît bien d'autres pour se charger un peu. « Quoi! vous prétendez emporter aujourd'hui tout ce bois? dit le chevalier. — Ô seigneur, répliqua Forte-échine (c'est ainsi qu'on le nommait), je ne suis pas d'une force ordinaire. — Vous gagnez donc beaucoup? dit Fortuné. — Très peu, répondit le bûcheron, car l'on est pauvre dans ce lieu. Ici chacun fait son ouvrage sans prier son voisin de la[1] faire. — Puisque vous êtes dans un pays si peu opulent, ajouta le chevalier, il ne tiendra qu'à vous de passer ailleurs; venez avec moi, rien ne vous manquera, et quand vous voudrez revenir,

je vous donnerai de l'argent pour votre voyage.» Le
bûcheron crut ne pouvoir mieux faire, il abandonna
sa cognée et suivit son nouveau maître.

Dès qu'il eut traversé la forêt, il vit un homme
dans la plaine, qui tenait des rubans avec lesquels il
s'attachait les jambes, laissant si peu d'espace, qu'il
y en avait à peine pour marcher. Camarade s'arrêta,
et dit à son maître: «Seigneur, voici encore un
doué, vous en aurez besoin, il faut l'emmener.» Fortuné s'approcha, et avec sa grâce naturelle, il lui
demanda pourquoi il attachait ainsi ses jambes.
«C'est, répondit-il, que je me prépare pour la chasse.
— Comment, dit le chevalier en souriant, prétendez-
vous mieux courir, quand vous êtes ainsi garrotté?
— Non, Seigneur, reprit-il, je suis persuadé que ma
course sera moins rapide: mais c'est aussi mon dessein, car il n'y a point de cerf, de chevreuil ni de
lièvre que je ne devance de beaucoup, quand mes
jambes sont libres; de sorte que les laissant toujours
derrière moi, ils m'échappent, et je n'ai presque
jamais le plaisir d'en prendre. — Vous me paraissez
un homme rare, dit Fortuné, comment vous appelez-vous? — L'on m'a nommé Léger, dit le chasseur, et je suis assez connu dans cette contrée. — Si
vous en vouliez voir une autre, ajouta le chevalier,
je serais très aise que vous vinssiez avec moi, vous
n'auriez pas tant de peine, et je vous traiterais
bien.» Léger était médiocrement heureux, il accepta
volontiers le parti qui lui était proposé; ainsi Fortuné suivi de son nouveau domestique continua son
voyage.

Il trouva le lendemain un homme sur le bord d'un
marais, qui se bandait les yeux. Le cheval dit à
son maître: «Seigneur, je vous conseille de prendre
encore cet homme à votre service.» Fortuné lui
demanda aussitôt par quelle raison il se bandait les
yeux: «C'est, dit-il, que je vois trop clair, j'aperçois

le gibier à plus de quatre lieues de moi, et je ne tire aucun coup sans en tuer plus que je n'en veux ; je suis donc obligé de me bander les yeux, et bien que je ne fasse qu'entrevoir, je dépeuple un pays de perdreaux et d'autres petits pieds[1], en moins de deux heures. — Vous êtes bien adroit, repartit Fortuné. — L'on m'appelle aussi le Bon-tireur, dit cet homme, et je ne quitterais pas cette occupation pour aucune chose du monde. — J'ai pourtant grande envie de vous proposer celle de voyager avec moi, dit le chevalier, cela ne vous empêchera pas d'exercer votre talent.» Le Bon-tireur en fit quelque difficulté, et le chevalier eut plus de peine à le gagner que les autres, car ils[2] sont ordinairement assez amis de la liberté ; cependant il en vint à bout et s'éloigna ensuite du marais où il s'était arrêté.

À quelques journées de là, il passa le long d'un pré, il aperçut un homme dedans, qui était couché sur le côté, Camarade lui dit : «Mon maître, cet homme est doué, je prévois qu'il vous est très nécessaire.» Fortuné entra dans le pré, et le pria de lui dire ce qu'il y faisait : «J'ai besoin de quelques simples, répondit-il, et j'écoute l'herbe qui va sortir pour voir s'il n'y en aura point de celles qu'il me faut. — Quoi ! dit le chevalier, vous avez l'ouïe assez subtile pour entendre l'herbe sous la terre, et pour deviner celle qui va paraître ? — C'est par cette raison, dit l'écouteur, que l'on m'appelle Fine-oreille. — Eh bien ! Fine-oreille, continua Fortuné, seriez-vous d'humeur à me suivre ? Je vous donnerais d'assez gros gages pour que vous eussiez lieu d'en être content.» Cet homme charmé d'une si agréable proposition, n'hésita point à se mettre au nombre des autres.

Le chevalier continuant sa route, vit proche du grand chemin un homme dont les joues enflées faisaient un assez plaisant effet ; il était debout, tourné

vers une haute montagne éloignée de plus de deux
lieues, sur laquelle il y avait cinquante ou soixante
moulins à vent. Le cheval dit à son maître : « Voici
un de nos doués, gardez-vous de manquer l'occasion
de l'emmener avec vous. » Fortuné, qui savait tout
engager dès qu'il paraissait ou qu'il parlait, aborde
cet homme, et lui demande ce qu'il faisait là : « Je
souffle un peu, Seigneur, lui dit-il, pour faire moudre
tous ces moulins. — Il me semble que vous êtes bien
éloigné, reprit le chevalier. — Au contraire, répliqua le souffleur, je trouve que je suis trop près, et si
je ne retenais la moitié de mon haleine, j'aurais déjà
renversé les moulins et peut-être la montagne où ils
sont ; je cause de cette manière mille maux sans
le vouloir, et je vous dirai, Seigneur, qu'étant fort
amoureux et fort maltraité de ma maîtresse, comme
j'allais soupirer dans les bois, mes soupirs déraci-
naient les arbres et faisaient un désordre étrange ;
de manière que l'on ne m'appela plus dans ce canton que l'Impétueux. — Si quelqu'un a de la peine
de vous voir, dit Fortuné, et que vous vouliez venir
avec moi, voici des gens qui vous tiendront compagnie, ils ont aussi des talents extraordinaires. — J'ai
une curiosité si naturelle pour toutes les choses qui
ne sont pas communes, répliqua l'Impétueux, que
j'accepte votre proposition. »

Fortuné très content, s'éloigna de ce lieu, et dès
qu'il eut traversé un pays assez couvert, il vit un
grand étang où plusieurs sources tombaient, il y avait
au bord un homme qui le regardait attentivement :
« Seigneur, dit Camarade à son maître, voici un
homme qui manque à votre équipage ; si vous pouvez
l'engager de vous suivre, cela ne sera point mal. » Le
chevalier s'approcha aussitôt de lui : « Voulez-vous
bien m'apprendre, lui dit-il, ce que vous faites là ?
— Seigneur, répondit cet homme, vous l'allez voir.
Dès que cet étang sera plein, je le boirai d'un trait ;

car j'ai encore soif, bien que je l'aie déjà vidé deux fois.» En effet il se baissa, et ne laissa pas de quoi régaler le plus petit poisson. Fortuné ne demeura pas moins surpris que toute sa troupe: «Hé quoi! dit-il, êtes-vous toujours aussi altéré? — Non, dit le buveur d'eau, je bois seulement de cette manière quand j'ai mangé trop salé ou qu'il s'agit de quelque gageure, je suis connu depuis ce temps-là par le nom de Trinquet[1], qu'on me donne. — Venez avec moi, Trinquet, dit le chevalier, je vous ferai trinquer du vin qui vous semblera meilleur que l'eau d'un étang.» Cette promesse plut beaucoup à celui à qui elle était faite, et sur-le-champ il se mit à marcher avec les autres.

Le chevalier voyait déjà le lieu du rendez-vous où tous les sujets du roi devaient s'assembler, lorsqu'il aperçut un homme qui mangeait si avidement, qu'encore qu'il eût plus de soixante mille pains de Gonesse[2] devant lui, il paraissait résolu de n'en pas laisser un seul petit morceau. Camarade dit à son maître: «Seigneur, il ne vous manque plus que cet homme ici, de grâce obligez-le de venir avec vous.» Le chevalier l'aborda, et lui dit en souriant: «Avez-vous résolu de manger tout ce pain à votre déjeuner? — Oui, répliqua-t-il, tout mon regret, c'est qu'il y en ait si peu; mais les boulangers sont de francs paresseux qui se mettent peu en peine que l'on ait faim ou non. — S'il vous en faut tous les jours autant, ajouta Fortuné, il n'y a guère de pays que vous ne soyez en état d'affamer. — Ô seigneur, repartit Grugeon (c'est ainsi qu'on l'appelait[3]), je serais bien fâché d'avoir tant d'appétit, ni mon bien ni celui de mes voisins n'y suffirait pas. Il est vrai que de temps en temps, je suis bien aise de me régaler de cette manière. — Mon ami Grugeon, dit Fortuné, attachez-vous à moi, je vous ferai faire bonne chère, et vous ne serez pas mécontent de m'avoir choisi pour maître. »

Camarade, qui ne manquait ni d'esprit ni de prévoyance, avertit le chevalier qu'il était bon de défendre à tous ses gens de se vanter des dons extraordinaires qu'ils avaient. Il ne différa point de les appeler et leur dit : « Écoutez, Forte-échine, Léger, le Bon-tireur, Fine-oreille, Impétueux, Trinquet et Grugeon, je vous avertis que si vous me voulez plaire, vous gardiez un secret inviolable sur les talents que vous avez, et je vous assure que j'aurai tant de soin de vous rendre heureux, que vous serez contents. » Chacun lui promit avec serment d'être fidèle à ses ordres ; et peu après le chevalier, plus paré de sa beauté et de sa bonne mine que de son magnifique habit, entra dans la ville capitale, monté sur son excellent cheval, et suivi des gens du monde les mieux faits. Il ne tarda pas à leur faire faire des habits de livrées tout chamarrés d'or et d'argent, il leur donna des chevaux, et s'étant logé dans la meilleure auberge, il attendit le jour marqué pour paraître à la revue ; mais l'on ne parlait plus que de lui dans la ville, et le roi prévenu de sa réputation, avait fort envie de le voir.

Toutes les troupes s'assemblèrent dans une grande plaine, le roi y vint avec la reine douairière sa sœur et toute leur cour ; elle ne laissait pas d'être encore pompeuse[1], malgré les malheurs qui étaient arrivés à l'État, et Fortuné fut ébloui de tant de richesses ; mais si elles attirèrent ses regards, son incomparable beauté n'attira pas moins ceux de cette célèbre[2] troupe ; chacun demandait qui était ce jeune cavalier, si bien fait et de si bon air ; et le roi passant proche du lieu où il était, lui fit signe de s'approcher.

Fortuné aussitôt descendit de cheval pour faire une profonde révérence au roi. Il ne put s'empêcher de rougir, voyant avec quelle attention il le regardait; cette nouvelle couleur releva encore l'éclat de son teint. «Je suis bien aise, lui dit le roi, d'apprendre par vous-même qui vous êtes, et votre nom. — Sire, répliqua-t-il, je m'appelle Fortuné, sans avoir eu jusqu'à présent aucune raison de porter ce nom; car mon père, qui est comte de la Frontière[1], passe sa vie dans une grande pauvreté, quoiqu'il soit né avec autant de bien que de naissance. — La Fortune qui vous a servi de marraine[2], répondit le roi, n'a pas mal fait pour vos intérêts de vous amener ici, je me sens une affection particulière pour vous, et je me souviens que votre père a rendu au mien de grands services, je veux les reconnaître en votre personne. — C'est une chose juste, ajouta la reine douairière, qui n'avait point encore parlé: et comme je suis votre aînée, mon frère, et que je sais plus particulièrement que vous tout ce que le comte de la Frontière a fait pendant plusieurs années pour le service de l'État, je vous prie de vous reposer sur moi du soin de récompenser ce jeune chevalier.»

Fortuné ravi de l'accueil qu'on lui faisait, ne pouvait assez remercier le roi et la reine; il n'osait cependant s'étendre beaucoup sur les sentiments de sa reconnaissance, croyant qu'il était plus respectueux de se taire, que de parler trop. Le peu qu'il dit parut si juste et si à propos que chacun l'applaudit, ensuite il remonta à cheval et se mêla parmi les seigneurs qui accompagnaient le roi; mais la reine l'appelait à tout moment pour lui faire mille questions, et se tournant vers Floride, qui était sa plus chère confidente: «Que te semble de ce cavalier? lui disait-elle assez bas, se peut-il un air plus noble et des traits plus réguliers? Je t'avoue que je n'ai jamais rien vu de plus aimable.» Floride n'avait pas de peine à convenir de ce que disait la reine et elle y ajoutait de grandes louanges; car le cavalier ne lui semblait pas moins aimable qu'à sa maîtresse.

Fortuné ne pouvait s'empêcher de jeter les yeux
de temps en temps sur le roi; c'était le prince du
monde le mieux fait, toutes ses manières étaient
prévenantes, et Belle Belle, qui n'avait point renoncé
à son sexe en prenant un habit qui le cachait, ressentait un véritable attachement pour lui.

Le roi lui dit après la revue qu'il craignait que la
guerre ne fût sanglante, et qu'il avait résolu de l'attacher à sa personne. La reine douairière qui était
présente, s'écria qu'elle avait eu la même pensée,
qu'il ne fallait point l'exposer au péril d'une longue
campagne, que la charge de Premier Maître d'hôtel
était vacante dans sa maison, qu'elle la lui donnait:
«Non, dit le roi, j'en veux faire mon Grand Écuyer[1].»
Ils se disputaient ainsi l'un à l'autre le plaisir d'avancer Fortuné, et la reine, craignant de faire connaître
les secrets mouvements qui se passaient déjà dans
son cœur, céda au roi la satisfaction d'avoir le
chevalier.

Il n'y avait guère de jours où il n'appelât son coffre
de maroquin, et ne prît dedans un habit neuf. Il était
assurément plus magnifique qu'aucun prince qui fût
à la Cour, de sorte que la reine lui demandait quelquefois par quel moyen son père fournissait à une si
grande dépense; d'autres fois encore elle lui en faisait la guerre: «Avouez la vérité, disait-elle, vous
avez une maîtresse, c'est elle qui vous envoie toutes
les belles choses que nous voyons.» Fortuné rougis-
sait et répondait respectueusement aux différentes
questions que lui faisait la reine.

D'ailleurs il s'acquittait de sa charge admirable-
ment bien, son cœur sensible au mérite du roi l'attachait plus à sa personne qu'il n'aurait voulu:
«Quelle est ma destinée? disait-il, j'aime un roi sans
pouvoir jamais espérer qu'il m'aime, ni qu'il me
tienne compte de ce que je souffre.» Le roi de son
côté le comblait de faveur, il ne trouvait rien de bien

fait que ce que faisait le beau chevalier, et la reine
déçue[1] par son habit, pensait sérieusement au moyen
de contracter avec lui un mariage secret ; l'inégalité
de leur naissance était l'unique chose qui lui faisait
de la peine.

Elle n'était pas la seule qui ressentait de l'inclination pour Fortuné, les plus belles personnes de la
Cour en prirent malgré elles. Il était accablé de
billets tendres, de rendez-vous, de présents et de
mille galanteries, auxquels il répondait avec tant de
nonchalance, que l'on ne douta point qu'il n'eût une
maîtresse dans son pays ; ce n'est pas que lorsqu'il
était dans quelque fête, il n'y voulût paraître avan-
tageusement, il remportait le prix aux tournois, il
tuait à la chasse plus de gibier que tous les autres, il
dansait au bal avec plus de grâce et de propreté[2]
qu'aucun courtisan ; enfin c'était un charme que de
le voir et de l'entendre.

La reine aurait bien voulu s'épargner la honte de
lui déclarer ses sentiments, elle chargea Floride de
le faire apercevoir que tant de marques de bonté de
la part d'une reine jeune et belle, ne devaient pas lui
être indifférentes. Floride se trouva fort embarrassée
de cette commission, elle n'avait pu éviter le sort de
la plupart de celles qui avaient vu le chevalier, il lui
paraissait trop aimable pour songer aux intérêts de
sa maîtresse préférablement aux siens ; de sorte que
toutes les fois que la reine lui fournissait l'occasion
de l'entretenir, au lieu de lui parler de la beauté et
des grandes qualités de cette princesse, elle ne lui
parlait que de sa mauvaise humeur, que de ce que
ses femmes souffraient auprès d'elle, que des injus-
tices qu'elle rendait, et du mauvais usage qu'elle faisait du suprême pouvoir qu'elle avait usurpé dans le
royaume[3] ; ensuite, faisant une comparaison de sentiments : « Je ne suis pas née reine, disait-elle, mais
en vérité je devrais l'être ; j'ai un fonds de générosité

qui me porte à faire du bien à tout le monde : ah ! si j'étais dans cet auguste rang, continuait-elle, que le beau Fortuné serait heureux ! Il m'aimerait par reconnaissance, s'il ne m'aimait pas par inclination. »

Le jeune chevalier, tout éperdu de ces discours, ne savait que répondre, cela était cause qu'il évitait soigneusement d'avoir des tête-à-tête avec elle, et la reine impatiente ne manquait pas de demander à Floride comme elle gouvernait l'esprit de Fortuné : « Il est si peu prévenu en sa faveur, lui disait-elle, Madame, et il a tant de timidité qu'il ne veut rien croire de tout ce que je lui dis de favorable de votre part, ou il feint de ne le pas croire, parce qu'il a quelque passion qui l'occupe. — Je le crois comme toi, disait la reine alarmée ; mais serait-il possible qu'il ne fît pas céder tout à son ambition ? — Et serait-il possible, Madame, répliquait Floride, que vous voulussiez devoir son cœur à votre couronne ? Quand on est comme vous jeune et belle, que l'on a mille rares qualités, faut-il avoir recours à l'éclat du diadème ? — L'on a recours à tout, s'écria la reine, lorsqu'il s'agit d'un cœur rebelle qu'on veut assujettir. » Floride connut bien qu'il ne lui était pas possible de guérir sa maîtresse de l'entêtement qu'elle avait pris.

La reine attendait toujours quelque heureux effet des soins de sa confidente ; mais le peu de progrès qu'elle faisait sur Fortuné l'obligea de chercher elle-même les moyens d'avoir une conversation avec lui. Elle savait qu'il se rendait tous les matins de bonne heure dans un petit bois, qui donnait sous les fenêtres de son appartement. Elle se leva avec l'aurore, et regardant du côté qu'il devait venir, elle l'aperçut d'un air mélancolique, qui se promenait nonchalamment ; elle appela aussitôt Floride : « Tu ne m'as parlé que trop juste, lui dit-elle, sans doute Fortuné aime dans cette Cour ou dans son pays : vois la tristesse qui paraît sur son visage. — Je l'ai remarqué aussi dans toutes ses conversations, répliqua Floride, et s'il vous était possible de l'oublier, en vérité, Madame, vous feriez bien. — Il n'est plus temps, s'écria la reine en poussant un profond soupir ; mais puisqu'il entre dans ce berceau de verdure, allons-y, je ne veux être suivie que de toi.» Cette fille n'osa arrêter la reine, quelque envie qu'elle en eût ; car elle craignait qu'elle ne se fît aimer de Fortuné, et une rivale d'un tel rang est toujours très dangereuse. Dès que la reine eut fait quelques pas dans le bois, elle entendit chanter le chevalier, sa voix était très agréable, il avait fait ces paroles sur un air nouveau :

> *Ah! qu'il est difficile*
> *D'aimer avec tendresse et de vivre tranquille ;*
> *Plus je me vois heureux*
> *Et plus je crains la fin du bonheur qui m'enchante,*
> *Le soin de l'avenir sans cesse m'épouvante,*
> *Et me vient affliger au comble de mes vœux.*

Fortuné avait fait ce couplet de chanson par rapport à ses sentiments pour le roi, aux bontés que ce prince lui témoignait, et à l'appréhension d'être enfin reconnu, et obligé de quitter une Cour où il se trouvait mieux qu'en aucun lieu du monde. La reine qui s'était arrêtée pour l'écouter, en ressentit une peine extrême : «Que vais-je tenter ? dit-elle tout bas à Floride, ce jeune ingrat méprise l'honneur de me plaire, il s'estime heureux, il paraît satisfait de sa conquête, il me sacrifie à une autre. — Il est un certain âge, répondit Floride, sur lequel la raison n'a pas encore des droits bien établis ; si j'osais donner un conseil à Votre Majesté, ce serait d'oublier un petit étourdi qui n'est pas capable de goûter sa fortune.» La reine aurait bien voulu que sa confidente lui eût parlé d'une autre manière; elle lança même sur elle un regard furieux, et s'avançant avec précipitation, elle entra brusquement dans le cabinet de verdure où le chevalier se reposait; elle feignit d'être surprise de l'y trouver et d'avoir quelque peine qu'il la vît dans son déshabillé[1], bien qu'elle n'eût rien négligé de tout ce qui pouvait le rendre magnifique et galant.

Dès qu'elle parut, il voulut par respect se retirer; mais elle lui dit de rester, et qu'il lui aiderait à marcher: «J'ai été ce matin, dit-elle, agréablement éveillée par le chant des oiseaux, le temps frais et la pureté de l'air m'ont invitée à les venir entendre de plus près. Qu'ils sont heureux, hélas! ils ne connaissent que les plaisirs, les chagrins ne troublent point leur vie. — Il me semble, Madame, répliqua Fortuné, qu'ils ne sont pas absolument exempts de peine et d'inquiétude, ils ont toujours à éviter le plomb meurtrier ou les filets décevants des chasseurs, il n'est pas jusqu'aux oiseaux de proie qui ne fassent la guerre à ces petits innocents; lorsqu'un rude hiver gèle la terre et la couvre de neige, ils meurent, manque de quelques grains de chènevis[2] ou de millet; et tous les ans ils ont l'embarras de chercher une maîtresse nouvelle. — Vous croyez donc, chevalier, dit la reine en souriant, que c'est un embarras? Il y a des hommes qui le prennent en gré douze fois chaque année. Eh, bon Dieu! vous paraissez surpris? continua-t-elle, ne semble-t-il pas que vous avez le cœur tourné d'une autre manière, et que vous n'avez encore jamais changé? — Je ne peux, Madame, savoir de quoi je suis capable, dit le chevalier, car je n'ai point aimé; mais j'ose croire que si je prenais un attachement, ce serait pour le reste de ma vie. — Vous n'avez point aimé! s'écria la reine en le regardant si fixement que le pauvre chevalier en changea plusieurs fois de couleur, vous n'avez point

aimé ? Fortuné, pouvez-vous parler de cette manière
à une reine qui lit sur votre visage et dans vos yeux
la passion qui vous occupe, et qui vient même d'entendre les paroles que vous avez faites sur l'air nouveau qui court à présent ? — Il est vrai, Madame,
répondit le chevalier, que ce couplet est de moi ;
mais il est vrai aussi que je l'ai fait sans aucun dessein particulier, mes amis m'engagent tous les jours
à leur faire des chansons à boire, bien que je ne
boive que de l'eau, il y en a d'autres qui en veulent
de tendresse ; ainsi je chante l'Amour, je chante
Bacchus, sans être ni amoureux ni buveur. »
    La reine l'écoutait avec tant d'émotion qu'elle
pouvait à peine se soutenir, ce qu'il lui disait rallu-
mait dans son cœur l'espoir que Floride lui avait
voulu ôter : « Si je pouvais vous croire sincère, dit-
elle, j'aurais lieu d'être surprise, que jusqu'à présent
vous n'ayez trouvé personne dans cette Cour assez
aimable pour vous fixer. — Madame, répliqua Fortuné, je m'attache si fort à remplir les devoirs de ma
charge, qu'il ne me reste point de temps pour soupirer. — Vous n'aimez donc rien ? ajouta-t-elle avec
véhémence. — Non, Madame, dit-il, je n'ai pas le
cœur d'un caractère assez galant, je suis une espèce
de misanthrope qui chéris ma liberté, et qui ne voudrais pas la perdre pour qui que ce soit au monde. »
La reine s'assit, et jetant sur lui des regards obli-
geants : « Il est des chaînes si belles et si glorieuses,
reprit-elle, qu'on doit se trouver heureux de les porter ; si la Fortune vous en avait destiné de pareilles,
je vous conseillerais de renoncer à votre liberté. »
En parlant de cette manière, ses yeux s'expliquaient
trop intelligiblement pour que le chevalier, qui avait
déjà des soupçons très forts, n'eût pas entièrement
lieu de se les confirmer. Dans la crainte que la
conversation n'allât encore plus loin, il tira sa
montre, et poussant un peu l'aiguille : « Je supplie

Votre Majesté, dit-il, de permettre que j'aille au palais, voici l'heure du lever du roi, il m'a ordonné de m'y rendre. — Allez, bel indifférent, dit-elle en poussant un profond soupir, vous avez raison de faire votre cour à mon frère : mais souvenez-vous que vous n'auriez pas tort de me dédier quelques-uns de vos devoirs. »

La reine le suivit des yeux, puis elle les baissa, et faisant réflexion à ce qui venait de se passer, elle rougit de honte et de colère ; ce qui ajoutait même quelque chose à son chagrin, c'est que Floride en avait été témoin, et qu'elle remarquait sur son visage un air de joie, qui semblait lui dire qu'elle aurait mieux fait de croire ses conseils que de parler à Fortuné ; elle rêva quelque temps, et prenant des tablettes[1], elle écrivit ces vers qu'elle fit mettre en musique par le Lully de sa Cour :

> *Tu vois, tu vois enfin le tourment que j'endure,*
> *Mon vainqueur le connaît et n'en est point touché,*
> *Mon cœur en sa présence a montré sa blessure,*
> *Et le trait qui toujours devait être caché.*
> *As-tu vu son mépris ? sa rigueur inhumaine ?*
> *Il me hait : je voudrais le haïr à mon tour ;*
>   *Mais c'est une espérance vaine,*
> *Je ne saurais pour lui sentir que de l'amour.*

Floride fit très bien son personnage auprès de la reine, elle la consola de son mieux, et lui donna quelques retours d'espérance dont elle avait bien besoin pour ne pas succomber : « Fortuné se trouve dans une distance si éloignée de vous, Madame, lui dit-elle, qu'il n'a peut-être pas compris ce que vous avez voulu lui faire entendre, il me semble même que c'est déjà beaucoup qu'il vous ait assurée qu'il n'aime rien. » Il est si naturel de se flatter, qu'enfin la reine reprit un peu de cœur. Elle ignorait que la malicieuse Floride, persuadée de l'éloignement du chevalier pour elle, voulait l'engager à lui parler encore plus clairement, afin qu'il pût la choquer davantage par l'indifférence de ses réponses.

Il était de son côté dans le dernier embarras. Sa situation lui paraissait cruelle, et il n'aurait pas hésité à quitter la Cour, si le trait fatal qui l'avait blessé pour le roi ne l'eût arrêté malgré lui; il n'allait plus chez la reine qu'aux heures où elle tenait son cercle et à la suite du roi; elle s'aperçut aussitôt de ce nouveau changement de conduite, elle lui donna lieu plusieurs fois de lui faire sa cour, sans qu'il en voulût profiter; mais un jour qu'elle descendait dans ses jardins, elle le vit qui traversait une grande allée et qui s'enfonça promptement dans le petit bois; elle l'appela, il craignit de lui déplaire, en feignant de ne l'avoir pas entendue, il l'approcha d'un air respectueux.

«Vous souvenez-vous, chevalier, lui dit-elle, de la conversation que nous eûmes il y a quelque temps dans le cabinet de verdure? — Je ne suis pas capable, répondit-il, Madame, d'avoir oublié cet honneur. — Sans doute les questions que je vous fis, ajouta-t-elle, vous causèrent de la peine; car depuis ce jour-là vous ne vous êtes pas mis en état que je vous en fisse d'autres. — Comme le hasard seul me procura cette faveur, dit-il, il m'a semblé qu'il y aurait eu de la témérité d'en prétendre d'autres. — Dites plutôt, ingrat, continua-t-elle en rougissant, que vous avez évité ma présence: vous ne connaissez que trop mes sentiments.» Fortuné baissa les yeux d'un air embarrassé et modeste, et comme il hésitait à lui répondre: «Vous êtes bien déconcerté, allez, ne cherchez rien à me dire, je vous entends mieux que je ne voudrais vous entendre.» Elle en aurait peut-être dit davantage, sans qu'elle aperçut le roi qui venait se promener.

Elle s'avança aussitôt, et le voyant fort mélancolique, elle le conjura de lui en apprendre la raison :
«Vous savez, dit le roi, qu'il y a un mois qu'on me
vint donner avis qu'un dragon d'une grandeur prodigieuse ravageait toute la contrée. Je croyais qu'on
pourrait le tuer, et j'avais donné là-dessus les ordres
nécessaires : mais on a tout tenté inutilement, il
dévore mes sujets, leurs troupeaux, et tout ce qu'il
rencontre ; il empoisonne les rivières et les fontaines où ils se désaltèrent, et fait sécher les herbes
et les plantes sur quoi ils se reposent.» Pendant que
le roi parlait ainsi, la reine roulait dans son esprit
irrité un moyen sûr de sacrifier le chevalier à son
ressentiment.

«Je n'ignore pas, répliqua-t-elle, les mauvaises
nouvelles que vous avez reçues, Fortuné que vous
avez vu auprès de moi, venait de m'en rendre
compte ; mais mon frère, vous allez être surpris de
ce qui me reste à vous dire : c'est qu'il m'a priée
avec la dernière instance que vous lui permettiez
d'aller combattre l'affreux dragon ; il est vrai qu'il a
une adresse si merveilleuse et qu'il manie si bien ses
armes, que je ne suis point surprise qu'il présume
beaucoup de lui ; ajoutez à cela qu'il m'a dit avoir
un secret pour endormir les dragons les plus éveillés :
mais il n'en faut point parler, parce qu'il ne paraî-
trait pas assez de valeur dans son action. — De
quelque manière qu'il la fît, répliqua le roi, elle
serait bien glorieuse pour lui, et bien utile pour
nous, s'il y pouvait réussir ; cependant je crains que
ce ne soit l'effet d'un zèle indiscret [1], et qu'il ne lui
en coûtât la vie. — Non, mon frère, ajouta la reine,
n'appréhendez point, il m'a conté là-dessus des
choses surprenantes, vous savez qu'il est naturellement fort sincère, et puis quel honneur pourrait-il
espérer de mourir en étourdi ? Enfin, continua-t-elle,

je lui ai promis d'obtenir ce qu'il désire avec tant de passion, que si vous lui refusez, il en mourra.

— Je consens à ce que vous voulez, dit le roi, je vous avoue malgré cela que j'y ai de la répugnance : mais appelons-le. » Aussitôt il fit signe à Fortuné de s'approcher, et lui dit d'un air obligeant : « Je viens d'apprendre par la reine le désir que vous avez de combattre le dragon qui nous désole, c'est une résolution si hardie que je ne peux croire que vous en envisagiez tout le péril. — Je lui ai représenté, dit la reine : mais il a tant de zèle pour votre service, et de passion pour se signaler, que rien ne saurait l'en détourner, et j'en augure quelque chose d'heureux. »

Fortuné demeura surpris d'entendre ce que le roi et la reine lui disaient. Il avait trop d'esprit pour ne pas pénétrer les mauvaises intentions de cette princesse ; mais sa douceur ne lui permit pas de s'en expliquer, et sans rien répondre, il la laissa toujours parler, se contentant de faire de profondes révérences que le roi prit pour de nouvelles prières de lui accorder la permission qu'il souhaitait : « Allez donc, lui dit-il en soupirant, allez où la gloire vous appelle ; je sais que vous avez tant d'adresse dans toutes les choses que vous faites, et particulièrement aux armes, que ce monstre aura peut-être de la peine à éviter vos coups. — Sire, répliqua le chevalier, de quelque manière que je me tire du combat, je serai satisfait : ou je vous délivrerai d'un fléau terrible, ou je mourrai pour vous ; mais honorez-moi d'une faveur qui me sera infiniment chère. — Demandez tout ce que vous voudrez, dit le roi. — J'ose, continua-t-il, demander votre portrait. » Le roi lui sut beaucoup de gré de songer à son portrait dans un temps où il avait lieu de s'occuper de bien d'autres choses, et la reine ressentit un nouveau chagrin qu'il ne lui eût pas fait la même prière ; mais il aurait fallu avoir de la bonté de reste pour vouloir le portrait d'une si méchante personne.

Le roi retourné dans son palais, et la reine dans le sien, Fortuné bien embarrassé de la parole qu'il avait donnée, fut trouver son cheval, et lui dit : « Mon cher Camarade, il y a bien des nouvelles. — Je les sais déjà, Seigneur, répliqua-t-il. — Que ferons-nous donc ? ajouta Fortuné. — Il faut partir au plus tôt, répondit le cheval, prenez un ordre du roi par lequel il vous ordonne d'aller combattre le dragon, nous ferons ensuite notre devoir. » Ce peu de mots consola notre jeune chevalier, il ne manqua pas de se rendre le lendemain de bonne heure chez le roi, avec un habit de campagne aussi bien entendu[1] que tous les autres qu'il avait pris dans le coffre de maroquin.

Aussitôt que le roi l'aperçut, il s'écria : « Quoi ! vous êtes prêt à partir ? — L'on ne peut avoir trop de diligence pour exécuter vos commandements, Sire, répliqua-t-il, je viens prendre congé de vous. » Le roi ne put s'empêcher de s'attendrir, voyant un cavalier si jeune, si beau, si parfait sur le point de s'exposer au plus grand péril où un homme pouvait jamais se mettre.

Il l'embrassa et lui donna son portrait enrichi de gros diamants ; Fortuné le reçut avec une joie extraordinaire, les grandes qualités du roi l'avaient touché à tel point qu'il n'imaginait rien au monde de plus aimable que lui, et s'il souffrait en le quittant, c'était bien moins par la crainte d'être englouti du dragon que par la privation d'une présence si chère.

Le roi voulut que son ordre particulier pour Fortuné d'aller combattre en renfermât un général à tous ses sujets de lui aider, et de lui donner les secours dont il pourrait avoir besoin ; ensuite il prit congé du roi, et pour qu'on n'eût rien à remarquer[2] dans sa conduite, il alla chez la reine qui était à sa toilette entourée de plusieurs dames ; elle changea de couleur lorsqu'il parut; que n'avait-elle pas à se reprocher sur son chapitre? Il la salua respectueusement, et lui demanda si elle voulait l'honorer de ses ordres, qu'il allait partir; ce mot acheva de la déconcerter, et Floride qui ne savait rien de ce que la reine avait tramé contre le chevalier, resta fort éperdue; elle aurait bien voulu l'entretenir en particulier, mais il fuyait des conversations si embarrassantes.

«Je prie les dieux, lui dit la reine, de vous faire vaincre, et de vous ramener triomphant. — Madame, répliqua le chevalier, Votre Majesté me fait trop d'honneur, elle sait assez le péril où je m'expose et je ne l'ignore pas non plus, cependant je suis tout plein de confiance, peut-être que dans cette occasion je suis le seul qui espère.» La reine entendit bien ce qu'il voulait lui dire, sans doute qu'elle aurait répondu à ce petit reproche, s'il y avait eu moins de monde dans sa chambre.

Enfin le chevalier se rendit chez lui, il ordonna à ses sept excellents domestiques de monter à cheval et de le suivre, parce que le temps était venu d'éprouver ce qu'ils savaient faire; il n'y en eut aucun qui ne témoignât de la joie de pouvoir le servir. Ils ne tardèrent pas une heure à mettre tout en ordre, et ils partirent avec lui, l'assurant qu'ils ne négligeraient rien pour sa satisfaction; en effet quand ils se trouvaient seuls dans la campagne, et qu'ils ne craignaient point d'être vus, chacun faisait preuve de son adresse: Trinquet buvait l'eau des étangs et pêchait le plus beau poisson pour le dîner de son maître. Léger de son côté attrapait les cerfs à la course, et prenait un lièvre par les oreilles quelque rusé qu'il fût; le Bon-tireur ne faisait quartier ni aux perdreaux, ni aux faisans, et quand le gibier était tué d'un côté, la venaison de l'autre, et le poisson hors de l'eau, Forte-échine s'en chargeait gaiement; il n'y avait pas jusqu'à Fine-oreille qui ne se rendît

utile, il écoutait sortir de la terre les truffes, les
morilles, les champignons, les salades, les herbes
fines; ainsi Fortuné n'avait presque pas besoin de
mettre la main à la bourse pour les frais de son
voyage, et il se serait assez bien diverti à voir tant de
choses extraordinaires, s'il n'avait pas eu le cœur
tout rempli de ce qu'il venait de quitter. Le mérite
du roi lui était toujours présent, et la malice de la
reine lui semblait si grande, qu'il ne pouvait s'empêcher de la détester.

Il marchait abîmé dans une profonde rêverie,
lorsqu'il en fut retiré par les cris perçants de plusieurs personnes, c'était de pauvres paysans que le
dragon dévorait. Il en vit quelques-uns qui s'étant
échappés fuyaient de toutes leurs forces, il les appela
sans qu'ils voulussent s'arrêter, il les suivit et leur
parla; il sut par eux que le monstre n'était pas éloigné. Il leur demanda comment ils faisaient pour
s'en garantir, ils lui dirent que l'eau était rare dans
le pays, que l'on n'y en buvait que de pluies, et que
pour la conserver ils avaient fait un étang, que le
dragon après bien des courses y venait boire, qu'il
faisait de grands cris en arrivant, qu'on les entendait
d'une lieue, qu'alors tout le monde effrayé se cachait,
fermant les portes et les fenêtres des maisons.

Le chevalier entra dans une hôtellerie, bien moins
pour se reposer que pour prendre les bons avis de
son joli cheval; quand chacun se fut retiré, il descendit dans l'écurie, il lui dit : «Camarade, que ferons-
nous pour vaincre le dragon ? — Seigneur, lui dit-il,
j'y rêverai cette nuit, et je vous en rendrai compte
demain matin.» Il lui dit lorsqu'il y retourna : «Je
suis d'avis que Fine-oreille écoute si le dragon est
proche.» Aussitôt Fine-oreille se coucha par terre, il
entendit les cris du dragon qui était encore à sept
lieues de là; quand le cheval le sut, il dit à Fortuné :
«Commandez à Trinquet d'aller boire toute l'eau du

grand étang, et que Forte-échine y porte assez de
vin pour le remplir; il faudra mettre autour des rai-
sins secs, du poivre, et plusieurs choses qui altèrent;
commandez aussi que les habitants se renferment
chacun dans leurs maisons, et vous-même, Seigneur,
ne sortez pas de celle que vous choisirez avec tous
vos gens; le dragon ne tardera pas de venir boire à
l'étang, le vin lui semblera bon, et vous verrez qu'on
en viendra à bout. »

Dès que Camarade eut achevé de régler ce qu'on
devait faire, chacun s'employa à ce qui lui était
ordonné. Le chevalier entra dans une maison dont
les vues donnaient sur l'étang. Il y était à peine que
l'affreux dragon y vint; il but un peu, ensuite il mangea le déjeuner qu'on lui avait préparé, et puis il
but tant et tant qu'il s'enivra. Il ne pouvait plus se
remuer, il était couché sur le côté, sa tête penchée et
ses yeux fermés; quand Fortuné le vit ainsi, il jugea
bien qu'il n'y avait pas un moment à perdre, il sortit l'épée à la main et l'attaqua avec un courage
merveilleux. Le dragon se sentant percé de tous
côtés, voulait s'élever et fondre sur le chevalier; mais
il n'en avait pas la force, il perdait tout son sang, et
le chevalier ravi de l'avoir réduit dans cette extrémité, appela ses gens pour lier ce monstre avec des
cordes et des chaînes, voulant ménager au roi le
plaisir et la gloire de lui donner la mort; de sorte
que n'ayant plus rien à craindre, ils le traînèrent
jusqu'à la ville.

Fortuné marchait à la tête de son petit cortège
en approchant du palais, il envoya Léger, pour
apprendre au roi la bonne nouvelle d'un succès si
avantageux: mais cela paraissait presque incroyable,
jusqu'à ce que l'on vît paraître ce monstre sur une
machine faite exprès, où il était garrotté.

Le roi descendit, il embrassa Fortuné: « Les dieux
vous réservaient cette victoire, lui dit-il, et je ressens

moins la joie de voir cet horrible dragon dans l'état
où vous l'avez réduit, que de vous voir, mon cher
chevalier. — Sire, répliqua-t-il, Votre Majesté peut
lui donner les derniers coups, je ne l'ai amené que
pour les recevoir de votre main[1].» Le roi tira son
épée et acheva de tuer le plus cruel de ses ennemis;
tout le monde jetait des cris de joie et des acclamations pour un succès si inespéré.

Floride toujours inquiète ne demeura pas longtemps sans apprendre le retour du beau chevalier;
elle courut l'annoncer à la reine, qui demeura si
surprise et si combattue[2] par son amour et par sa
haine, qu'elle ne pouvait répondre à ce que lui disait
sa favorite; elle s'était reproché cent et cent fois le
mauvais tour qu'elle lui avait joué; mais elle aimait
mieux le voir mort que de le voir indifférent; de
sorte qu'elle ne savait si elle était bien aise ou bien
fâchée, qu'il revînt dans une Cour où sa présence
allait encore troubler le repos de sa vie.

Le roi impatient de lui raconter l'heureux succès d'une aventure si extraordinaire, entra dans sa
chambre appuyé sur le chevalier; «Voici le vainqueur du dragon, dit-il à la reine, qui vient de me
rendre le service le plus signalé que je pouvais souhaiter d'un fidèle sujet: c'est à vous, Madame, à qui
il a parlé la première de l'envie qu'il avait de combattre ce monstre; j'espère que vous lui tiendrez
compte du péril où il s'est exposé.» La reine com-
posant son visage, honora Fortuné d'un accueil gracieux et de mille louanges; elle le trouva encore
plus aimable que lorsqu'il partit, et son attention à
le regarder ne lui fit que trop entendre que son
cœur était encore blessé.

Elle ne voulut pas se fier à ses yeux de s'en expliquer tout seuls, et un jour qu'elle était à la chasse
avec le roi, elle feignit de ne pouvoir pas suivre les
chiens, parce qu'elle était incommodée. Alors, se

tournant vers le jeune chevalier qui n'était pas éloigné : «Vous me ferez plaisir, lui dit-elle, de rester
auprès de moi, je veux descendre et me reposer un
peu ; allez, ajouta-t-elle à ceux qui l'accompagnaient,
ne quittez pas mon frère. » Aussitôt elle mit pied à
terre avec Floride, et s'assit au bord d'un ruisseau,
où elle demeura quelque temps dans un profond
silence : elle rêvait au tour qu'elle donnerait à son
discours.

Enfin levant les yeux, elle les attacha sur le chevalier, et lui dit : «Comme les bonnes intentions ne se
manifestent pas toujours, je crains que vous n'ayez
point pénétré les motifs qui m'engagèrent de pres-
ser le roi de vous envoyer combattre le dragon :
j'étais sûre, par un pressentiment qui ne m'a jamais
trompée, que vous en sortiriez en homme de courage, et vos envieux parlaient si mal du vôtre, parce
que vous n'êtes point allé à l'armée, qu'il fallait une
action aussi éclatante que celle-ci pour leur fermer
la bouche : je vous aurais bien communiqué ce qui
se disait là-dessus, continua-t-elle, et j'aurais peut-
être dû le faire, sans que je me persuadai que votre
ressentiment aurait des suites, et qu'il valait mieux
faire taire les malintentionnés par votre conduite
intrépide dans le péril, que par une autorité qui
marque plutôt que l'on est favori que soldat ; vous
voyez à présent, Chevalier, continua-t-elle, que j'ai
pris un sensible intérêt à tout ce qui vous est arrivé
de glorieux, et que vous auriez grand tort d'en juger
d'une autre manière. — La distance qui nous sépare
est si grande, Madame, répondit-il modestement,
que je ne suis pas digne de l'éclaircissement que
vous voulez bien me donner, ni du soin que vous
avez pris de hasarder ma vie pour ménager mon
honneur ; le Ciel m'a protégé avec plus de bonté que
mes ennemis ne le souhaitaient, et je m'estimerai
toujours heureux d'employer pour le service du roi,

et le vôtre, une vie dont la perte m'est plus indifférente qu'on ne pense.»

Le respectueux reproche de Fortuné embarrassa
la reine, elle sentit bien tout ce qu'il voulait lui
dire: mais elle le trouvait trop aimable pour chercher à l'éloigner par quelque réponse trop aigre, au
contraire elle feignit d'entrer dans ses sentiments, et
se fit redire avec quelle adresse il avait vaincu le dragon. Fortuné n'avait garde d'apprendre à personne
que c'était par le secours de ses gens, il se vantait
d'être allé au-devant de ce redoutable ennemi, et que
sa seule adresse, et même sa témérité l'avaient tiré
d'affaire: mais la reine ne songeant presque plus à
ce qu'il lui racontait, l'interrompit pour lui demander s'il était à présent bien convaincu de la part
qu'elle prenait dans tout ce qui le regardait. Cette
conversation allait être poussée, lorsqu'il lui dit:
«Madame, je viens d'entendre le son d'un cor, le roi
approche, Votre Majesté ne veut-elle pas monter à
cheval pour aller au-devant de lui? — Non, dit-elle
d'un air plein de dépit, il suffit que vous y alliez. —
Le roi me blâmerait, Madame, ajouta-t-il, si je vous
laissais seule, dans un lieu où vous pouvez courir
quelque risque. — Je vous dispense de tant d'inquiétude, ajouta-t-elle d'un ton absolu, allez, votre présence m'importune.»

À cet ordre le chevalier lui fait une profonde révérence, monte à cheval, et se dérobe à sa vue, inquiet
du succès que pourrait avoir ce nouveau ressentiment. Il consulta là-dessus son beau cheval:
«Apprends-moi, Camarade, lui dit-il, si cette reine
trop tendre et trop colère, trouvera encore quelque
monstre pour m'y livrer. — Elle ne trouvera qu'elle,
répondit le joli cheval; mais elle est plus dragonne
que le dragon que vous avez tué, et elle exercera suffisamment votre patience et votre vertu. — Ne me
fera-t-elle point perdre les bonnes grâces du roi?

s'écria-t-il, voilà tout ce que je crains. — Je ne peux
pas vous révéler l'avenir, dit Camarade, qu'il vous
suffise que je veille à tout. » Il n'en dit pas davantage, parce que le roi parut au bout d'une allée;
Fortuné le joignit et lui apprit que la reine s'était
trouvée mal, et lui avait ordonné de rester auprès
d'elle. « Il me semble, dit le roi en souriant, que vous
êtes assez bien dans ses bonnes grâces, et c'est à elle
que vous ouvrez votre cœur préférablement à moi;
car enfin je n'ai point oublié que vous la priâtes de
vous procurer la gloire d'aller combattre le dragon.
— Sire, répliqua le chevalier, je n'ose me défendre
de ce que vous me dites, mais je peux assurer Votre
Majesté que je mets une grande différence entre vos
bonnes grâces et celles de la reine, et s'il était permis à un sujet d'avoir son souverain pour confident,
je me ferais une joie bien délicate de vous déclarer
tous les sentiments de mon cœur. » Le roi l'interrompit pour lui demander où il avait laissé la reine.

Pendant qu'il l'allait joindre, elle se plaignait à
Floride de l'indifférence de Fortuné : «Sa vue me
devient odieuse, s'écriait-elle, il faut qu'il sorte de la
Cour ou que je la quitte, je ne saurais plus souffrir
un ingrat qui ose me témoigner tant de mépris : et
quel est le mortel qui ne s'estimerait pas heureux de
plaire à une reine toute-puissante dans cet État? Il
n'y a que lui au monde : ah! les dieux l'ont réservé
pour troubler tout le repos de ma vie. »

Floride n'était point fâchée du chagrin que sa maîtresse avait contre Fortuné, et bien loin de l'apaiser
elle l'aigrissait, en lui rappelant mille circonstances
qu'elle n'avait peut-être pas voulu remarquer. Son
dépit augmenta encore, et lui fit concevoir un nouveau dessein pour perdre le pauvre chevalier.

Dès que le roi fut auprès d'elle et qu'il lui eut
témoigné son inquiétude pour sa santé, elle lui dit:
«Je vous avoue que je me trouvais assez mal; mais

il est difficile de ne pas guérir avec Fortuné, il est
réjouissant, ses visions sont plaisantes : vous saurez,
continua-t-elle, qu'il m'a priée d'obtenir une nouvelle grâce de Votre Majesté. Il la demande avec la
dernière confiance de réussir dans l'entreprise du
monde la plus téméraire. — Quoi ! ma sœur, s'écria
le roi, veut-il aller combattre quelque nouveau dragon ? — C'en est plusieurs à la fois, dit-elle, qu'il
s'assure de vaincre : vous le dirai-je ? Enfin il se
vante d'obliger l'empereur à nous rendre tous nos
trésors, et que pour cela il ne lui faut point d'armée.
— Quel dommage, répliqua le roi, que ce pauvre
garçon soit tombé dans une folie si extraordinaire !
— Son combat contre le monstre, ajouta la reine, ne
lui laisse plus concevoir que de grands desseins ; et
que hasardez-vous en lui donnant la permission de
s'exposer encore pour votre service ? — Je hasarde
sa vie qui m'est chère, répliqua le roi, j'aurais une
peine extrême de le faire périr de gaieté de cœur.
— De quelque manière que la chose tourne, il est
donc infaillible qu'il mourra, dit-elle ; car je vous
assure qu'il a une si forte passion d'aller recouvrer
vos trésors, qu'il ne fera plus que languir si vous lui
en refusez la permission. »

Le roi tomba dans une profonde tristesse : « Je ne
puis imaginer, dit-il, ceux qui lui remplissent la tête
de toutes ces chimères, je souffre de le voir en cet
état. — Au fond, répliqua la reine, il a combattu le
dragon, il l'a vaincu, peut-être qu'il réussirait de
même ; j'ai quelquefois des pressentiments justes, le
cœur me dit que son entreprise sera heureuse ; de
grâce, mon frère, ne vous opposez point à son zèle.
— Il faut l'appeler, ajouta le roi, et lui représenter
tout au moins ce qu'il hasarde. — Voilà justement le
moyen de le faire désespérer, répliqua la reine, il
croira que vous ne voulez pas qu'il parte, et je vous
assure qu'à l'égard de le retenir par aucune consi-

dération qui le concerne, il[1] ne le fera pas ; car je lui ai déjà dit tout ce qui se peut imaginer dans une telle occasion. — Eh bien ! s'écria le roi, qu'il parte, j'y consens. » La reine ravie de cette permission appela Fortuné : « Chevalier, lui dit-elle, remerciez le roi, il vous accorde la permission que vous désirez tant, d'aller trouver l'empereur Matapa et de lui faire rendre de gré ou de force nos trésors qu'il a enlevés ; préparez-vous-y, avec la même diligence que vous eûtes pour aller combattre le dragon. »

Fortuné surpris reconnut à ce trait la fureur de la reine contre lui ; cependant il ressentit du plaisir à pouvoir donner sa vie pour un roi qui lui était si cher, et sans se défendre de cette extraordinaire commission, il mit un genou en terre et baisa la main du roi, qui était de son côté très attendri. La reine ressentait une espèce de honte de voir avec quel respect il se voyait condamné à affronter la mort. « Serait-ce, disait-elle en elle-même, qu'il aurait pour moi de l'attachement, et plutôt que de me dédire de ce que j'ai avancé de sa part, il souffre le mauvais tour que je lui joue sans se plaindre ? Ah ! si je pouvais m'en flatter, que je me voudrais de mal de celui que je vais lui faire ! » Le roi parla peu au chevalier, il remonta à cheval et la reine dans sa calèche, feignant de se trouver encore mal.

Fortuné accompagna le roi jusqu'au bout de la forêt, puis y rentrant pour entretenir son cheval, il lui dit : « Mon fidèle Camarade, c'en est fait, il faut que je périsse, la reine vient de m'en ménager une occasion à laquelle je ne me serais jamais attendu de sa part. — Mon aimable maître, répliqua le cheval, cessez de vous alarmer ; bien que je n'aie pas été présent à ce qui s'est passé, je le savais il y a longtemps, l'ambassade n'est pas si terrible que vous l'imaginez. — Tu ne sais donc pas, continua le chevalier, que cet empereur est le plus colère de

tous les hommes, et que, si je lui propose de rendre
tout ce qu'il a pris au roi, il ne me fera point d'autre
réponse que de m'attacher une pierre au cou et de
me faire jeter dans la rivière. — Je suis informé de
ses violences, dit Camarade ; mais que cela ne vous
empêche pas de prendre vos gens avec vous et de
partir ; si vous y périssez nous périrons tous, j'espère cependant un meilleur succès. »

Le chevalier un peu consolé revint chez lui, donna
les ordres nécessaires et fut ensuite prendre ceux du
roi et ses lettres de créance : « Vous direz de ma part
à l'empereur, lui dit-il, que je redemande mes sujets
qu'il retient en esclavage, mes soldats prisonniers,
mes chevaux dont il se sert, et mes meubles avec
mes trésors. — Que lui offrirai-je pour toutes ces
choses ? dit Fortuné. — Rien, répliqua le roi, que
mon amitié. » Le jeune ambassadeur ne fit pas un
grand effort de mémoire pour retenir son instruction, il partit sans voir la reine, elle en parut offensée ;
mais il avait peu de chose à ménager avec elle : que
pouvait-elle lui faire dans sa plus grande colère,
qu'elle ne lui fît pas dans les transports de sa plus
grande amitié ? Une tendresse de ce caractère lui
paraissait la chose du monde la plus redoutable ; sa
confidente qui savait tout le secret était désespérée
contre sa maîtresse de vouloir sacrifier la fleur de
toute chevalerie.

Fortuné prit dans le coffre de maroquin tout ce
qui lui était nécessaire pour son voyage, il ne se
contenta pas de s'habiller magnifiquement, il voulut
que ses sept hommes qui l'accompagnaient fussent
très bien mis ; et comme ils avaient tous des chevaux excellents, et que Camarade semblait plutôt
voler en l'air que courir sur la terre, ils arrivèrent
en peu de temps à la ville capitale où demeurait
l'empereur Matapa. Elle était plus grande que Paris,

Constantinople et Rome ensemble, et si peuplée que
les caves, les greniers et les toits, étaient habités.

Fortuné demeura bien surpris, de voir une ville
d'une si prodigieuse étendue. Il fit demander audience
à l'empereur et l'obtint sans peine ; mais quand il lui
eut déclaré le sujet de son ambassade, bien que ce fût
avec une grâce qui ajoutait beaucoup à ses raisons,
l'empereur ne put s'empêcher d'en sourire : « Si vous
étiez à la tête de cinq cent mille hommes, lui dit-il,
l'on pourrait vous écouter ; mais l'on m'a dit que
vous n'en aviez que sept. — Je n'ai pas entrepris, Seigneur, lui dit Fortuné, de vous faire rendre ce que
mon maître souhaite par la force, mais par mes très
humbles remontrances. — Par quelque voie que ce
soit, ajouta l'empereur, vous n'en viendrez point à
bout que vous n'exécutiez une pensée qui vient de
me venir ; c'est que vous trouviez un homme qui ait
assez bon appétit pour manger à son déjeuner tout le
pain chaud qu'on aura cuit pour les habitants de
cette grande ville. » Le chevalier à cette proposition
demeura surpris de joie, et comme il ne parlait pas
assez promptement, l'empereur s'éclata de rire :
« Vous voyez, lui dit-il, qu'il est naturel de répondre
une extravagance à une proposition extravagante.
— Seigneur, dit Fortuné, j'accepte ce que vous m'offrez, j'amènerai demain un homme qui mangera
tout le pain tendre, et même tout le pain dur de cette
ville, commandez qu'on l'apporte dans la grande
place, vous aurez le plaisir de lui voir mettre à profit jusqu'aux miettes. » L'empereur répliqua qu'il y
consentait ; il ne fut parlé le reste du jour que de la
folie du nouvel ambassadeur, et Matapa jura qu'il le
ferait mourir s'il ne tenait pas sa parole.

Fortuné étant revenu à l'Hôtel des Ambassadeurs
où il logeait, il appela Grugeon, et lui dit : « C'est
cette fois ici qu'il faut te préparer à manger du pain,
il y va de tout pour nous. » Il lui apprit là-dessus ce

qu'il avait promis à l'empereur : «Ne vous inquiétez
point, mon maître, lui dit Grugeon, je mangerai tant
qu'ils en seront les premier[1] que moi.» Fortuné ne
laissait pas de craindre qu'il n'en pût venir à bout, il
défendit qu'on lui donnât à souper, afin qu'il déjeu-
nât mieux; mais cette précaution était inutile.

L'empereur, l'impératrice et la princesse se pla-
cèrent sur un balcon pour voir mieux ce qui allait se
passer. Fortuné arriva avec son petit cortège, et lorsqu'il aperçut dans la grande place six montagnes de
pain plus hautes que les Pyrénées, il ne put s'empêcher de pâlir; Grugeon ne fit pas de même, car l'espérance de manger tant de bon pain lui faisait
grand plaisir, il pria qu'on n'en réservât pas le plus
petit morceau, disant qu'il voulait même avoir le
reste des souris. L'empereur plaisantait avec toute
sa Cour de l'extravagance de Fortuné et de ses gens;
mais Grugeon impatient demanda le signal pour
commencer, on le lui donna par le bruit des trompettes et des tambours, en même temps il se jeta sur
une des montagnes de pain, qu'il mangea en moins
d'un quart d'heure, et toutes les autres furent gobées
de même.

Il n'a jamais été un étonnement pareil, tout le
monde demandait s'il n'avait point fasciné leurs
yeux, et l'on allait toucher à l'endroit où les pains
avaient été apportés; il fallut que ce jour-là, depuis
l'empereur jusqu'au chat, tout dînât sans pain.

Fortuné, infiniment content de ce bon succès, s'approcha de l'empereur et lui demanda avec beaucoup
de respect s'il avait agréable de lui tenir sa parole;
l'empereur un peu irrité d'avoir été pris pour dupe,
lui dit : «Monsieur l'ambassadeur, c'est trop manger
sans boire, il faut que vous ou quelqu'un de vos
gens, buviez toute l'eau des fontaines, des aqueducs
et des réservoirs de la ville, et tout le vin qui se trouvera dans les caves. — Seigneur, dit Fortuné, vous

voulez me mettre dans l'impossibilité d'obéir à vos
ordres; mais au fond je ne laisserais pas de tenter
l'aventure, si je pouvais me flatter que vous rendrez
au roi mon maître ce que je vous ai demandé de sa
part. — Je le ferai, dit l'empereur, si vous pouvez
réussir dans votre entreprise. » Le chevalier demanda
à l'empereur s'il y serait présent, il répliqua que la
chose était assez rare pour mériter sa curiosité; et
montant dans un chariot magnifique, il fut à la Fontaine des Lions, il y en avait sept de marbre, qui
jetaient par la gueule des torrents d'eau dont il se
formait une rivière sur laquelle on traversait la ville
en gondole[1].

Trinquet s'approcha du grand bassin, et sans
reprendre haleine, il tarit cette source aussi sèche
que s'il n'y avait jamais eu d'eau. Les poissons de
la rivière criaient vengeance contre lui, car ils ne
savaient que devenir. Il n'en fit pas moins à toutes
les autres fontaines, aux aqueducs, aux réservoirs;
enfin il aurait bu la mer tant il était altéré. Après
une telle expérience, l'empereur ne pouvait guère
douter qu'il ne bût le vin aussi bien que l'eau, et
chacun dépité n'avait guère envie de lui donner le
sien; mais Trinquet se plaignit hautement de l'injustice qu'on lui faisait, il dit qu'il aurait mal à l'estomac, et qu'il ne prétendait pas seulement avoir le
vin, mais que les liqueurs étaient aussi de son marché; de sorte que Matapa craignant de paraître trop
ménager[2], consentit à ce que Trinquet demandait.
Fortuné prenant son temps[3], supplia l'empereur de
se souvenir de ce qu'il lui avait promis; à ces paroles,
il prit un air sévère, et lui dit qu'il y penserait.

En effet il assembla son Conseil pour lui déclarer
le chagrin extrême où il était d'avoir promis à ce
jeune ambassadeur de rendre tout ce qu'il avait
gagné sur son maître, qu'il y avait attaché des conditions dont il avait cru l'exécution impossible, et qu'il

fallait aviser à ce qu'il pourrait dire pour éviter une chose qui lui était si préjudiciable. La princesse sa fille, qui était une des plus belles personnes du monde, l'ayant entendu parler ainsi, lui dit : «Seigneur, vous savez que jusqu'à présent j'ai vaincu tous ceux qui ont osé me disputer le prix de la course ; il faut dire à l'ambassadeur que s'il peut arriver premier que moi au but qui sera marqué, vous promettrez de ne plus éluder la parole que vous lui avez donnée. »

L'empereur embrassa sa fille, il trouva son conseil merveilleux, et le lendemain il reçut agréablement les devoirs de Fortuné.

« J'ai encore une chose à exiger, lui dit-il, c'est que vous ou quelqu'un de vos gens, couriez contre la princesse ma fille ; je vous jure par tous les éléments que si l'on remporte le prix sur elle, je donnerai toute sorte de satisfaction à votre maître. » Fortuné ne refusa point ce défi, il dit à l'empereur qu'il l'acceptait, et sur-le-champ Matapa ajouta que ce serait dans deux heures. Il envoya dire à sa fille de se préparer : c'était un exercice où elle était accoutumée dès sa plus tendre jeunesse. Elle parut dans une grande allée d'orangers, qui avait trois lieues de long ; et qui était si bien sablée que l'on n'y voyait pas une pierre grosse comme la tête d'une épingle ; elle avait une robe légère de taffetas couleur de rose, semée de petites étoiles brodées d'or et d'argent, ses beaux cheveux étaient rattachés d'un ruban par derrière et tombaient négligemment sur ses épaules, elle portait de petits souliers sans talon extrêmement jolis, et une ceinture de pierreries qui marquait assez sa taille pour laisser voir qu'il n'en a jamais été une plus belle ; la jeune Atalante[1] n'aurait osé lui rien disputer.

Fortuné vint suivi du fidèle Léger et de ses autres domestiques ; l'empereur se plaça avec toute sa Cour,

l'ambassadeur dit que Léger aurait l'honneur de courir contre la princesse. Le coffre de maroquin lui
avait fourni un habit de toile de Hollande tout garni
de dentelle d'Angleterre[1], des bas de soie couleur de
feu, des plumes de même et de beau linge. En cet
état il avait fort bonne mine, la princesse l'accepta
pour courir avec elle, mais avant que de partir on
lui apporta une liqueur qui aidait encore à la rendre
plus légère, et à lui donner de la force. Le coureur
s'écria qu'il fallait qu'on lui en donnât aussi, et que
l'avantage devait être égal: «Très volontiers, dit-
elle, je suis trop juste pour vous refuser.» Aussitôt
elle lui en fit verser; mais comme il n'était point
accoutumé à cette eau qui était très forte, elle lui
mont[a][2] tout d'un coup à la tête; il fit deux ou trois
tours, et se laissant tomber au pied d'un oranger, il
s'endormit profondément.
   Cependant on donnait le signal pour partir, on
l'avait déjà recommencé trois fois, la princesse attendait bonnement que Léger s'éveillât, elle pensa enfin
qu'il lui était d'une grande conséquence de tirer son
père de l'embarras où il était, de sorte qu'elle partit
avec une grâce et une légèreté merveilleuses. Comme
Fortuné se tenait au bout de l'allée avec tous ses
gens, il ne savait rien de ce qui se passait; lorsqu'il
vit la princesse qui courait toute seule, et qui n'était
plus guère qu'à une demi-lieue du but: «Dieux!
s'écria-t-il en parlant à son cheval, nous sommes
perdus, je n'aperçois point Léger. — Seigneur, dit
Camarade, il faut que Fine-oreille écoute, peut-être
il nous apprendra ce qu'il fait.» Fine-oreille se jeta
par terre, et bien qu'il fût à deux lieues de Léger, il
l'entendit ronfler: «Vraiment, dit-il, il n'a garde de
venir, il dort comme s'il était dans son lit. — Hé! que
ferons-nous donc? s'écria encore Fortuné. — Mon
maître, dit Camarade, il faut que le Bon-tireur lui
décoche une flèche dans le petit bout de l'oreille

afin de le réveiller.» Le Bon-tireur prit son arc et
frappa si juste, qu'il perça l'oreille de Léger. La
douleur qu'il ressentit le tira de son assoupissement,
il ouvrit les yeux, il aperçut la princesse qui touchait
presque au but, et il n'entendit derrière lui que des
cris de joie et d'applaudissement. Il s'étonna d'abord ;
mais il regagna bien vite ce que le sommeil lui avait
fait perdre. Il semblait que les vents le portaient, et
que les yeux ne le pouvaient suivre ; enfin il arriva le
premier, ayant encore la flèche dans l'oreille, car il
ne s'était pas donné le temps de l'ôter.

L'empereur demeura si surpris des trois événements qui s'étaient passés depuis l'arrivée de l'ambassadeur, qu'il crut que les dieux s'intéressaient
pour lui, et qu'il ne pouvait plus différer de tenir sa
parole : «Approchez, lui dit-il, afin d'entendre par
ma bouche que je consens que vous preniez ici ce
que vous ou l'un de vos hommes pourrez emporter
des trésors de votre maître ; car il ne faut pas que
vous pensiez que je veuille jamais vous en donner
davantage, ni que je laisse aller ses soldats, ses sujets
et ses chevaux.» L'ambassadeur lui fit une profonde
révérence, il lui dit qu'il lui faisait encore beaucoup
de grâce, et qu'il le suppliait de donner ses ordres
là-dessus.

Matapa tout plein de dépit parla au gardien de ses
trésors, et s'en alla à une maison de plaisance qu'il
avait proche de la ville. Aussitôt Fortuné et ses gens
demandèrent l'entrée de tous les lieux où les meubles,
les raretés, l'argent et les bijoux du roi étaient enfer-
més. On ne lui cacha rien, mais ce fut à condition qu'il n'y aurait qu'un seul homme qui pourrait
s'en charger. Forte-échine se présenta, et avec son
secours, l'ambassadeur emporta tous les meubles
qui étaient dans les palais de l'empereur, cinq cents
statues d'or plus hautes que des géants, des carrosses, des chariots, et toutes sortes de choses sans

exception; avec cela Forte-échine marchait si légèrement qu'il ne semblait pas qu'il eût une livre
pesant sur son dos.

Lorsque les ministres de l'empereur virent que
ses palais étaient démeublés à tel point qu'il n'y restait ni chaise, ni coffre, ni marmite, ni lit pour le
coucher, ils allèrent en diligence l'en avertir, et l'on
peut juger de son étonnement, quand il sut qu'un
seul homme emportait tout; il s'écria qu'il ne le
souffrirait pas, et commanda à ses gardes et à ses
mousquetaires de monter à cheval et de suivre en
diligence les ravisseurs de ses trésors; bien que Fortuné fût à plus de dix lieues, Fine-oreille l'avertit
qu'il entendait un gros de cavalerie qui venait à
toute bride, et le Bon-tireur qui avait la vue excellente, les aperçut, ils étaient au bord d'une rivière.
Fortuné dit à Trinquet: «Nous n'avons point de
bateaux, si tu pouvais boire une partie de cette eau,
nous passerions.» Trinquet aussitôt fit son devoir,
l'ambassadeur voulait profiter du temps pour s'éloigner, son cheval lui dit: «Ne vous inquiétez pas,
laissez approcher nos ennemis.» Ils parurent en
effet au bord de la rivière, et sachant où les pêcheurs
mettaient leurs bateaux, ils s'embarquèrent promptement, et ramaient de toutes leurs forces, lorsque
l'Impétueux enfla ses joues et commença de souffler: la rivière s'agita, les bateaux furent renversés,
et la petite armée de l'empereur périt, sans qu'il s'en
sauvât un seul pour lui en aller dire des nouvelles.

Chacun joyeux d'un événement si favorable ne
songea plus qu'à demander la récompense qu'il
croyait avoir méritée, ils voulaient se rendre les
maîtres de tous les trésors qu'ils emportaient, lorsqu'il s'éleva une grande dispute[1] entre eux sur le
partage.

«Si je n'avais pas gagné le prix, disait le coureur,
vous n'auriez rien. — Et si je ne t'avais pas entendu

ronfler, dit Fine-oreille, où en étions-nous ? — Qui t'aurait réveillé sans moi ? repartit le Bon-tireur. — En vérité, ajouta Forte-échine, je vous admire avec vos contestations, quelqu'un me doit-il disputer l'avantage de choisir, puisque j'ai eu la peine de porter tout ? Sans mon secours vous ne seriez point dans l'embarras de partager. — Dites plutôt sans le mien, repartit Trinquet, la rivière que j'ai bue comme un verre de limonade vous aurait un peu embarrassés. — On l'aurait été bien autrement, si je n'avais pas renversé les bateaux, dit l'Impétueux. — J'ai gardé le silence jusqu'à présent, interrompit Grugeon, mais je ne puis m'empêcher de représenter que c'est moi qui ai ouvert la scène aux grands événements qui se sont passés, et que si j'avais laissé seulement une croûte de pain tout était perdu.

— Mes amis, dit Fortuné d'un air absolu, vous avez tous fait des merveilles, mais nous devons laisser au roi le soin de reconnaître nos services, je serais bien fâché d'être récompensé d'une autre main que de la sienne ; croyez-moi, remettons tout à sa volonté, il nous a envoyés pour rapporter ses trésors, et non pas pour les voler, cette pensée est même si honteuse que je suis d'avis que l'on n'en parle jamais, et je vous assure qu'en mon particulier, je vous ferai tant de bien que vous n'aurez rien à regretter, quand bien il serait possible que le roi vous négligeât. »

Les sept Doués se sentirent pénétrés de la remontrance de leur maître, ils se jetèrent à ses pieds et lui promirent de n'avoir point d'autre volonté que la sienne, ainsi ils achevèrent leur voyage. Mais l'aimable Fortuné en approchant de la ville, se sentait agité de mille troubles différents : la joie d'avoir rendu un service considérable à son roi, à celui pour qui il ressentait un attachement si tendre, l'espérance de le revoir, d'en être favorablement reçu, tout cela le flattait agréablement ; d'ailleurs[1], la crainte d'irriter encore la reine et d'éprouver de nouvelles persécutions de sa part et de celle de Floride, le jetait dans un étrange abattement ; enfin il arriva, et tout le peuple ravi de voir tant de richesses qu'il rapportait, le suivait avec mille acclamations, dont le bruit parvint jusqu'au palais.

Le roi ne put croire une chose si extraordinaire, il courut chez la reine pour l'en informer, elle demeura d'abord tout éperdue, mais ensuite se remettant un peu : « Vous voyez, dit-elle, que les dieux le protègent, il a heureusement réussi, et je ne suis pas surprise qu'il entreprenne ce qui paraît impossible aux autres. » En achevant ces mots, elle vit entrer Fortuné, il informa Leurs Majestés du succès de son voyage, ajoutant que les trésors étaient dans le parc, parce qu'il y avait tant d'or, de pierreries et de meubles, qu'on n'avait point d'endroits assez grands pour les mettre. Il est aisé de croire que le roi témoigna beaucoup d'amitié à un sujet si fidèle, si zélé, et si aimable.

La présence du chevalier et tous les avantages qu'il avait remportés, rouvrirent dans le cœur de la reine une blessure qui n'était point encore fermée ; elle le trouva plus charmant que jamais, et sitôt qu'elle pût être en liberté de parler à Floride, elle recommença ses plaintes ordinaires : « Tu vois ce que j'ai fait pour le perdre, lui disait-elle, je n'imaginais que ce seul moyen de l'oublier, une fatalité sans pareille me le ramène toujours, et quelques raisons que j'eusse de mépriser un homme qui m'est si inférieur, et qui ne paie mes sentiments que d'une noire ingratitude, je ne laisse pas de l'aimer encore, et de me résoudre enfin à l'épouser secrètement. — À l'épouser, Madame ? s'écria Floride, est-ce une chose possible ? Ai-je bien entendu ? — Oui, reprit la reine, tu as entendu mon dessein, il faut que tu le secondes ; je te charge d'amener Fortuné ce soir dans mon cabinet, je veux lui déclarer moi-même jusqu'où vont mes bontés pour lui.» Floride au désespoir d'être choisie pour contribuer au mariage de sa maîtresse et de son amant, n'oublia rien pour détourner la reine de le voir, elle lui représenta la colère du roi s'il venait à découvrir cette intrigue, qu'il ferait peut-être mourir le chevalier; que tout au moins il le condamnerait à une prison perpétuelle, où elle ne le verrait plus[1]; toute son éloquence échoua, elle vit que la reine commençait à se fâcher, elle n'eut pas d'autre parti à prendre que celui d'obéir.

Elle trouva Fortuné dans la galerie du palais, où il faisait arranger les statues d'or qu'il avait rapportées de Matapa, elle lui dit de venir le soir chez la reine; cet ordre le fit trembler, Floride connut sa peine: «Ô dieux! lui dit-elle, que je vous plains! Pourquoi faut-il que le cœur de cette princesse n'ait pu vous échapper? Hélas! j'en sais un moins dangereux que le sien, qui n'oserait se déclarer.» Le chevalier ne voulut pas s'embarquer dans un nouvel éclaircissement, il avait déjà assez de chagrin, et comme il ne cherchait point à plaire à la reine, il prit un habit très négligé, afin qu'elle ne pût penser qu'il eût aucun dessein: mais s'il pouvait quitter aisément les diamants et la broderie, il n'en allait pas de même de ses charmes personnels, il était toujours aimable, toujours merveilleux; de quelque humeur qu'il fût, rien ne l'égalait.

La reine prit grand soin de rehausser sa beauté de tout l'éclat qu'on peut recevoir d'une parure extraordinaire, elle remarqua avec plaisir que Fortuné en paraissait surpris: «Les apparences, lui dit-elle, sont quelquefois si trompeuses que je suis bien aise de me justifier sur ce que vous avez cru sans doute de mes sentiments; lorsque j'ai engagé le roi de vous envoyer vers l'empereur, il semblait que je voulais vous sacrifier; comptez cependant, beau chevalier, que je savais tout ce qui devait en arriver, et que je n'ai point eu d'autres vues, que de vous ménager une gloire immortelle. — Madame, lui dit-il, vous êtes trop élevée au-dessus de moi pour que vous deviez vous abaisser jusqu'à une explication, je n'entre point dans les motifs qui vous ont fait agir, me suffit d'avoir obéi au roi. — Vous avez trop d'indifférence pour l'éclaircissement que je veux vous donner, ajouta-t-elle, mais enfin le temps est venu de vous convaincre de mes bontés, approchez, Fortuné, approchez, recevez ma main pour gage de ma foi. »

Le pauvre chevalier demeura si interdit qu'on ne l'a jamais été davantage, il fut vingt fois près de déclarer son sexe à la reine, il n'osa le faire, et répondant aux témoignages de son amitié par une froideur extrême, il lui dit des raisons infinies sur la colère où serait le roi, d'apprendre que son sujet, au milieu de sa Cour, eût osé contracter un mariage si important sans son aveu. Après que la reine eut essayé inutilement de le guérir de la peur qui semblait l'alarmer, elle prit tout d'un coup le visage et la voix d'une furie, elle s'emporta, elle lui fit mille menaces, elle le chargea d'injures, elle le battit, elle l'égratigna, et tournant ensuite ses fureurs contre elle-même, elle s'arracha les cheveux, se mit le visage et la gorge en sang, déchira son voile et ses dentelles; puis s'écriant: «À moi, gardes, à moi!», elle fit entrer les siens dans son cabinet, elle leur commanda de mettre cet infortuné au fond d'un cachot et du même pas, elle courut chez le roi pour lui demander justice contre les violences de ce jeune monstre.

Elle raconta à son frère que depuis longtemps il avait eu l'audace de lui déclarer sa passion, que dans l'espérance que l'absence et ses rigueurs pourraient le guérir, elle n'avait négligé aucune occasion de l'éloigner, comme il avait pu remarquer ; mais que c'était un malheureux que rien ne pouvait changer, qu'il voyait l'extrémité où il s'était porté contre elle[1], qu'elle voulait qu'on lui fît son procès, et que s'il lui refusait cette justice, elle en tirerait raison.

La manière dont elle parlait étonna le roi, il la connaissait pour la plus violente femme du monde, elle avait beaucoup de pouvoir et elle était capable de bouleverser le royaume ; la hardiesse de Fortuné demandait une punition exemplaire, tout le monde savait déjà ce qui venait de se passer, et il devait se porter lui-même à venger sa sœur. Mais hélas ! sur qui cette vengeance devait-elle être exercée ? Sur un chevalier qui s'était exposé aux plus grands périls pour son service, auquel il était redevable de son repos et de tous ses trésors, qu'il aimait d'une inclination particulière. Il aurait donné la moitié de sa vie pour sauver ce cher favori, il représenta à la reine l'utilité dont il lui était, les services qu'il avait rendus à l'État, sa jeunesse et toutes les choses qui pouvaient l'engager à lui pardonner, elle ne voulut pas l'entendre, elle demandait sa mort. Le roi ne pouvant donc plus éviter de lui donner des juges, nomma ceux qu'il crut les plus doux et les plus susceptibles de tendresse, afin qu'ils fussent plus disposés à tolérer cette faute.

Mais il se trompa dans ses conjectures, les juges voulurent rétablir leur réputation aux dépens de ce pauvre malheureux, et comme c'était une affaire de grand éclat, ils s'armèrent de la dernière rigueur, et condamnèrent Fortuné sans daigner l'entendre. Son arrêt portait qu'il recevrait trois coups de poignard dans le cœur, parce que c'était son cœur qui était coupable.

Le roi craignait autant cet arrêt que s'il avait dû être prononcé contre lui-même, il exila tous les juges qui l'avaient donné; mais il ne pouvait sauver son aimable Fortuné, et la reine triomphait du supplice qu'il allait souffrir, ses yeux altérés de sang demandaient celui de cet illustre affligé. Le roi fit de nouvelles tentatives auprès d'elle qui ne servirent qu'à l'aigrir; enfin le jour marqué pour cette terrible exécution arriva. L'on vint retirer le chevalier de la prison où il avait été mis, et où il était demeuré sans que personne au monde lui eût parlé, il ne savait point le crime dont la reine l'accusait, il s'imaginait seulement que c'était quelque nouvelle persécution que son indifférence lui attirait, et ce qui lui faisait le plus de peine, c'est qu'il croyait que le roi secondait les fureurs de cette princesse.

Floride inconsolable de l'état où l'on réduisait son amant, prit une résolution de la dernière violence : c'était d'empoisonner la reine et de s'empoisonner elle-même, s'il fallait que Fortuné éprouvât la rigueur d'une mort cruelle. Dès qu'elle en sut l'arrêt, le désespoir saisit son âme, elle ne pensa plus qu'à exécuter ses desseins; mais on lui apporta un poison plus lent qu'elle ne voulait; de sorte qu'encore qu'elle l'eût fait prendre à la reine, cette princesse, qui n'en ressentait pas encore la malignité, fit amener le beau chevalier au milieu de la grande place du palais pour recevoir la mort en sa présence. Les bourreaux le tirèrent de son cachot avec leur cruauté ordinaire, et le conduisirent comme un tendre agneau au supplice. Le premier objet qui frappa ses yeux, ce fut la reine sur son chariot, qui ne pouvait être à son gré assez proche de lui, voulant, s'il se pouvait, que son sang rejaillît sur elle. Pour le roi, il s'était enfermé dans son cabinet, afin de plaindre en liberté le sort de son cher favori.

Lorsque l'on eut attaché Fortuné à un poteau, l'on arracha sa robe et sa veste pour lui percer le cœur; mais quel étonnement fut celui de cette nombreuse assemblée, quand on découvrit la gorge d'albâtre de la véritable Belle Belle! Chacun connut que c'était une fille innocente accusée injustement. La reine émue et confuse se troubla à tel point que le poison commença de faire des effets surprenants, elle tombait dans de longues convulsions, dont elle ne revenait que pour pousser des regrets cuisants ; et le peuple, qui chérissait Fortuné, lui avait déjà rendu sa liberté. L'on courut annoncer ces surprenantes nouvelles au roi, qui s'abandonnait à une profonde tristesse. Dans ce moment la joie prit la place de la douleur, il courut dans la place, et fut charmé de voir la métamorphose de Fortuné.

Les derniers soupirs de la reine suspendirent un peu les transports de ce prince ; mais comme il réfléchit sur sa malice, il ne put la regretter, et résolut d'épouser Belle Belle, pour lui payer par une couronne les obligations infinies qu'il lui avait ; il lui déclara ses intentions. Il est aisé de croire qu'elles la mirent au comble de ses souhaits, beaucoup moins par rapport à son élévation que par rapport à un roi plein de mérite, pour lequel elle avait toujours ressenti une tendresse extrême.

Le jour du célèbre mariage du roi étant marqué, Belle Belle reprit ses habits de fille, et parut mille fois plus aimable avec, qu'elle ne l'était sous ceux de cavalier. Elle consulta son cheval sur la suite de ses aventures, il ne lui en promit plus que d'agréables, et en reconnaissance de tous les bons offices qu'il lui avait rendus, elle lui fit faire une écurie lambrissée d'ébène et d'ivoire, il ne couchait plus que sur des matelas de satin. À l'égard de ceux qui l'avaient suivie, ils eurent des récompenses proportionnées à leurs services.

Cependant Camarade disparut, on vint le dire à Belle Belle. Cette perte troubla le roi[1], qui l'adorait, elle fit chercher son cheval partout, ce fut inutile-

ment pendant trois jours ; le quatrième, son inquiétude l'obligea de se lever avant l'aurore, elle descendit dans le jardin, traversa le bois, et se promena
dans une vaste prairie, s'écriant de temps en temps :
« Camarade, mon cher Camarade, qu'êtes-vous
devenu ? M'abandonnez-vous ? J'ai encore besoin de
vos sages conseils : revenez, revenez pour me les
donner. » Comme elle parlait ainsi, elle aperçut tout
d'un coup un second soleil qui se levait du côté
d'Occident, elle s'arrêta pour admirer ce prodige.
Son ravissement fut sans pareil de voir que cela
s'approchait peu à peu d'elle, et de reconnaître au
bout d'un moment son cheval, dont l'équipage était
tout couvert de pierreries, et [qui] précédait en
cabriolant un char de perles et de topazes ; vingt-
quatre moutons le traînaient, leur laine était de fil
d'or et de canetille[1] très brillante, leurs traits de
satin cramoisi, couverts d'émeraudes, les escarboucles n'y manquaient pas, ils en avaient à leurs
cornes et à leurs oreilles. Belle Belle reconnut dans
le char sa protectrice la fée, avec le comte son père
et ses deux sœurs qui lui crièrent, en battant des
mains et lui faisant mille signes d'amitié, qu'elles
venaient à ses noces : elle pensa mourir de joie, elle
ne savait que faire ni que dire pour leur en donner
tous les témoignages qu'elle aurait voulu : elle se
plaça dans le chariot, et ce pompeux équipage entra
dans le palais, où tout était déjà préparé pour célé-
brer la plus grande fête qui pouvait se passer dans
le royaume. Ainsi l'amoureux roi attacha sa destinée à celle de sa maîtresse, et cette charmante aventure a passé de siècle en siècle, jusqu'au nôtre.

Le plus cruel lion de l'ardente Libye,
Pressé par le chasseur dont il ressent les traits,
Est moins à redouter qu'une amante en furie
Qui voit mépriser ses attraits ;

Le fer et le poison sont la moindre vengeance
    Qu'ose demander son courroux,
Il faut du sang à ses transports jaloux
    Pour en calmer la violence.
Vous en voyez ici les funestes effets,
On eût à Fortuné, malgré son innocence,
Fait souffrir le tourment du plus grand des forfaits.
    Sa métamorphose nouvelle
Désarma tout un peuple à sa perte obstiné,
    Et l'on reconnut Belle Belle
    Sous les habits de Fortuné.
La reine vainement demandait son supplice,
Le Ciel pour l'innocence a toujours combattu ;
    Après avoir puni le vice,
    Il sait couronner la vertu.

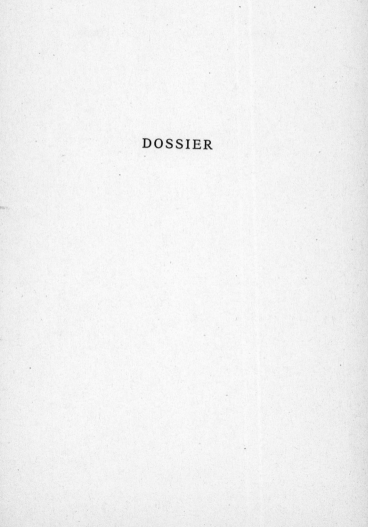

DOSSIER

CHRONOLOGIE [1]

Vers 1650. Naissance dans une famille de la noblesse normande de Marie-Catherine Le Jumel de Barneville. À la mort de son père, sa mère se remarie avec le marquis de Gudanes.

LES ANNÉES DE MARIAGE

1666. Mariage à Paris avec François de La Motte, baron d'Aulnoy, de trente ans plus âgé qu'elle. Il est un ami du marquis de Courboyer, lequel est l'amant de sa mère.

1667. Deux enfants naissent l'un au début, l'autre à la fin de 1667. Sans doute meurent-ils en bas âge.

1668. Naissance de Marie-Anne d'Aulnoy.

1669. Alors qu'elle attend son quatrième enfant, Mme d'Aulnoy quitte son mari et se réfugie chez sa mère rue de l'Université. Accablé de dettes et poursuivi par ses créanciers, le baron d'Aulnoy trouve asile chez la duchesse douairière d'Orléans, au Luxembourg. Pour d'obscures raisons, la marquise de Gudanes, aidée de son amant Courboyer, organise alors un complot contre le baron d'Aulnoy : ils rédigent une accusation mensongère dans laquelle ils prêtent à M. d'Aulnoy des discours criminels envers le Roi, et l'envoient à Colbert, qui fait aussitôt

1. Pour la biographie de Mme d'Aulnoy, voir J. Barchilon dans l'introduction de l'édition du Tricentenaire (Mme d'Aulnoy, *Contes I*, éd. de P. Hourcade, Paris, STFM, 1997, p. v *sq.*) et N. Jasmin (dans son édition des *Contes des fées*, Paris, Champion, 2004, p. 68 *sq.*).

arrêter d'Aulnoy pour crime de lèse-majesté. Après deux jours à la Bastille, celui-ci est finalement blanchi et c'est Courboyer et l'un de ses complices qui ont la tête tranchée en décembre. La mère de Mme d'Aulnoy fut-elle protégée par quelque intervention? Elle quitte en tout cas la France pour l'Espagne, où elle deviendra une sorte d'espionne politique. Quant à Mme d'Aulnoy, la seule certitude la concernant est qu'en novembre elle met au monde une fille, Judith-Henriette, à Paris; est-elle emprisonnée un temps dans le cadre du procès, puis libérée, ou parvient-elle à prendre la fuite?

LES VOYAGES

1672-1675. Commence une période obscure où Mme d'Aulnoy effectue, semble-t-il, de nombreux voyages à travers l'Europe. Elle part pour les Flandres (1672-1673), puis en Angleterre (1675).

1676. Retour à Paris où elle met au monde une fille, Thérèse-Aimée, dont le père n'est pas connu.

1677. Naissance à Paris d'une nouvelle fille, Françoise-Angélique-Maxime.

1679-1680. Voyage probable en Espagne, où se trouve alors sa mère, la marquise de Gudanes.

L'ÉCRITURE

1690. Mme d'Aulnoy est à Paris; elle réside dans un couvent (peut-être est-ce une condition mise à ses séjours dans la capitale). Publication en février de son premier roman, *Histoire d'Hypolite, comte de Duglas*, dédié à la princesse de Conti, fille de Louis XIV et de Louise de La Vallière, dans lequel figure son tout premier conte de fées, qu'on désigne habituellement sous le titre «L'Île de la Félicité». En novembre, publication des *Mémoires de la Cour d'Espagne*.

1691. Publication de la *Relation du voyage d'Espagne*, dédiée au duc de Chartres, et d'un poème chrétien, *Sentiments d'une âme pénitente*, inspiré du psaume *Miserere mei Deus*.

1692. Publication d'un nouveau roman, *Jean de Bourbon, Prince de Carency*, et des *Nouvelles espagnoles*.

1693. Publication d'un ouvrage sur la campagne de Louis XIV
      en Flandre et en Hollande, intitulé *Nouvelles ou
      Mémoires historiques,* et d'un deuxième poème chrétien,
      Le Retour d'une âme à Dieu, d'après le psaume *Benedic
      anima mea.* Mme d'Aulnoy fréquente le salon de Mme de
      Lambert, rue de Richelieu, où elle rencontre, entre
      autres, Fénelon, Catherine Bernard, Mme de Murat,
      Mlle de La Force, l'abbé de Choisy.
1694. *Mémoires de la Cour d'Angleterre,* dédiés au duc du
      Maine.
1697. Premier volume des *Contes des fées.* La date d'enregis-
      trement est le 16 avril, soit quatre mois après les *Contes*
      de Perrault. Trois autres volumes des *Contes des fées*
      paraissent la même année, soit un total de quinze contes.
      Mme d'Aulnoy habite désormais rue Saint-Benoît, au
      faubourg Saint-Germain, et y tient un salon.
1698. Publication des *Contes nouveaux ou les Fées à la mode*
      en deux tomes, puis de la *Suite des Contes nouveaux ou
      des Fées à la mode,* en deux nouveaux volumes, soit un
      total pour l'année de neuf nouveaux contes.
1700. Mort du baron d'Aulnoy. Aucune réconciliation n'a eu
      lieu entre les deux époux.
1702. Mort en Espagne de Mme de Gudanes.
1703. Publication d'un dernier roman, *Le Comte de Warwick.*
1705. Mme d'Aulnoy meurt à Paris, le 12 ou 13 janvier.

NOTE SUR LE TEXTE

La présente édition offre un choix de contes établi d'après le texte de la première édition conservée : il s'agira tantôt de l'édition originale (celle de 1698, pour les deux premiers tomes des *Contes nouveaux*), tantôt d'éditions postérieures (celle de 1725 pour les deux premiers tomes des *Contes des Fées*, et celle de 1710 pour les deux suivants) ; toutes se trouvent à la Bibliothèque nationale. Si l'orthographe a été modernisée, nous avons choisi de conserver, sauf cas exceptionnel, la ponctuation utilisée dans ces éditions, aussi surprenante qu'elle paraisse au lecteur moderne du fait de la rareté des points et de l'abondance des virgules et points-virgules : parce qu'a été émise l'hypothèse que cette ponctuation faible puisse «témoigner d'une scansion orale[1]» des contes, il nous a semblé intéressant de la restituer.

Le choix de textes que nous proposons est nécessairement subjectif : à côté des contes les plus connus (*La Belle aux Cheveux d'or*, *L'Oiseau Bleu*, *La Biche au Bois*), nous avons établi un échantillon que nous espérons représentatif de l'imaginaire féerique de Mme d'Aulnoy. C'est dire qu'au critère de variété s'est mêlé le souci contraire, celui de permettre au lecteur du recueil d'éprouver l'impression de déjà-lu qui, selon Alain Niderst, est caractéristique du genre féerique : «Les contes sont toujours le reflet d'autres contes[2].» Un autre critère ici retenu fut de privilégier les contes auxquels Mme d'Aulnoy avait elle-

---

1. L'hypothèse est de N. Jasmin, dans Mme d'Aulnoy, *Contes des fées*, Paris, Champion, 2004, p. 122.
2. A. Niderst, «Quelques *topoi* des contes de fées de la fin du XVIIe siècle», dans M.-F. Hilgar (dir.), *Actes de Las Vegas, Papers on French Seventeenth Century Literature*, 1997, p. 157.

même accordé dès l'origine une parfaite autonomie en les publiant en dehors de tout récit-cadre, légitimant par avance la présente entreprise. Font toutefois exception *Le Nain Jaune* et *Belle Belle ou le Chevalier Fortuné*, qui parurent enchâssés dans des nouvelles — *Don Gabriel Ponce de Leon*, pour le premier, et l'*Histoire du Nouveau Gentilhomme bourgeois*, pour le second —, que le format de cette édition nous a contraint à supprimer. Mais la fortune que devaient connaître ces textes, la singularité que constitue la fin malheureuse des héros dans un conte de fées (*Le Nain Jaune*), ou encore la thématique du travestissement dans *Belle Belle* nous paraissaient justifier leur présence dans ce recueil[1].

Reste que toute édition de morceaux choisis repose sur un compromis : puisse celui-ci répondre aux diverses attentes du lecteur d'aujourd'hui, tout en respectant, dans la mesure autorisée par le format de poche, les intentions premières de l'auteur.

---

1. On pourra se consoler en estimant avec R. Guichemerre que «ce n'est pas dans l'*Histoire du Gentilhomme bourgeois* mais dans ses contes de fées qu'il faut chercher l'originalité et le talent de Mme d'Aulnoy» (R. Guichemerre, «Une émule inattendue de Scarron : Mme d'Aulnoy», dans Ph. Koeppel (dir.), *Humour, ironie et humanisme dans la littérature française*, Paris, Champion, 2001, p. 76).

INDICATIONS BIBLIOGRAPHIQUES

I. ÉDITIONS DE RÉFÉRENCE

1. Premières éditions conservées

Les Contes des Fées. Par Madame D***, t. 1, Paris, par la Compagnie des libraires, 1725.

Les Contes des Fées. Par Madame D***, t. 2, Paris, par la Compagnie des libraires, 1725.

Les Contes des Fées. Par Madame D***, t. 3, en la boutique de C. Barbin, chez la Veuve Ricœur, 1710.

Les Contes des Fées. Par Madame D***, t. 4, en la boutique de C. Barbin, chez la Veuve Ricœur, 1710.

Contes Nouveaux ou les Fées à la mode. Par Madame D***, t. 1, Paris, Vve Girard, 1698.

Contes Nouveaux ou les Fées à la mode. Par Madame D***, t. 2, Paris, Vve Girard, 1698.

Suite des Contes Nouveaux ou des Fées à la mode. Par Madame D***, t. 3, Paris, N. Gosselin, 1698.

Suite des Contes Nouveaux ou des Fées à la mode. Par Madame D***, t. 4, Paris, 1711.

2. Éditions modernes

Contes de Mme d'Aulnoy, dans le *Nouveau Cabinet des Fées*, vol. 3-5, Genève, Slatkine Reprints, 1978.

Contes de Mme d'Aulnoy, dans *Le Cabinet des Fées*, éd. établie par E. Lemirre, t. I, vol. 1-3, Arles, Picquier, 1994-1996.

Mme d'Aulnoy, *Contes des fées*, éd. établie par P. Hourcade, introduction de J. Barchilon, Paris, STFM, 1997 (2 vol.).

Mme d'Aulnoy, *Contes des fées, suivis des «Contes nouveaux ou les Fées à la mode* », éd. établie par N. Jasmin, Paris, Champion, coll. « Bibliothèque des génies et des fées », 2004.

II. ÉTUDES CONSACRÉES
AUX CONTES DE MME D'AULNOY

Francis Assaf, « L'impossible souveraineté : le roi-prétexte dans les contes de Mme d'Aulnoy », *Actes du 33e congrès annuel de la North American Society for Seventeenth Century French Literature*, t. 3, 2001, p. 267-275.

Jacques Barchilon, « Mme d'Aulnoy dans la tradition du conte de fées », dans Jean Perrot (dir.), *Tricentenaire Charles Perrault. Les grands contes du XVIIe siècle et leur fortune littéraire*, Paris, In Press, 1998, p. 125-133.

Anne Defrance, « Écriture féminine et dénégation de l'autorité. Les contes de fées de Mme d'Aulnoy et leurs récits-cadres », *Revue des sciences humaines*, avril-juin 1995, p. 111-126.

—, *Les Contes de fées et les nouvelles de Mme d'Aulnoy (1690-1698). L'imaginaire féminin à rebours de la tradition*, Genève, Droz, 1998.

Roger Guichemerre, « Une émule inattendue de Scarron : Mme d'Aulnoy », dans Philippe Koeppel (dir.), *Humour, ironie et humanisme dans la littérature française*, Paris, Champion, 2001, p. 69-76.

Philippe Hourcade, « Tricentenaire des *Contes des Fées* de Mme d'Aulnoy », dans Jean Perrot (dir.), *Tricentenaire Charles Perrault. Les grands contes du XVIIe siècle et leur fortune littéraire*, Paris, In Press, 1998, p. 135-141.

Renée Riese Hubert, « L'Amour et la féerie chez Mme d'Aulnoy », *Romanische Forschungen*, no 75, 1963, p. 1-10.

—, « Le sens du voyage dans quelques contes de Mme d'Aulnoy », *The French Review*, 1973, p. 931-937.

Nadine Jasmin, *Naissance du conte féminin. Mots et Merveilles : les contes de fées de Mme d'Aulnoy*, Paris, Champion, coll. « Lumière classique », 2002.

Jean Mainil, *Madame d'Aulnoy et le rire des fées. Essai sur la subversion féerique et le merveilleux comique sous l'Ancien Régime*, Paris, Kimé, 2001.

Michel Manson, « Mme d'Aulnoy, les contes et le jouet », dans Jean Perrot (dir.), *Tricentenaire Charles Perrault. Les grands contes du XVIIe siècle et leur fortune littéraire*, Paris, In Press, 1998, p. 143-156.

Catherine Marin, « Plaisir et violence dans les contes de fées de

Mme d'Aulnoy», *Violence et fiction jusqu'à la Révolution* (Études littéraires françaises n° 66), Tübingen, 1998, p. 263-272.

Maya Slater, «Les animaux parlants dans les *Contes des Fées* de Mme d'Aulnoy», dans Jean Perrot (dir.), *Tricentenaire Charles Perrault. Les grands contes du XVIIᵉ siècle et leur fortune littéraire*, Paris, In Press, 1998, p. 157-164.

Christiane Sterckx, «Le passage au stade adulte dans cinq contes de Mme d'Aulnoy», dans Georges Jacques (dir.), *Recherches sur le conte merveilleux*, Louvain-la-Neuve, Presses universitaires de Louvain, 1981, p. 73-100.

Marie-Agnès Thirard, «L'influence de la pastorale dans les Contes de Mme d'Aulnoy», dans Jean Perrot (dir.), *Tricentenaire Charles Perrault. Les grands contes du XVIIᵉ siècle et leur fortune littéraire*, Paris, In Press, 1998, p. 165-180.

—, «Le Meccano des contes de Mme d'Aulnoy», *Papers on French Seventeenth Century Literature*, vol. XXVI, n° 50, 1999, p. 175-193.

—, «Le féminisme dans les contes de Mme d'Aulnoy», *XVIIᵉ Siècle*, n° 208, 2000, p. 501-514.

—, «Les contes de Mme d'Aulnoy: la tentation du merveilleux», *Papers on French Seventeenth Century Literature*, vol. XXIX, n° 56, 2002, p. 197-219.

—, «La réception des contes de fées de Mme d'Aulnoy», *Papers on French Seventeenth Century Literature*, vol. XXX, n° 58, 2003, p. 167-195.

Marcelle Maistre Welch, «Les jeux de l'écriture dans les contes de fées de Mme d'Aulnoy», *Romanische Forschungen*, 1989, p. 74-80.

Margarete Zimmermans, «Il le croqua comme un poulet: discours alimentaire chez Mme d'Aulnoy», «*Diversité, c'est ma devise*», *Papers on French Seventeenth Century Literature*, 1994, p. 537-555.

III. ÉTUDES SUR LES CONTES DE FÉES DE LA FIN DU XVIIᵉ SIÈCLE [1]

Jacques Barchilon, *Le Conte merveilleux français de 1690 à 1790. Cent ans de féerie et de poésie ignorées de l'histoire littéraire*, Paris, Champion, 1975.

1. Cette dernière section ne saurait être exhaustive: elle privilégie, au sein de l'abondante bibliographie existant sur le sujet, les ouvrages qui

Jules Brody, « Charles Perrault, conteur (du) moderne », dans Roger Duchêne (dir.), *D'un siècle à l'autre. Anciens et modernes*, Actes du 16ᵉ colloque du CMR 17, Marseille, CMR, 1987, p. 79-86.

Jacques Chapeau, « Sur l'équivoque enjouée au Grand Siècle. L'exemple du *Petit Chaperon rouge* de Charles Perrault », *XVIIᵉ Siècle*, janvier-mars 1986, p. 35-42.

René Démoris, « Du littéraire au littéral dans *Peau d'Âne* de Perrault », *Revue des sciences humaines*, avril-juin 1977, p. 261-279.

Les fées entrent en scène – Le conte en débat, Paris, Champion, coll. « Bibliothèque des génies et des fées », 2007 [anthologie].

Marc Fumaroli, « Les enchantements de l'éloquence. *Les Fées* de Charles Perrault ou De la Littérature », *Le Statut de la littérature. Mélanges offerts à Paul Bénichou*, Genève, Droz, 1982, p. 153-186.

Tony Gheeraert, « Une allégorie de la civilité : *Cendrillon* ou l'Art de plaire à la Cour », *XVIIᵉ Siècle*, juillet-septembre 2000, p. 485-499.

Patricia Hannon, « Le corps féminin dans les contes de fées classiques » [résumé], dans Ronald W. Tubin (dir.), *Le Corps au XVIIᵉ siècle*, Actes du 1ᵉʳ colloque du CIR 17 et de la North American Society for Seventeenth-Century French Literature, *Papers on French Seventeenth Century Literature*, Biblio 17, 1995, p. 301-303.

Yvan Loskoutoff, *La Sainte et la Fée. Dévotion à l'Enfant Jésus et mode des contes merveilleux à la fin du règne de Louis XIV*, Genève, Droz, 1987.

Bernard Magné, « Le chocolat et l'ambroisie. Le statut de la mythologie dans les contes de fées », *Cahiers de littérature du XVIIᵉ siècle*, nᵒ 2, 1980, p. 95-101.

Michel Mercier, « Le conte merveilleux à la fin du XVIIᵉ siècle », dans Madeleine Le Merrer (dir.), *Intersignes nantais. Mélanges de littérature offerts à Mme de La Garanderie*, Nantes, Presses de l'université de Nantes, 1987, p. 165-179.

Alain Niderst, « Quelques *topoi* des contes de fées de la fin du XVIIᵉ siècle », dans Marie-France Hilgar (dir.), *Actes de Las Vegas*, *Papers on French Seventeenth Century Literature*, 1991.

traitent des contes de Mme d'Aulnoy ; quelques articles majeurs sur les contes de Perrault y figurent également, qui illustrent diverses manières de « lire » les contes.

Raymonde Robert, *Le Conte de fées littéraire en France de la fin du XVIIe à la fin du XVIIIe siècle*, Nancy, Presses universitaires de Nancy, 1982.

—, «Animaux fabuleux et jeux érotiques. Les fantasmes zoologiques dans les contes de fées des XVIIe et XVIIIe siècles», *Corps écrits*, no 6, 1983, p. 171-180.

—, «L'infantilisation du conte merveilleux au XVIIe siècle», *Littératures classiques*, no 14, 1991, p. 33-46.

Jean-Paul Sermain, «La parodie dans les contes de fées, une loi du genre?», Actes du colloque de l'université du Maine, Le Mans, *Burlesque et formes parodiques dans la littérature et les arts*, *Papers on French Seventeenth Century Literature*, 1987.

—, *Le Conte de fées. Du classicisme aux Lumières*, Paris, Desjonquères, 2005.

Jean Perrot (dir.), *Tricentenaire Charles Perrault. Les grands contes du XVIIe siècle et leur fortune littéraire*, Paris, In Press, 1998.

Catherine Velay-Vallantin, *La Fille en garçon*, Carcassonne, Garae/Hésiode, 1992.

Gabrielle Verdier, «Figures de la conteuse dans les contes de fées féminins», *XVIIe siècle*, vol. 45, 1993, p. 481-499.

—, «Grimoire, miroir. Le livre dans les contes de fées littéraires», dans Jan Herman et Paul Pelckmans (dir.), *L'Épreuve du lecteur. Livres et lectures dans le roman d'Ancien Régime*, Louvain-Paris, Peeters, 1995, p. 129-139.

—, «De Ma Mère l'Oye à *Mother Goose*. La fortune des contes de fées littéraires français en Angleterre», dans Yves Giraud (dir.), *Contacts culturels et échanges linguistiques au XVIIe siècle en France*, Actes du 3e colloque du CIR 17, *Papers on French Seventeenth Century Literature*, «Biblio 17», 1997, p. 185-202.

Marcelle Maistre Welch, «La femme, le mariage et l'amour dans les contes de fées mondains du XVIIe siècle français», *Papers on French Seventeenth Century Literature*, vol. X, no 18, 1983, p. 47-58.

DOCUMENTS

SAINT-CLOUD[1]

Après avoir éprouvé tout ce qu'un long hiver a de plus rigoureux, le retour de la belle saison invita plusieurs personnes d'esprit et de bon goût d'aller à Saint-Cloud[2]. Tout y fut admiré, tout y fut loué. Madame D...[3], qui s'était lassée plus vite que le reste de la compagnie, s'assit au bord d'une fontaine. «Laissez-moi ici, dit-elle, peut-être que quelque sylvain ou quelque dryade[4] ne dédaigneront pas de venir m'entretenir.» Chacun lui fit la guerre sur sa paresse; cependant l'impatience de voir mille belles choses qui s'offraient aux yeux, l'emporta sur l'envie qu'on aurait eue de rester avec elle. «Comme la conversation que vous méditez avec les hôtes de ces bois n'est pas bien certaine, lui dit monsieur de Saint P..., je vais vous donner les *Contes des Fées* qui vous occuperont agréablement. — Il faudrait que je ne les eusse pas écrits, répliqua madame D..., pour me laisser au moins prévenir par les grâces de la nou-

1. Ce texte ouvre le troisième volume des *Contes des fées*. Une étude en a été proposée par A. Defrance, dans «Écriture féminine et dénégation de l'autorité. Les Contes de fées de Mme d'Aulnoy», *Revue des Sciences humaines*, avril/juin 1995, p. 111-126.
2. Le château de Saint-Cloud, aujourd'hui détruit, appartenait à Monsieur, frère du roi, et à Madame, sa femme, à laquelle sont dédicacés *Les Contes des fées*.
3. On reconnaît là le nom d'auteur sous lequel sont publiés *Les Contes des fées*.
4. *Sylvain*: «Dieu fabuleux de l'Antiquité, qui présidait aux forêts.» *Dryade*: «C'était autrefois une fausse divinité que les païens croyaient habiter dans les bois, et se cacher sous l'écorce d'un chêne, que les Grecs nomment drys.»

veauté : mais laissez-moi ici sans scrupule, je n'y serai point désœuvrée. »

Elle continua ses instances là-dessus d'une manière si pressante que cette charmante troupe s'éloigna ; après avoir tout parcouru, elle revint dans l'allée sombre où madame D... l'attendait. « Ha ! que vous avez perdu, s'écria la comtesse de F... en l'abordant, ce que nous venons de voir est merveilleux. — Et ce qui vient de m'arriver, lui répliqua-t-elle, ne l'est pas moins : sachez donc que jetant les yeux de tous côtés pour distinguer mille objets différents que j'admirais, j'ai vu tout d'un coup une jeune Nymphe proche de moi, dont les yeux doux et brillants, l'air enjoué et spirituel, les manières gracieuses et polies m'ont causé autant de satisfaction que de surprise ; la robe légère qui la couvrait laissait voir la juste proportion de sa taille ; un nœud de ruban arrêtait à sa ceinture les nattes de ses cheveux, la régularité de ses traits n'avait rien qui ne fît plaisir ; j'allais lui parler lorsqu'elle m'a interrompue par ces vers :

> *Quand un auguste prince habite ce séjour,*
> *Quand ce palais superbe et ces jardins tranquilles,*
> *Souvent de sa pompeuse Cour*
> *Sont les agréables asiles,*
> *De tout ce qui s'offre à vos yeux*
> *Est-il rien qui doive surprendre,*
> *Et ne devrait-on pas s'attendre*
> *À voir tant de trésors, enrichir ces beaux lieux ?*
> *On fait renaître ici les heureux jours de Rhée* [1],
> *Les Chagrins en craignent l'entrée,*
> *Ils en sont pour jamais bannis.*
> *L'Innocence, les Jeux, les Plaisirs et les Ris*
> *Y règnent partout à leur place,*
> *Ces bocages charmants, ces parterres fleuris,*
> *Ne craignent point l'effort de la saison de glace ;*
> *Voyez que le ciel est serein,*
> *Jamais un importun nuage,*
> *Du soleil en ces lieux ne couvre le visage,*
> *Mille couleurs de Flore embellissent le sein,*

1. Épouse du dieu Chronos qui dévorait tous ses enfants de peur qu'ils ne le détrônassent, elle sauva son fils Zeus en lui substituant une pierre emmaillotée que le dieu, abusé, dévora. Parce que son geste devait permettre l'avènement de son fils, Rhée fut vénérée dans l'Antiquité pour son rôle civilisateur et comme la grande mère de tous les dieux.

Voyez quelle vive verdure
De tant d'aimables fleurs relève la peinture,
Dans ces bois enchantés écoutez les oiseaux,
Voyez dans ces fertiles plaines,
Errer ces paisibles troupeaux,
Et sur l'émail des prés serpenter les fontaines ;
Voyez jusques aux cieux ces bondissantes eaux,
Jusqu'au fond des vallons ces bruyantes cascades,
Ces ténébreuses promenades
Dont tous ces bois sont embellis,
Les bergers y sont plus polis,
Les bergères plus gracieuses ;
On cesse de vanter en voyant ces beaux lieux,
Les retraites délicieuses
Qu'habitaient autrefois les dieux,
Dans le sein d'une paix durable,
Ici règne la majesté,
Ici d'une auguste bonté
La grandeur est inséparable,
Mais rien toutefois d'admirable
Ne vient frapper mes yeux,
Que la princesse incomparable
Pour qui s'embellissent ces lieux.

»La Nymphe de Saint-Cloud se lassait aussi peu de parler que moi de l'entendre, continua madame D..., lorsqu'elle m'a semblé inquiète du bruit que vous faisiez en vous approchant : "Adieu, m'a-t-elle dit, je vous croyais seule, mais puisque vous êtes en compagnie, je vous reverrai une autre fois." En achevant ces mots, elle est disparue ; et je vous avoue que je n'ai point été trop fâchée de vous voir approcher ; car je commençais à m'effrayer d'une telle aventure. — Vous êtes trop heureuse, s'écria la marquise de..., d'être dans un commerce si agréable, tantôt avec les muses, tantôt avec les fées ! Vous ne pouvez pas vous ennuyer, et si je savais autant de contes que vous, je me trouverais une fort grande dame. — Ce sont des trésors, répliqua madame D..., avec lesquels on manque ordinairement de bien des choses nécessaires ; toutes mes bonnes amies les fées m'ont été jusqu'à présent peu prodigues de leurs faveurs ; je vous assure aussi que je suis résolue de les négliger, comme elles me négligent. — Ha ! madame, dit la comtesse de F... en l'interrompant, je vous demande grâces pour elles, vous nous devez encore quelques-unes de leurs aventures ; voici un lieu tout propre à nous les apprendre, et vous n'avez jamais été écoutée avec plus d'attention que vous le serez aujourd'hui. — Il semble, dit madame D..., que j'avais deviné une partie de ce que vous souhaitez : voici un cahier tout prêt à vous lire ; et pour le rendre plus agréable, j'y ai joint une nouvelle espagnole qui est très vraie, et que je sais d'original. »

DON GABRIEL PONCE DE LÉON[1]
(extrait)

Deux jeunes nobles espagnols, Don Ponce de Léon et le comte d'Aguilar, sont parvenus à s'introduire sous une fausse identité, celle de pèlerins en route pour Saint-Jacques-de-Compostelle, dans la demeure où vivent enfermées deux sœurs orphelines, Isidore et Mélanie, que garde une vieille tante sévère, Doña Juana. Si, selon le scénario bien connu de la chaîne d'amour, chacun des quatre jeunes gens s'éprend de qui ne l'aime pas, la vieille duègne elle-même tombe follement amoureuse de l'un des pseudo-pèlerins. Cet amour et la surveillance étroite qu'elle impose à ses nièces semblent rendre toute explication entre les amants impossible. Mais le goût immodéré de la duègne pour les contes donne aux deux visiteurs — qui se sont présentés à elle comme les «fils d'un maître de musique, faiseur de contes, de romances et de chansons» — l'occasion de prolonger leur séjour au château : après Don Ponce qui le premier a fait montre de ses talents de conteur, Doña Juana se propose à son tour de divertir l'assemblée, constituée ici de Mélanie et du comte d'Aguilar, lorsqu'à la faveur d'une digression la conversation tourne à une réflexion sur l'art du conte.

« Venez, ma nièce, lui dit-elle ; écouter la romance[2] que je promis l'autre jour de conter ; je la commençais... Je l'ai apprise d'une vieille esclave arabe ; elle savait mille fables de ce fameux Locman, si célèbre dans tout l'Orient, et que l'on tient n'avoir été autre qu'Ésope[3]. Ce caractère si naïf et si

---

1. Cette nouvelle est l'histoire-cadre dans laquelle sont insérés les trois contes du tome 3 des *Contes des fées* (*Le Mouton, Finette Cendron* et *Fortunée*).
2. Le terme «romance» se veut une traduction hispanisante du mot «conte» et s'explique par la veine espagnole à laquelle puise la nouvelle.
3. Locman est un personnage légendaire d'origine arabe, auteur de fables. Le XVIIe siècle le confond souvent avec Ésope, le fabuliste grec dont La Fontaine s'inspire dans ses premières fables.

enfantin ne plaît pas également à tout le monde, beaucoup de
bons esprits les regardent comme des ouvrages qui conviennent mieux à des nourrices et à des gouvernantes qu'à des
gens délicats ; je ne laisse pas d'être persuadée qu'il y a de l'art
dans cette sorte de simplicité, et j'ai connu des personnes de
fort bon goût, qui en faisaient quelquefois leur amusement
favori. — Je n'en suis pas surpris, Madame, répliqua le comte,
l'esprit se plaît dans la variété ; qui ne voudrait lire ni entendre
réciter que des contes, se rendrait ridicule ; qui les proposerait
même comme des choses fort graves, manquerait de juge-
ment, et qui voudrait toujours les écrire, ou les dire d'un style
enflé et pompeux, leur ôterait trop du caractère qui leur est
propre ; mais je suis persuadé qu'après une occupation sérieuse,
l'on peut badiner avec. — Il me semble, ajouta Mélanie, qui
n'avait point encore parlé, qu'il ne faut les rendre ni ampoulés
ni rampants, qu'ils doivent tenir un milieu qui soit plus enjoué
que sérieux, qu'il y faut un peu de morale, et surtout les proposer comme une bagatelle où l'auditeur a seul droit de mettre
le prix. — Voici une romance des plus simples que je vais vous
conter, reprit Juana, vous y mettrez le prix qu'il vous plaira ;
mais je ne puis m'empêcher de dire que ceux qui les composent sont capables de faire des choses plus importantes, quand
ils veulent s'en donner la peine. »

ÉPÎTRE [1]

Mes Contes, suivez tous le désir qui vous presse,
Présentez-vous aux yeux d'une Auguste Princesse [2].
    Heureux si vous pouvez mériter le destin
    Dont se virent frappés le Mouton et Lutin [3],
Quand l'esprit assuré d'une gloire si belle,
Par mes faibles écrits je lui marquai mon zèle.
Partez ; mais pour la voir choisissez les instants :
Elle sait s'occuper de soins plus importants,
Vous n'offrez que des jeux, et votre unique affaire

1. Cette épître ouvre le tome 2 des *Contes Nouveaux ou les Fées à la
mode* (1698).
2. Il s'agit toujours de Madame, belle-sœur du roi, à qui Mme d'Aulnoy avait déjà dédicacé son premier volume de contes.
3. *Le Mouton* est un conte du troisième volume des *Contes des
Fées* tandis que *Le Prince Lutin* appartient au premier tome du même
ouvrage.

N'est que de divertir en tâchant de lui plaire.
Si quelquefois quittant et la Ville et la Cour,
Elle va de Saint-Cloud chercher l'heureux séjour,
C'est là que vous pouvez animant votre audace,
Parmi tous vos aînés demander une place;
C'est là que vous verrez d'un palais enchanté
Régner de toutes parts l'éclatante beauté;
C'est là que sous les pas d'une si chère hôtesse,
En dépit des hivers, les fleurs naissent sans cesse.
Les Nymphes, les Sylvains sortent de leurs forêts
Et viennent envier ou louer ses attraits.
Vous verrez les beautés dont les dieux l'ont ornée,
Ce que n'eût jamais fait la plus puissante fée.
La prudence, l'esprit, la bonté, la grandeur,
Et toutes les vertus s'assemblent dans son cœur.
Mais je retiens ici l'ardeur qui vous anime:
Allez, partez, volez, elle est trop légitime.
Vous pouvez désormais mépriser les jaloux
Qu'un sort si glorieux armera contre vous.

NOTES

À SON ALTESSE ROYALE MADAME

Page 47.

1. Élisabeth-Charlotte de Bavière (1652-1722), seconde épouse de Philippe d'Orléans, duc d'Orléans, frère du roi. Surnommée Madame Palatine, elle est l'auteur d'une abondante correspondance. Saint-Simon rapporte qu'elle « était pleine de contes et de petits romans de fées », avant d'en donner l'illustration suivante : « elle disait qu'elles [les fées] avaient toutes été conviées à ses couches, que toutes y étaient venues, et que chacune avait doué son fils d'un talent, de sorte qu'il les avait tous ; mais que par malheur on avait oublié une vieille fée, disparue depuis si longtemps qu'on ne se souvenait plus d'elle, qui, piquée de l'oubli, vint appuyée sur son petit bâton, et n'arriva qu'après que toutes les fées eurent fait chacune leur don à l'enfant ; que, dépitée de plus en plus, elle se vengea en le douant de rendre absolument inutiles tous les talents qu'il avait reçus de toutes les autres fées, d'aucun desquels, en les conservant tous, il n'avait jamais pu se servir » (Saint-Simon, *Mémoires*, Folio classique, t. I, p. 308-309). Trois mois plus tôt, Charles Perrault avait lui-même dédicacé ses *Histoires ou Contes du temps passé* à la fille de Madame, Élisabeth-Charlotte d'Orléans, alors âgée de vingt ans.

Page 48.

1. Avec *Gracieuse et Percinet* et *L'Oiseau Bleu*, l'auteur évoque ici un troisième conte qui ne figure pas dans notre recueil, *Le Prince Lutin* : son chapeau permet au héros de devenir invi-

sible, et ses roses lui assurent l'une la richesse, une autre la
santé, et la dernière de lire dans le cœur de sa maîtresse.

GRACIEUSE ET PERCINET

Page 49.

1. Ce conte a paru en 1697 en tête du tome premier des
Contes des fées. Selon le catalogue Delarue-Tenèze[1], il relève
du conte-type n° 425, intitulé «la recherche de l'époux dis-
paru», dont la forme la plus ancienne est celle offerte par Apulée dans *L'Âne d'or ou les Métamorphoses* avec le conte «Amour
et Psyché», que La Fontaine a remis au goût du jour en 1669
sous le titre *Les Amours de Psyché et de Cupidon*. Le conte de
Gracieuse et Percinet en est une évidente réécriture.

2. Comme beaucoup d'héroïnes de Mme d'Aulnoy, Gracieuse manifeste un goût prononcé pour les sucreries. L'exci-
tation gourmande qu'éprouve dans *La Biche au Bois* la mère
de la princesse Désirée à pénétrer dans le verger des fées, ou
le choix de la princesse Printanière d'apporter à son amant
affamé le miel et le lait qu'une nature généreuse lui avait
offerts, mais de garder pour elle dragées et tartelettes, illustrent une même prédilection pour le sucré. Cette association
entre la femme et le sucré n'est pas originale : dans *Marmoisan* de Mlle Lhéritier (1695), le prince, supposant l'identité
féminine du chevalier éponyme, lui offre un banquet de sucreries dans l'espoir de l'y voir manifester une gourmandise sup-
posée caractéristique des femmes. L'héroïne, le devinant, saura
éviter le piège (voir C. Velay-Vallantin, *La Fille en garçon*, Carcassonne, Garae/Hésiode, 1992). Sur l'obsession alimentaire
dans les contes, voir encore M. Zimmermans, «Il le croqua
comme un poulet. Discours alimentaire chez Mme d'Aulnoy»,
«*Diversité, c'est ma devise*», Papers on French Seventeenth
Century Literature, 1994, p. 537-555.

3. Le roux est traditionnellement la couleur du mal : on la
retrouvera dans le portrait de Truitonne comme dans celui du
Nain Jaune. Avec cette redondance initiale («d'un roux couleur de feu»), la description de Grognon est d'emblée placée
sous le signe de l'excès, ce que confirment, dans la suite, la
grosseur du personnage — qu'aggravent diverses excrois-

1. Voir P. Delarue et M.-L. Tenèze, *Le Conte populaire français. Catalogue raisonné des versions de France*, Paris, Maisonneuve et Larose,
2002.

sances — et le redoublement de chacune de ses tares, puisque, deux fois bossue, elle est aussi doublement boiteuse.

4. *Chassieux* : sale et collé.

Page 50.

1. Dans cette liste de vins, on distinguera entre les muscats, qui se prenaient alors à la fin des repas (Canaries, Rivesaltes, Saint-Laurent), les eaux-de-vie (Rossolis, Persicot, Fenouillet), un côtes-du-rhône (l'Hermitage) et un vin de Champagne dont la réponse du roi montre qu'il était déjà très recherché.

2. La *pistole* est une monnaie d'or étrangère, de la valeur de onze livres. Les *doubles louis d'or* sont des pièces françaises de la même valeur.

Page 51.

1. *Vertuchou* : juron dérivé de «vertu de Dieu», dont l'emploi par le roi produit un fort effet burlesque. Furetière précise en effet : «Le peuple se sert [...] de ces sortes de serments.»

Page 52.

1. «*Lit*, se dit aussi quelquefois de quelques-unes de ses parties. On dit qu'une femme se fait faire un lit pour ses couches, c'est-à-dire, le tour et la garniture, les pentes, les rideaux du lit. Un lit de damas, de velours, de brocart, de broderie ou de petit point» (Furetière).

2. *Magote* : féminin rare de «magot», qui désignait à l'époque un singe sans queue, et par extension un homme très laid.

3. Le vert est la couleur favorite des héroïnes de Mme d'Aulnoy. Il contribue à opposer Gracieuse à Grognon, car «le vert est couleur d'eau comme le rouge est couleur de feu, [...] le rouge est une couleur mâle, le vert une couleur femelle» (*Dictionnaire des symboles* de Jean Chevalier et Alain Gheerbrant, Paris, Robert-Laffont, 1982, article «vert»).

4. Soit environ vingt-cinq centimètres.

5. Un *corps* désigne un «habit qui va du cou à la ceinture» (Furetière).

Page 53.

1. L'*entrée* désigne le cortège qui entre dans une ville. Marie-Louise d'Orléans, devenue reine d'Espagne par son mariage avec Charles II, était ainsi entrée à cheval dans Madrid le 13 janvier 1680. Mme d'Aulnoy offre de cette entrée un récit détaillé dans sa *Relation du Voyage d'Espagne*.

2. Le nom du héros, probable dérivation de percer, n'est pas sans rappeler l'activité du dieu de l'amour, Cupidon, inspirant l'amour aux mortels qu'il blesse de ses flèches. Mais le diminutif en *-et* (qu'on retrouvera plus loin dans le nom de Fanfarinet) est nettement dévalorisant (voir M. M. Welch, « Les jeux de l'écriture dans les contes de fées de Mme d'Aulnoy », p. 77). L'interprétation est ainsi orientée vers une réécriture parodique du mythe de Psyché et Cupidon que maints détails viendront confirmer dans la suite du conte (voir les notes 1, p. 59, et suivantes).

Page 55.

1. *Guinder*: terme emprunté à la marine, qui signifie « hisser ».

Page 57.

1. La scène du fouettage figure dans le conte d'Apulée comme dans sa réécriture par La Fontaine : Mme d'Aulnoy en propose une version édulcorée d'où toute violence réelle est bannie, grâce à la fascination dont les servantes de Grognon sont victimes.

Page 58.

1. *Vie* : « Se dit aussi burlesquement, des réprimandes, des querelles domestiques qui se font avec grand bruit » (Furetière).

Page 59.

1. La jalousie de Grognon envers l'héroïne, son motif (« oser me disputer le prix de la beauté ») ne sauraient s'expliquer, étant donné la laideur du personnage, que par l'intention parodique. Grognon est à l'évidence une transposition burlesque de Vénus, déesse de la beauté, qu'irritent en effet la beauté de Psyché et les hommages qu'elle reçoit. Reviendra à Grognon dans la suite du conte, comme à Vénus dans le mythe, la fonction d'infliger à l'héroïne une série d'épreuves en guise de châtiment.

2. « Un petit carrosse coupé s'appelle une chaise roulante » (Furetière).

Page 60.

1. On notera la nouvelle allusion au personnage d'Éros Cupidon.

Page 61.

1. La visite au Palais de Féerie rappelle le séjour de Psyché au Palais de l'Amour. Mais si Psyché en est chassée pour avoir voulu voir son amant, Gracieuse s'en exclut d'elle-même en refusant l'amour de Percinet. La moralité du conte devient des plus ambiguës, comme le suggère également la niaiserie des réflexions prêtées à l'héroïne.

2. Sur la mise en abyme qu'offre aux yeux de Gracieuse la salle en cristal de roche du Palais de Féerie, voir la préface, p. 43.

Page 62.

1. Gracieuse renoue au Palais de Féerie avec l'habitude gourmande mentionnée dès l'*incipit*; mais l'espèce de jubilation gourmande du personnage est ici mise en relation proportionnelle avec son angoisse de la dévoration, suscitée au début du conte par l'épouvantable Grognon (dont la bouche «était si grande qu'on eût dit qu'elle voulait manger tout le monde», sauf qu'elle n'a pas de dents...), que font renaître les bêtes sauvages vivant dans la forêt, mais qu'apaise le dévouement soumis de Percinet dont elle sait n'avoir rien à craindre.

2. Nouveau clin d'œil de la conteuse envers sa source qui, après avoir été adaptée par La Fontaine en 1669, inspira la tragédie-ballet de Molière et Corneille, créée en 1671 sur la musique de Lully, laquelle fut ensuite remaniée en tragédie en musique par Thomas Corneille en 1678.

Page 63.

1. *D'ailleurs*: «par ailleurs», «d'un autre côté».

Page 64.

1. *Pièce*: «tour», «tromperie».

2. «Les amants se font signe des yeux, de la tête, en se marchant sur les pieds, en se serrant la main, de leur amour, de leur intelligence» (Furetière, article «signe»). L'étrangeté de la position, l'ambiguïté des adjectifs possessifs (à qui appartient le petit doigt en question?) invitent évidemment à une double lecture et à chercher, sous le voile puéril, l'allusion licencieuse. Peut-être aussi faut-il songer à l'expression proverbiale «Mon petit doigt me l'a dit, pour dire, je l'ai su par une voie secrète et inconnue» (Furetière, article «doigt»), justifiée dans le contexte. La conteuse ne s'amuse-t-elle pas à décliner au fil du récit diverses expressions langagières incluant le mot doigt? On trouve encore:

«j'ai plus de charmes dans mon petit doigt, qu'elle n'en a dans toute sa personne» (p. 50); «je gage que cette belle paresseuse n'aura fait œuvre de ses dix doigts» (p. 68); «le géant de la troupe était haut comme le doigt» (p. 70). Un recensement inattendu, illustrant la parenté existant entre ces deux jeux de salon que sont le conte et le proverbe: «On voit de petites histoires répandues dans le monde, dont tout le dessein est de prouver agréablement la solidité des proverbes», témoigne Mlle Lhéritier (*Contes*, Paris, Champion, 2005, p. 35). On trouvera d'autres exemples dans les contes suivants.

3. *Cornettes*: «Coiffes ou linges que les femmes mettent la nuit sur leurs têtes, et quand elles sont en déshabillé» (Furetière).

4. Jusqu'au XVIIIe siècle, *périr* peut se conjuguer indifféremment avec l'auxiliaire avoir ou être.

5. L'expression fait évidemment songer à Perrault, dont le Chat botté menace de même les paysans par ces mots: «vous serez tous hachés menu comme chair à pâté» (dès 1695 *Le Chat botté* circulait, dans un recueil manuscrit où figuraient quatre autres contes). Elle est d'ailleurs enregistrée par Furetière: «on dit aussi d'un homme maltraité, assassiné de plusieurs coups, qu'il a été haché menu comme chair à pâté» (Furetière, article «hacher»).

Page 65.

1. À savoir Grognon.

Page 66.

1. Si *supposition* signifie «hypothèse», «conjecture», un autre sens du même mot est manifestement sous-jacent ici, qui désigne la substitution d'une personne à une autre.

2. Comme Cendrillon et Peau d'Âne, comme Florine dans *L'Oiseau Bleu*, l'héroïne se transforme ici en souillon: c'est l'épreuve de l'humiliation, l'expérience du dénuement, qui s'achèvera sur la mort symbolique du personnage.

3. *Aider* se construit à l'époque en transitif direct ou indirect.

4. «*Rêver*, signifie aussi appliquer sérieusement son esprit à raisonner sur quelque chose, à trouver quelque moyen, quelque invention» (Furetière).

Page 67.

1. À *commère*, les dictionnaires du temps enregistrent trois significations différentes. Furetière en fait un synonyme de

«marraine»: «Femme ou fille qui ont tenu avec quelqu'un un enfant sur les fonts du baptême». Richelet, lui, explique: «c'est une bonne commère. C'est-à-dire, une bonne gaillarde, une bonne éveillée et qui aime un peu à se réjouir». Enfin le *Dictionnaire de l'Académie française* enregistre le sens actuel: «Se dit aussi d'une femme de basse condition qui parle de tout à tort et à travers, et qui veut savoir toutes les nouvelles du quartier.»

Page 68.

1. La *tonne* est un grand tonneau.
2. C'est-à-dire «je n'aurais jamais fini».
3. *Nouvelle*: «novice», «peu expérimentée». L'épreuve est très proche de celle subie par Psyché au service de Vénus: la jeune fille devait trier des graines de toutes espèces que Vénus avait mélangées.

Page 69.

1. Si *pâmer* s'utilise ordinairement à la forme pronominale, on trouve aussi des emplois non pronominaux: «Sire, on pâme de joie ainsi que de tristesse» (Corneille, *Le Cid*, IV, 5).

Page 70.

1. L'épreuve est une nouvelle transposition de Psyché; la même curiosité avait manqué perdre Psyché lorsque, chargée par Proserpine d'une boîte mystérieuse, elle n'avait pu davantage résister à la tentation de l'ouvrir. La boîte est souvent considérée comme un symbole du corps féminin: en l'ouvrant malgré l'interdiction, Gracieuse témoigne d'une curiosité nouvelle, et franchit ainsi une étape symbolique dans son initiation à l'amour. Sur ce passage, voir aussi la préface (p. 31-32).

Page 71.

1. Le substantif *rencontre* est au XVIIe siècle employé au masculin comme au féminin.
2. La construction transitive directe de *refuser* est la première attestée. Le verbe est ici employé avec le sens de «repousser la demande».

Page 72.

1. Néologisme: voir la préface, p. 12.
2. Cette crainte du change n'est pas sans rappeler la princesse de Clèves qui doutait pareillement des serments du duc de Nemours: faut-il ici encore conclure à l'intention parodique?

LA BELLE AUX CHEVEUX D'OR

Page 75.

1. Ce conte a paru en 1697 à la suite du précédent, dans le tome premier des *Contes des fées*. On peut le rapprocher du conte-type n° 554, intitulé «les animaux reconnaissants». C'est peut-être le plus connu des contes de Mme d'Aulnoy, en tout cas le plus fréquemment réédité. La raison de son succès réside sans doute dans sa simplicité : car dès l'*incipit* dont a été souvent remarquée la pauvreté tant lexicale que syntaxique, le conte s'inscrit dans une recherche d'un style simple, dont témoignent également les formulettes, refrains et répétitions en tous genres qui émaillent la suite du récit. De tous les contes de Mme d'Aulnoy, *La Belle aux Cheveux d'or* est l'exemple le plus abouti de cette naïveté qui rappelle la manière de Perrault.

Page 76.

1. Un *quarteron* équivaut à un quart de cent soit vingt-cinq, et un donné en plus, soit vingt-six. Furetière précise : «On fait grande estime des épingles d'Angleterre.»

Page 77.

1. On notera, après N. Jasmin, l'ambiguïté de la formule, en rappelant la définition que donne Furetière à *mignon* : «signifie aussi favori, soit en matière d'amitié, soit d'amour» (voir N. Jasmin, *Naissance du conte féminin*, Paris, Champion, 2002, p. 358).

Page 78.

1. «On dit aussi, *jours maigres*, les jours où l'Église défend de manger de la chair ; comme le Carême, les Vendredis, Samedis, etc.» (Furetière).

Page 79.

1. Souvenir de La Fontaine (livre VII, fable 4, dite «Le Héron. La Fille»).

Page 80.

1. *Filasse* : fils tirés de certaines plantes qu'on devait battre pour les mettre en quenouille.

Page 81.

1. Le «grand miroir» est un élément récurrent dans les décors de contes de fées : une vogue qu'expliquent la création récente à cette date de la manufacture de Saint-Gobain (1691) et la révolution technique qui s'ensuivit, permettant de fabriquer des miroirs de plus grandes dimensions (voir R. Robert, *Le Conte de fées littéraire en France*, Nancy, Presses universitaires de Nancy, 1982, p. 358).

Page 82.

1. *Alisier* : «Arbre qui est fort grand, qu'on nomme autrement *Lotus*, qui produit un fruit plus gros que le poivre, et qui est bon à manger et propre à l'estomac [...] Ce fruit est si doux que ceux qui en goûtent renoncent volontiers à leur patrie : d'où vient qu'Homère dit que les compagnons d'Ulysse en ayant tâté donnèrent bien de la peine à leur Chef pour leur faire quitter ce pays-là [...]. Quelques Modernes font mention d'un autre *Alisier*, qui est un arbrisseau portant un fruit rouge comme des cerises, qui naît en France et dont les Anciens n'ont pas parlé» (Furetière).

Page 83.

1. Mme d'Aulnoy se souvient-elle ici de l'anneau de Polycrate ? Hérodote raconte comment Polycrate, cherchant à éprouver sa fortune, jeta dans la mer un anneau qu'il aimait particulièrement. Quelques jours plus tard, un pêcheur vint lui offrir un poisson de belle taille pour son dîner : on y trouva l'anneau qu'on rapporta à Polycrate (voir Hérodote, *L'Enquête*, III, 39-45, Folio classique, p. 287-291). Plus proche de la conteuse, Straparole, dans *Les Nuits facétieuses*, offre un épisode similaire (voir Troisième nuit, fable II). Des souvenirs qui n'interdisent pas une lecture symbolique de l'épisode : la Belle aux Cheveux d'or n'aurait-elle pas jeté volontairement cette bague qui représente peut-être ce qu'elle craint et désire à la fois, à savoir le mariage ?

2. Si l'origine de ce nom reste pour nous mystérieuse, il fait toutefois songer à *galimafrée* qui désigne un «ragoût composé de plusieurs restes de différentes viandes. Il n'est guère en usage que parmi des goinfres» (Furetière). Le rapprochement ne paraît pas incongru, dans le cas d'un ogre.

Page 85.

1. Souvenir de La Fontaine (livre I, fable 2, dite «Le Corbeau et le Renard»).

Page 86.

1. C'est-à-dire accompagné de quatre-vingt-dix-neuf autres. Cette dernière épreuve s'inspire très précisément de la troisième épreuve qu'impose Vénus à Psyché dans le texte d'Apulée : celle-ci devait rapporter à la déesse dans un flacon de cristal de l'eau de la source du Styx. Elle y parvint grâce à l'intervention merveilleuse d'un aigle qui, comme le hibou d'Avenant, remplit la bouteille à sa place. Mais cette seule substitution d'un vulgaire hibou à l'aigle de Jupiter traduit la volonté de simplicité qui préside à la réécriture du mythe : de même la description naïve du paysage («vilain rocher», «grosse fumée»), ou encore l'attitude burlesque de Cabriole.

L'OISEAU BLEU

Page 91.

1. *L'Oiseau Bleu* a paru en 1697 à la suite du précédent, dans le tome premier des *Contes des fées*. L'intrigue doit beaucoup à un lai de Marie de France, intitulé *Yonec*. Écrit vers 1160, ce texte, qui s'inspire de contes populaires bretons, relate les amours malheureuses d'une femme mariée à un seigneur jaloux, pour un chevalier qui vient la visiter sous la forme d'un oiseau dans le donjon où elle est enfermée. Dans le détail du texte, les analogies sont parfois frappantes : l'appel de l'oiseau par celle qui l'aime, l'espionne placée par les ennemis du couple aux côtés de la jeune femme, la joie qui trahit l'amante, le piège tendu à l'homme-oiseau sont autant de motifs communs aux deux contes (voir Marie de France, *Lais*, Folio classique, p. 237 *sq.*). Il est toutefois une notable différence : chez Marie de France, l'oiseau une fois parvenu auprès de l'héroïne redevient homme.

2. *Mante* : «Grand voile noir traînant jusqu'à terre, que portent les dames dans les cérémonies, et surtout dans le deuil» (Furetière).

Page 92.

1. Telle une moralité, cette maxime offre une clôture partielle au début du conte, qui se détache ainsi comme un court

apologue. La Rochefoucauld a-t-il inspiré cette saynète, lui qui dénonce dans la maxime 233 le travail souterrain de l'ambition dans le «personnage lugubre» qu'affectent certaines affligées ?

2. Flore est la divinité des Fleurs et du Printemps.

3. *Taffetas volant* : taffetas très léger.

4. De l'espagnol *sucio* qui signifie «sale». *Nourrir* a ici le sens d'«élever», d'«instruire».

Page 93.

1. *Pièce* : tour, tromperie.

Page 94.

1. *Brave* : au sens ici de «bien vêtue».

Page 99.

1. Il faut comprendre : «qu'elle n'avait qu'à fixer l'heure pour partir au plus vite».

2. Répétition du sujet, incorrecte aujourd'hui.

Page 100.

1. *Tout à l'heure* : immédiatement

Page 101.

1. *Décevoir* : «Tromper adroitement» (Furetière).

2. Sans doute est-ce l'insulte de Truitonne qui inspire à Soussio l'idée de la métamorphose en oiseau, le mot *roitelet* désignant à la fois un «roi ou seigneur d'un petit pays» et «aussi un oiseau fort petit, vif et plein de feu» (Furetière). Un peu plus loin, Florine insistera de nouveau sur le double sens du mot, lorsqu'elle s'écriera : «Quoi! le plus grand roi du monde [...] serait le petit oiseau que je tiens!»

Page 102.

1. «*Cyprès*, nom d'arbre assez connu, qui est le symbole de la mort, dont on orne les sépulcres». «*Myrte*, se prend figurément et poétiquement pour le symbole de l'amour» (Furetière).

Page 103.

1. «*Baron*, se disait autrefois des Grands du Royaume de France» (Furetière).

Page 105.

1. La formule intrigue: quand l'amour paternel a-t-il été
«rendu» à Florine? À la mort de sa mère? Au remariage du
roi, qui l'arrache au désespoir?

Page 106.

1. L'original présente *feigniez*. Le présent paraît préférable.
2. *Décevoir*: voir n. 1, p. 101.

Page 109.

1. *Poinçon*: «se dit aussi d'un joyau dont les femmes se servent pour se parer leur tête, et pour arranger leurs cheveux en
se coiffant» (Furetière).

Page 110.

1. *Traverser*: ici au sens de faire obstacle.
2. *Pastille d'Espagne*: «Composition sèche qui rend une
bonne odeur, lorsqu'on en brûle dans des cassolettes» (Furetière).

Page 116.

1. *Nécromancien*: pris ici au sens large, et synonyme de
«magique».

Page 119.

1. Expression figurée qu'on utilise, selon Furetière, «pour
marquer la société ou l'intelligence qui doit être entre deux
personnes de même profession».
2. L'original porte le présent *connaissent*, qu'il nous semble
préférable de remplacer par l'imparfait.

Page 120.

1. *Pépie*: «maladie d'oiseaux, petite pellicule blanche et
sèche qui leur vient à la bouche pour avoir eu soif» (Furetière).

Page 121.

1. La scène rappelle *Les Fées* de Charles Perrault, dont l'héroïne rencontre de même auprès d'une fontaine une fée méta-
morphosée en vieille femme, qui lui fait un don. Mais à la
différence de Perrault, Mme d'Aulnoy ne fait pas du don de la
fée la récompense de la bonté de l'héroïne.

Page 123.

1. Dénonçant la coquetterie de ceux qui s'y mirent et plus généralement l'aveuglement de l'amour-propre, l'image du miroir introduit dans le conte une pause narrative, qui s'avère plus satirique que morale. La comparaison avec la fable de La Fontaine «L'homme et son image» dédiée à La Rochefoucauld permet de mesurer la différence qui existe entre la fable et le conte, lequel n'entend rien démontrer. Car non seulement le miroir du conte est trompeur et celui de la fable si fidèle que c'est l'homme qui l'accuse d'être faux, mais il ne sera pas brisé par Florine, et les coquets seront ainsi laissés à leur béate contemplation, tandis que l'homme qui fuyait son image finit chez La Fontaine par la retrouver dans le recueil des *Maximes*.

2. Se devine ici un jeu de mots, ou une allusion dont le sens échappe aujourd'hui. Peut-être une plaisanterie par antiphrase à partir de l'expression «nommer les choses par leur nom» (d'après Furetière, «on dit, nommer les choses par leur nom, quand on dit sincèrement la vérité, quand on ne fait point de scrupule de reprocher à quelqu'un ses défauts»).

Page 124.

1. Le terme fait évidemment songer à Peau d'Âne, elle-même qualifiée de «souillon» par Perrault, et qui, comme Florine et Gracieuse, doit passer par l'épreuve du déguisement et de l'humiliation pour triompher d'un sort contraire.

Page 125.

1. *Sol*: «Pièce de menue monnaie qui vaut douze deniers. On prononce maintenant sou» (Furetière).

2. *Surfaire*: «Mettre une marchandise à un prix excessif» (Furetière).

Page 126.

1. Mme d'Aulnoy s'inspire-t-elle ici de la «voûte à échos» du palais du Luxembourg (voir M. Cuénin, «Châteaux et romans au xviie siècle», *XVIIe Siècle*, 1978, p. 116)?

Page 127.

1. *Or de rapport*: «est de l'or solide et taillé en diverses figures, qu'on enchâsse dans du fer» (Furetière).

2. *Gris-de-lin*: de couleur violette.

3. Ces deux foires se tenaient à Paris, la première en février et mars, la seconde en août et septembre. Les attractions y

étaient nombreuses : marionnettes, animaux, acrobates, jongleurs, etc., et attiraient les gens de qualité.

4. Le *passe-pieds* est une danse vive et gaie, à pas glissés ; la *sarabande* est une danse plus lente, en usage en Bretagne. L'allusion à *Léance* reste obscure.

5. Néologisme : voir la préface, p. 11-12.

6. Dire d'un homme qu'il est *absolu* signifie qu'« il commande avec hauteur, et veut qu'on lui obéisse sans raisonner » (Furetière).

Page 129.

1. *Pièce blanche* : monnaie d'argent, par opposition à l'or.

Page 130.

1. Cette entrée fracassante était-elle destinée à en rappeler une autre au lecteur : celle du prince de Nemours surprenant la princesse de Clèves dans la même position alanguie et les cheveux dénoués, dans le « cabinet » du pavillon de Coulommiers ? La similitude des détails, en particulier la mention d'un « lit de repos » ou la précision concernant l'éclairage de la scène, pourrait le laisser penser (voir Mme de La Fayette, *La Princesse de Clèves*, p. 212 de l'édition « Folio classique »).

Page 131.

1. À la métamorphose grotesque que motivent le nom et le caractère du personnage, s'ajoute ainsi sa chute symbolique qui lui fait trouver, au lieu de la Cour qu'elle espérait conquérir, une vulgaire « basse-cour ».

2. L'original porte *devint*.

Page 132.

1. Comment ne pas s'étonner de voir la moralité non seulement passer sous silence le seul personnage héroïque du conte, à savoir la princesse Florine, mais louer le prince pour une sagesse qu'il n'a précisément pas su incarner jusqu'au bout, préférant en épousant Truitonne « éprouver la peine extrême d'avoir ce que l'on hait toujours devant les yeux » plutôt que d'« être Oiseau Bleu » ?

LA PRINCESSE PRINTANIÈRE

Page 133.

1. Ce conte paraît en 1697 en tête du tome second des *Contes des fées*.

2. Exemple de ce style puéril que s'amuse à employer Mme d'Aulnoy, *joujou* n'est enregistré par les lexicographes avec le sens de jouet qu'à partir de 1721 (*Dictionnaire de Trévoux*). Ce mot serait donc un néologisme de Mme d'Aulnoy (voir M. Manson, «Mme d'Aulnoy, les contes et le jouet», dans Jean Perrot (dir.), *Tricentenaire Charles Perrault*, Paris, In Press, 1998, p. 152 *sq.*).

3. *M'amour, m'amie*: «Termes de cajolerie familière, qui sont abrégés de *mon amour* et de *mon amie*. Ils ne sont en usage que dans le burlesque et dans les chansons» (Furetière).

Page 134.

1. Souvenir de l'anecdote contée par Valère Maxime et reprise par La Fontaine dans la fable 16 du livre VIII, qui attribue la mort d'Eschyle à la chute d'une tortue qu'un aigle laissa tomber sur la tête du poète.

Page 135.

1. De Fagotin, nom du singe d'un célèbre montreur de marionnettes du milieu du xviie siècle, Jean Brioché.

2. Le soufre dégage en effet en brûlant une odeur suffocante qui devait rendre la soupe de la fée immangeable.

3. Voir n. 3, p. 133.

4. *Grabuge*: «Vieux mot qui signifie débat et différend domestique [...]. Ce mot ne s'emploie qu'en burlesque» (Furetière).

5. *Hongreline*: «Sorte d'habillement de femme fait en manière de chemisette qui a de grandes basques» (Furetière).

6. *Cotillon*: «Diminutif de cotte. Petite jupe ou cotte de dessous. On le dit particulièrement de celle des enfants, des paysannes, ou des petites gens» (Furetière).

7. «On tailladait autrefois les étoffes par de larges découpures. On tailladait aussi les pourpoints en les coupant par bandes en été. Les femmes portent encore des robes avec des manches tailladées» (Furetière).

8. Parmi les présents faits aux fées, on trouve ici les ciseaux et les aiguilles, et plus loin (p. 140) les quenouilles et les rouets: les fées s'adonnent aux travaux de couture et de bro-

derie, dont les contes montrent d'ailleurs divers échantillons,
de l'écharpe en toile d'araignée de Carabosse à la layette de
Désirée dans *La Biche au Bois*. Se manifeste ainsi la parenté
des fées avec les Parques de l'Antiquité qui tirent du fuseau le
fil de la vie humaine et le coupent au moment voulu.

Page 136.

1. Néologisme : voir la préface, p. 11-12.
2. *Hongner*, forme héritée de l'ancien français, signifie
« grogner », « grommeler ».
3. La scène rappelle le début de *La Belle au Bois dormant*,
lorsque la jeune fée parvient, en parlant la dernière, à transformer la mort de la princesse en un sommeil de cent ans.
4. « Les termes ironiques conviennent fort à la satire, au
burlesque » (Furetière). Carabosse donne ainsi le ton, dans un
conte qui relève tout entier de la parodie.

Page 138.

1. Le nom du roi fait surgir le souvenir du cycle arthurien.
Les romans de la Table Ronde ont été souvent réimprimés au
cours du XVIIᵉ siècle ; La Fontaine cite aussi Merlin dans la
fable 11 du livre IV, intitulée « La Grenouille et le Rat ».
2. Dérivé des termes *fanfare* et *fanfaron*, et allongé d'un suf-
fixe (*-et*) évidemment péjoratif, le nom du héros ne laisse pas
espérer plus longtemps le prince charmant des contes de fées.
La conteuse entend-elle jouer en outre sur le mot *farine* également contenu dans Fanfarinet ? Ce mot entre en effet dans
certaines expressions aussi dévalorisantes qu'appropriées à la
nature du personnage : « on dit aussi, ce sont des gens de
même farine, pour dire que ce sont des vauriens, des personnes également prêtes à mal faire. On dit aussi par un terme
de mépris, je ne veux point avoir affaire à des gens de cette
farine » (Furetière) ?
3. *Remueuse* : « femme qu'on joint et qu'on donne pour
aider à une nourrice d'un prince pour servir à le remuer, à le
tenir proprement » ; « remuer, se dit aussi des enfants en maillot, quand on les change de linge ». *Mie* : « Les enfants appel-
lent encore leur gouvernante leur mie » (Furetière).
4. *Tout à l'heure* : immédiatement.

Page 139.

1. Ce « petit trou » de la taille d'une « petite aiguille » permet

d'accéder au premier homme jamais vu par la princesse : est une nouvelle fois ici dénoncée la curiosité féminine qu'une lecture symbolique de la scène suggère de nature sexuelle.

Page 140.

1. *Nonpareille* : «Chez les marchands, c'est le ruban le moins large. On fait des garnitures de nonpareille» (Furetière).

Page 141.

1. «*Appareil* : ce qu'on prépare pour faire une chose plus ou moins solennelle. L'entrée du Roi après son mariage s'est faite avec beaucoup d'*appareil* et de magnificence» (Furetière).

2. «Les princes du *sang* sont ceux qui sont descendus du *sang* royal, les proches parents du Roi» (Furetière).

3. «Le sucre royal, ou sucre fin, est le plus épuré et le plus blanc» (Furetière). Le jambon de Mayence est «une préparation de jambons, qui se fait en les salant avec du salpêtre pur, et en les pressant dans un pressoir à linge pendant huit jours. Après quoi on les trempe dans de l'esprit de vin où il y aura eu des grains de genièvre pilés et macérés, et ensuite on les met sécher à la fumée du bois de genièvre».

4. *Gagnait pays* : avançait.

Page 142.

1. Arrivé en France comme un médicament, le chocolat devint vite à la mode : la reine Marie-Thérèse (1638-1683) l'appréciait particulièrement, à la différence de Madame, dédicataire des *Contes*, qui écrivait : «Je ne peux souffrir ni le thé, ni le café, ni le chocolat, ce qui me ferait plaisir, ce serait une bonne soupe à la bière» (lettre du 8 décembre 1712).

2. *Donner la question à*, signifie «torturer». On notera en passant la critique sous-jacente de la récitation, du discours appris par cœur : toujours à la merci d'un trou de mémoire (comme celui dont fut victime le P. Bourdaloue à qui la mémoire manqua en plein éloge du roi le jour de Noël 1689), l'orateur qui fait seulement travailler sa mémoire manque à l'idéal mondain de l'à-propos (affligé du même travers, le roi, à la disparition de sa fille, se révélera également incapable d'improviser un discours).

3. L'expression — qui sert à blâmer celui qui verrait quelque chose d'ambigu ou de scabreux dans les actes ou les propos les plus honnêtes — est aussi la devise, en français,

de l'Ordre de la Jarretière, fondé en 1348 par Édouard III d'Angleterre.

Page 143.

1. *Da* : « interjection qui sert à augmenter l'affirmation ou la dénégation : c'est un terme populaire » (Furetière).

Page 144.

1. *Détonner* : jouer faux.
2. « Une *lanterne sourde* est une lanterne de fer-blanc ou noirci, qui n'a qu'une ouverture, qu'on ferme quand on veut cacher la lumière, et qu'on présente au nez de ceux qu'on veut voir, sans qu'on en puisse être aperçu » (Furetière).
3. « *Brave*, signifie aussi une personne bien vêtue » (Furetière).
4. *Escarboucle* : « Pierre précieuse et fabuleuse, dont Pline et plusieurs autres ont dit beaucoup de merveilles. Ce n'est en effet qu'un gros rubis ou grenat rouge, brun et enfoncé, tirant sur le sang de bœuf, qui jette beaucoup de feu, surtout quand il est en cabochon et chevé. On a voulu faire accroire que l'*escarboucle* venait d'un dragon. Vartoman dit que le roi du Pegu n'usait point d'autre lumière la nuit pour se faire voir que de son *escarboucle*, qui rendait une lumière aussi vive que celle du soleil. Il ment puamment, respect du lecteur » (Furetière).

Page 145.

1. *Poëlon* : diminutif de poële qui « se dit quelquefois d'une chambre tout entière où il y a du feu pour échauffer celle qui est dessus » (Furetière).

Page 146.

1. Simple comparaison, ou allusion à la fable « L'Aigle et l'Escarbot » (livre II, fable 8) ?
2. L'Eau de la Reine de Hongrie « est une distillation qui se fait au bain de sable des fleurs de romarin mondées de leurs calices sans aucune partie de l'herbe, dans de l'esprit de vin bien rectifié. On l'appelle ainsi, à cause du merveilleux effet qu'en ressentit une reine de Hongrie à l'âge de 72 ans » (Furetière).

Page 147.

1. Voir *Gracieuse et Percinet*, n. 5, p. 64.
2. Dérivé de « gambiller » : « frétiller, remuer souvent les jambes, soit assis, soit dans le lit. Il ne se dit que des enfants, ou des jeunes gens » (Furetière).

Page 148.

1. *Godenot* : « se dit aussi par dérision des personnes laides ou mal faites, des figures mal taillées ou dessinées ». Sans doute, par un phénomène de contamination, est-il ici utilisé avec le sens d'un terme phonétiquement proche, à savoir *godelureau* : « jeune fanfaron, glorieux, pimpant et coquet qui se pique de galanterie, de bonne fortune auprès des femmes » (Furetière).

Page 149.

1. Une fois parvenu sur l'Île des Écureuils, Fanfarinet se métamorphose en loup : ses dents s'allongent, plus loin il souhaite qu'un loup puisse manger la princesse, avant de se jeter lui-même sur elle (« la voyant si grassette et si blanchette et ayant bon appétit, il voulait la tuer pour la manger »). La signification sexuelle que recouvre à l'évidence cette menace de dévoration rappellera au lecteur *Le Petit Chaperon rouge*.

Page 150.

1. « Terme burlesque, qui ne se dit qu'en cette phrase proverbiale : Ils ont été tout le jour *courir la prétentaine*, pour dire, Ils sont allés deçà et delà » (Furetière). Le sens particulier — chercher des aventures érotiques — n'est pas enregistré par Furetière.

Page 152.

1. L'emprunt n'a pu être précisé. Peut-être la référence à Ovide est-elle seulement ludique.

2. Le Coq : célèbre pâtissier dont la boutique se trouvait à Paris, rue de l'Université.

3. *Caquet* : « abondance de paroles inutiles qui n'ont point de solidité. Les femmes parlent beaucoup, mais elles n'ont que du *caquet*, ne parlent que de bagatelles. [...] On dit aussi, qu'une femme est dans les caquets, quand par sa mauvaise conduite elle donne occasion aux autres de médire d'elle » (Furetière).

Page 154.

1. Fanfarinet confirme ici son appartenance à la race des ogres ; en témoignent non seulement son refus de partager la nourriture avec la princesse et son désir de la manger, mais aussi le genre même de mort qui lui est réservé : « un furieux coup dans l'œil » rappelle le sort réservé dans l'*Odyssée* au cyclope Polyphème.

2. *Escarbot* : scarabée.

Page 155.

1. *Fontange* : le mot vient du nom de la duchesse de Fontanges, éphémère maîtresse de Louis XIV, et désigne une coiffure à la mode à la fin du XVIIᵉ siècle dans laquelle les cheveux s'élèvent sur le sommet de la tête, parfois jusqu'à des hauteurs impressionnantes.

Page 156.

1. « On appelle *petits pieds* la volaille, le menu gibier » (Furetière).

LA PRINCESSE ROSETTE

Page 158.

1. Ce conte paraît en 1697 dans le tome second des *Contes des fées*, à la suite du précédent avec lequel il présente dès le titre d'évidentes similitudes : car si la princesse Printanière « avait un teint de lys et de roses », la rose est une fleur printanière, qui sert aussi de désignation familière à la virginité féminine. S'agissait-il pour la conteuse d'offrir une sorte de variation sur un même thème — la princesse vouée au coup de foudre par l'enfermement dont elle est la victime ? Après l'illustration licencieuse, voire libertine, de *La Princesse Printanière*, *La Princesse Rosette* développe une autre manière de la conteuse : la surenchère enfantine. Ce conte-ci relève du conte-type « La fiancée substituée » (nᵒ 403 dans le catalogue Delarue-Tenèze) que développera également *La Biche au Bois* et auquel recourait déjà une séquence secondaire de *L'Oiseau Bleu*, avec le personnage de Truitonne qu'enlevait par méprise Charmant : un scénario récurrent dont le caractère très romanesque explique sans doute le succès auprès de Mme d'Aulnoy.

Page 159.

1. *Serrer* : mettre en lieu sûr. Les mensonges répétés de la reine, comme la bouderie du roi ou encore la parenthèse moralisatrice de la conteuse, s'inscrivent dans la surenchère puérile qui caractérise le conte.

2. L'original porte « était », auquel il semble préférable de substituer le présent.

Page 160.

1. *Amuser* a ici le sens de «faire perdre son temps à quel-qu'un».

Page 162.

1. Le paon était dans l'Antiquité l'attribut d'Héra (ou Junon), déesse du mariage; il est également doté d'un symbolisme solaire qu'explique le déploiement de sa queue en forme de roue. Ces deux niveaux de sens semblent se superposer ici puisque Rosette découvre le paon en même temps que la lumière du jour et que cette vue suscite immédiatement en elle le désir du mariage.

2. *Bien apprise*: au sens de «bien élevée».

Page 165.

1. *En diligence*: c'est-à-dire «en toute hâte».

2. *Métier*: «est aussi une espèce d'oublie, ou de pâtisserie mince et roulée, qui est cuite entre deux fers comme des gaufres, composée de farine, et de sucre et de miel. On l'appelle aussi *des cornes de métier* ou *du petit métier*». *Hypocras*: «breuvage qu'on fait avec du vin, du sucre, de la cannelle, du girofle, du gingembre, et autres ingrédients [...]. L'hypocras passe pour vin de liqueur, et se boit par délices à la fin d'un repas» (Furetière).

Page 166.

1. Sans doute faut-il entendre par *cou* «tour de cou», c'est-à-dire «écharpe».

2. La construction transitive directe de *refuser* est la première attestée. Le verbe est ici employé avec le sens de «repousser la demande».

Page 167.

1. Exemple souvent cité de la surenchère puérile que pratique Mme d'Aulnoy, l'expression *faire pipi au dodo* présente deux substantifs empruntés au langage des enfants et constitués à partir du redoublement d'une même syllabe (comme *joujou*, dans le conte précédent). *Pipi* (1692) est issu par redoublement enfantin de la première syllabe de pisser. *Dodo*, attesté pour la première fois chez Charles d'Orléans dans l'expression «faire dodo», est employé quelquefois par métonymie pour désigner le lit (mais le *Dictionnaire historique de la langue française* date seulement cette acception de 1725). Selon

Ph. Ariès, ces mots bêtifiants auraient émergé au XVIIe siècle (voir Ph. Ariès, *L'Enfant et la Vie familiale sous l'Ancien Régime*, Paris, Plon, 1960) : Mme d'Aulnoy serait l'une des premières à les introduire de la langue parlée dans la langue littéraire. Sur ces effets de niaiserie dans les contes de Mme d'Aulnoy, voir encore R. Robert, *Le Conte de fées littéraire en France, op. cit.*, p. 436 *sq.*, et Y. Loskoutoff, *La Sainte et la Fée*, Genève-Paris, Droz, 1987, p. 179 *sq.*

Page 169.

1. «*Brave*, signifie aussi une personne bien vêtue» (Furetière).

Page 170.

1. À nouveau (voir *L'Oiseau Bleu*, n. 2, p. 101), la conteuse semble jouer sur les deux sens du mot *roitelet* qui, appliqué ici au Roi des Paons, peut être pris aussi bien au sens de petit roi que de petit oiseau.

Page 174.

1. *Qui mangeait [...] et qu'ils dînaient* : la construction, très libre, est incorrecte aujourd'hui.
2. *Affronteur* : «qui trompe, qui affronte. Paris est plein de devins, de donneurs d'avis, de faux chimistes, qui sont tous des gueux, des filous et des *affronteurs*» (Furetière).

Page 175.

1. *Alcyon* : «Espèce d'oiseau hantant la mer et les marécages, de la grosseur d'une caille [...], qui couve sur l'eau» (Furetière).
2. *Abîmer* : «jeter dans un abîme, y tomber, se perdre, se noyer» (Furetière). L'élégance de cette moralité, qui opte pour un style élevé, surprend à la fin d'un conte qui a multiplié les puérilités, comme surprend l'allusion finale à Louis XIV. Comment l'expliquer, si ce n'est comme un nouvel écart de la conteuse ?

LE RAMEAU D'OR

Page 176.

1. Ce conte paraît, à la suite des deux précédents, en 1697 dans le tome second des *Contes des fées*. Son titre, qui croise la thématique du luxe et celle de l'éclat, s'éclaire de diverses tra-

ditions : dans la tradition celtique, le rameau d'or, appellation noble du gui, est un objet magique aux pouvoirs de guérison et un symbole d'immortalité. Ce titre fait aussi songer au livre VI de *L'Énéide* qui raconte comment Énée, pour effectuer sa descente aux Enfers, dut se munir d'un rameau d'or, sorte de talisman destiné à apaiser Proserpine.

2. *Rencontrer* : « signifie aussi faire une pointe, une allusion, faire sur-le-champ une plaisante repartie » (Furetière).

Page 177.

1. Le nom de l'héroïne croise le sème de la laideur présent dans *trogne* (« terme burlesque, qui se dit d'un visage gros et laid, ou qui est rouge ou boutonné, comme celui d'un ivrogne », d'après Furetière) et celui du manque, véhiculé par l'acception usuelle de *trognon* (« petit tronc, la partie qui reste des fruits ou des plantes, quand on en ôte le meilleur », chez Furetière). Furetière enregistre en outre deux utilisations courantes du mot *trognon* : « On dit proverbialement d'une chose qu'on méprise, J'en fais autant de cas que d'un trognon de chou. On dit au contraire à un enfant ou à une petite fille par manière de caresse, mon petit trognon. » Deux usages « contraires » selon le lexicographe, mais également pertinents ici, en raison de l'évolution des sentiments du prince Torticolis à l'égard de l'héroïne.

2. « *Magot*, se dit figurément des hommes difformes, laids, comme sont les singes, des gens mal bâtis » (Furetière).

Page 178.

1. Quels sont ces ouvrages dans lesquels il est parfois difficile d'« entendre » quelque chose, mais avec lesquels on peut toujours « s'amuser » ? Comment ne pas songer aux contes eux-mêmes dont serait ici évoquée la matière médiévale ? La mise en abyme se précisera lors de la contemplation des vitraux de la tour. Voir sur ce point J.-P. Sermain, *Le Conte de fées. Du classicisme aux Lumières*, Paris, Desjonquères, 2005, p. 74-75.

Page 179.

1. Le *tire-bourre* « est un instrument qui sert à décharger une arme à feu sans la tirer » (Furetière). Il est constitué d'une baguette au bout de laquelle est attaché un fil en forme de vis.

Page 180.

1. « *Chiffre*, est aussi un caractère mystérieux composé de quelques lettres entrelacées ensemble, qui sont d'ordinaire les

lettres initiales du nom de la personne pour qui il est fait. Quelquefois il est double, et on y mêle les lettres du nom d'une autre personne avec qui on a amitié ou relation » (Furetière).

2. La *bassette* est un jeu de cartes, très en vogue dans les années 1675, et le *tric-trac* un jeu de dés. Le premier, considéré comme un jeu de hasard, a été interdit sur ordre du Roi en 1679, tandis que le second, qui appartient à la catégorie des jeux dits «de commerce», est toléré.

3. Soit environ 30 cm.

Page 182.

1. Voir *La Princesse Printanière*, n. 4, p. 144.

Page 183.

1. *Or de rapport* : «Or solide et taillé en diverses figures, qu'on enchâsse dans du fer.»

2. *Lapis* : «Espèce de pierre précieuse, bleue avec des filets d'or [...]. On en fait des vases et on en orne des cabinets.»

3. Le thème de la «belle endormie» est un *topos* romanesque que *La Belle au Bois dormant* transposait déjà dans l'univers féerique (pour un relevé des occurrences du motif, voir J.-P. Collinet, *Contes* de Perrault, Paris, Gallimard, 1981, «Folio classique», p. 319).

4. Le lac Trasimène, en Étrurie, est célèbre pour avoir été le théâtre de la victoire d'Hannibal sur l'armée romaine (217 av. J.-C.)

Page 184.

1. Expression poétique désignant la rosée.

2. Seul l'aigle, dit-on, peut regarder fixement le soleil sans se brûler les yeux (voir, par exemple, le *Dictionnaire des symboles*, à l'article «aigle»).

Page 186.

1. Un *pied* correspondait à 0,324 m. Sans-Pair a donc gagné à peu près un mètre sur Torticolis.

Page 187.

1. *Coudée* : ancienne mesure qui, se prenant du coude à la main, représente à peu près 50 cm.

Page 188.

1. *Chaperon* : « Ancien habillement de tête [...]. À l'égard des femmes, le chaperon était une bande de velours qu'elles portaient sur leurs bonnets. »

Page 190.

1. « *Monter*, se dit de l'horloge, quand on en bande le ressort, quand on en relève le contrepoids » (Furetière).
2. *Guindée* : hissée.
3. La formule fait songer au célèbre refrain de *La Barbe Bleue* : « Anne, ma sœur Anne, ne vois-tu rien venir ? ». Un rapprochement que soutient la similitude des circonstances : une héroïne enfermée par un homme cruel, attendant désespérément du secours en provenance de sa famille, et le guet qui s'effectue depuis le haut d'un donjon. Le conte de Perrault circulait en manuscrit dès 1695, et fut publié en 1697.

Page 193.

1. *Entendre* a ici le sens de « comprendre ».

Page 198.

1. Céladon : berger de *L'Astrée* (1607-1627) incarnant l'amant parfait. La référence au roman d'Honoré d'Urfé devient ainsi explicite, mais elle était évidente pour tous les lecteurs dès l'immersion soudaine des personnages dans l'univers conventionnel de la pastorale : ces bergers oisifs dont la seule activité est de parler d'amour, s'exprimant de préférence en vers qu'ils chantent ou gravent à l'occasion sur l'écorce des arbres, sont bien les mêmes que ceux campés au début du siècle par d'Urfé.

Page 200.

1. Où le lecteur découvre la nature insulaire du lieu. L'île constitue un *topos* aussi bien féerique que romanesque. En témoignent le premier conte écrit par Mme d'Aulnoy, « L'île de la Félicité », enchâssé dans *Histoire d'Hypolite, comte de Duglas* (1690), ou encore la lettre souvent citée que Mme de Sévigné adresse à sa fille pour lui donner un aperçu « des contes avec quoi l'on amuse les dames de Versailles » : Mme de Coulanges « nous mitonna donc, et nous parla d'une île verte, où l'on élevait une princesse plus belle que le jour ; c'étaient les fées qui soufflaient sur elle à tout moment. Le prince des délices était son amant. Ils arrivèrent dans une boule de cristal, alors qu'on y pensait le moins. Ce fut un spectacle admirable. Cha-

cun regardait en l'air, et chantait sans doute : "Allons, allons, accourons tous, Cybèle va descendre." Ce conte dure une bonne heure » (lettre du 6 août 1677).

Page 201.

1. Soulignons, après N. Jasmin (voir Mme d'Aulnoy, *Contes des fées*, Paris, Champion, 2004, p. 323), l'ambiguïté de ces quatre derniers vers. Le contraste ainsi créé entre ces vers licencieux et le monologue de déploration qui suit, dans la pure tradition du roman baroque et pastoral, empêche toute lecture sérieuse du conte : le registre s'avère parodique et le conte se donne à lire comme une succession d'exercices de style dont le lecteur serait invité à goûter la diversité.

Page 202.

1. *Plancher* : « On le dit tant du sol sur lequel on marche [...] que de ce qui est sur la tête où on met le plafond » (Furetière).
2. Attesté en 1223, le terme *miaulis* n'est plus enregistré par Furetière qui ne connaît que « miaulement ». Sans doute est-il donc archaïque à cette date, comme l'est *chamaillis* (voir *Le Rameau d'Or*, n. 2, p. 207).

Page 203.

1. *Bergeronnette* : « Vieux mot qui signifiait autrefois petite bergère » (Furetière).

Page 204.

1. *Litière* : « Sorte de voiture ou corps de carrosse suspendu par des brancards, et porté ordinairement par des mulets. La plus douce des voitures est celle de la litière » (Furetière).
2. *Madame* : « titre d'honneur qu'on donne en parlant, ou en écrivant, aux femmes de qualité, comme princesses, duchesses, ou autres femmes de gens titrés ou gentilshommes » (Furetière).

Page 205.

1. *Absent* a le sens de « séparé », « éloigné ». La séquence qui s'ouvre, consacrée au désespoir amoureux de Sans-Pair, n'est peut-être pas seulement à la manière d'Honoré d'Urfé : la tentation du suicide, comme les vers que le héros grave sur un arbre, rappelle étrangement les premières pages de *L'Astrée*, qui voient Céladon se jeter dans le Lignon, avant que sa maîtresse ne découvre la preuve de son amour gravée dans l'écorce (voir Honoré d'Urfé, *L'Astrée*, « Folio classique », p. 41-51).

Page 206.

1. Un tel costume était parfaitement démodé, comme le précise Furetière à chacune des définitions suivantes. *Chaperon* : « ancien habillement de tête, tant pour les hommes que pour les femmes (voir aussi n. 1, p. 188) ; *fraise* : « ornement de toile qu'on mettait autrefois autour du col en guise d'un collet, laquelle avait trois ou quatre rangs, et était plissée, empesée et goudronnée » ; et *vertugadin* : « vieux mot. C'était une pièce de l'habillement des femmes, qu'elles mettaient à leur ceinture pour relever leurs jupes de quatre ou cinq pouces. Il était fait de grosse toile tendue sur de gros fil de fer. Il les garantissait de la presse, et était fort favorable aux filles qui s'étaient laissé gâter la taille ». Quant au *moule* à cheveux, ne désigne-t-il pas le « bourrelet », qui faisait également partie du costume féminin des XVe et XVIe siècles : « c'était autrefois une partie de l'habillement de tête qui servait à la coiffure des hommes et des femmes [...] Les femmes se servent encore de bourrelet pour se coiffer, et pour soutenir et arranger leurs cheveux » ?

Page 207.

1. *Météore* : « c'est, selon les philosophes, un mixte inconstant, muable, imparfait, qui s'engendre des exhalaisons et vapeurs de la terre élevée (*sic*) dans l'air, comme les pluies, les vents, les neiges, grêles, feux ardents et volants, l'éclair, le tonnerre, la foudre. On y met aussi l'arc-en-ciel, le miel, la manne, la rosée, etc. » (Furetière).

2. *Chamaillis* : « Action par laquelle on chamaille. Ce mot n'est plus guère en usage » (Furetière).

Page 210.

1. À l'article « perle », Furetière précise : « Celles d'Orient ont une eau qui tire sur l'incarnat. »

Page 211.

1. *Travaux* a le sens de « souffrances ».

Page 212.

1. *Célèbre* : « Se dit aussi de ce qui se fait avec cérémonie et solennité » (Furetière).

LE NAIN JAUNE

Page 214.

1. Ce conte a paru en 1697 dans le quatrième tome des *Contes des fées*. Il est enchâssé dans une histoire-cadre intitulée *Don Fernand de Tolède*. Le titre de Mme d'Aulnoy et le conte cruel qu'il annonce seraient à l'origine du «jeu de Nain jaune» dont l'invention serait postérieure, d'un demi-siècle environ (vers 1760), à la rédaction du conte. Du conte au jeu, un personnage réel aurait assuré le relais : un nain du roi de Pologne, à qui sa méchanceté valut le surnom de «nain jaune», par référence au conte. C'est ce personnage qu'on trouve représenté au centre du jeu. Quant au titre de Mme d'Aulnoy, sans doute entendait-il jouer de la valeur dépréciative attribuée à la couleur jaune, qui, au même titre que le roux, connote traditionnellement la perversion, la tromperie, la traîtrise (voir le *Dictionnaire des symboles*, article «jaune»).

2. La répétition du sujet, fréquente dans la langue du XVIIe siècle, est devenue incorrecte.

3. Ces deux déesses étaient dans l'Antiquité réputées pour leur chasteté. S'annonce ici le refus, par l'héroïne, de l'amour et du mariage.

Page 216.

1. Le motif du gâteau destiné à amadouer un monstre gardien provient de la mythologie : Énée guidé par la Sibylle (voir *L'Énéide*, chant VI, v. 417 *sq.*) ou Psyché partie à la recherche de Cupidon (Apulée, *L'Âne d'or*) jettent de même au chien Cerbère un gâteau de miel qui leur assure l'entrée des Enfers.

Page 217.

1. *Jaquette* : «est aussi un habit de paysan fait en petite casaque sans manches». *Bure* : «étoffe grossière et de peu de prix, faite de laine, dont se vêtent les pauvres gens» (Furetière).

2. Comme le loup du *Petit Chaperon rouge*, le Nain Jaune se signale par ses oreilles proéminentes, symbole d'une sexualité menaçante.

Page 218.

1. *Cornettes* : «Ne se dit plus maintenant en langage ordinaire, que des coiffes ou linges que les femmes mettent la nuit sur leurs têtes, et quand elles sont en déshabillé» (Furetière).

Page 219.

1. L'orange, du fait de sa couleur à mi-chemin entre le jaune et le roux, appartient à l'univers symbolique du Nain Jaune : c'est, pour la princesse cédant ici à son « envie » d'en manger, le fruit de la tentation qu'il lui faudra payer de son heureux célibat, puis de son amour et, pour finir, de sa vie.

Page 221.

1. Si le nom du héros s'inscrit dans la thématique du luxe et de l'éclat que cultivent les contes, il s'avère surtout la parfaite antithèse du « Nain Jaune » : roi, il jouit d'une grandeur hors de la portée d'un nain ; d'or, il resplendit face à un adversaire bien terne ; enfin, du double complément du nom (« des Mines d'or ») résulte une distinction tout aristocratique qui contraste avec la vulgarité de l'épithète simple (« jaune »).

Page 224.

1. Le *coq d'Inde*, ou dindon, a été découvert par les Espagnols au Mexique, et importé peu après en Europe. On date son apparition en France des années 1530. Mme d'Aulnoy l'intègre au bestiaire de la magie noire, entre la chauve-souris, le serpent et le hanneton.

2. Cette tenue démodée est la même que celle endossée par la fée Bénigne dans *Le Rameau d'Or* (voir n. 1, p. 206).

3. *Escofion* : « Terme populaire qui se dit de la coiffure des femmes du peuple, ou des paysannes, des femmes coiffées mal proprement » (Furetière).

Page 225.

1. « On estime fort en France les chats d'Espagne » (Furetière). La raison de cette estime n'est pas précisée.

2. *Miaulis* : voir n. 2, p. 202.

3. *Abîmer* : « jeter dans un abîme, y tomber, se perdre, se noyer » (Furetière).

Page 226.

1. Tisiphone est l'une des Érinyes, ces déesses grecques de la vengeance que les Romains désignent du nom de Furies : comme ses sœurs, elle arbore une chevelure de serpents.

2. L'expression *griffon ailé* présente un pléonasme, le griffon étant un oiseau fabuleux à ailes d'aigle et au corps de lion : suivant une tradition chrétienne, « sa nature hybride lui enlève la franchise et la noblesse de l'un et de l'autre (l'aigle et le

lion)... Il représente plutôt la force cruelle [...], il est l'image du démon» (E. Gevaert cité par A. Chevalier dans le *Dictionnaire des symboles*, article «griffon»).

Page 227.

1. *Déçu* : au sens de «trompé».
2. Jeu de mots, *griffonnage* se disant alors comme aujourd'hui d'une «écriture qu'on ne peut lire» (Furetière). Sur le jeu de mots, voir la préface, p. 43. On notera après A. Defrance (*Les Contes de fées et les nouvelles de Mme d'Aulnoy*, Genève, Droz, 1998, p. 108-109) que le lion, premier attribut mentionné de la Fée du Désert dont il garde la grotte, réapparaît lors de l'enlèvement de la princesse sous la forme du griffon qu'elle monte, pour devenir ici un élément constitutif du personnage : ces pieds de griffon révèlent à la fois la sauvagerie de la fée, et les limites de son pouvoir, puisqu'elle ne parvient pas à opérer une métamorphose complète d'elle-même.

Page 230.

1. Sur la récurrence du motif du «grand miroir», voir *La Belle aux Cheveux d'or*, n. 1, p. 81. L'expression «fidèle conseiller» fait songer au «conseiller des grâces» de Molière (*Les Précieuses ridicules*, scène 7), et aux «conseillers muets dont se servent nos dames» de La Fontaine (livre I, fable 11, v. 7).

Page 232.

1. Depuis l'Antiquité, la sirène passe pour une séductrice qui, par sa beauté et son chant, envoûte les hommes. Mais sa représentation a varié : la femme-oiseau des Grecs est devenue au Moyen Âge une femme à queue de poisson et à longue chevelure. On la trouve alors souvent dotée de deux attributs, le peigne et le miroir, qui symbolisent la vanité et la sensualité. Si la présence de ces motifs ne semble pas ici justifiée, l'appartenance de la sirène à l'univers aquatique suffit à en faire l'adversaire de la Fée du Désert.

Page 234.

1. Cette épée en diamant fait songer au bouclier de diamant qui, dans *La Jérusalem délivrée* (1575) comme dans *Armide* (1686), ramène Renaud à la raison. D'autres réminiscences confirment le rôle déterminant dans l'invention du conte de cet opéra de Lully et Quinault inspiré de l'œuvre du Tasse : l'étrange sommeil du roi au moment de son enlèvement imite

celui de Renaud à l'acte II, l'appellation «Fée du Désert» s'inspire manifestement du décor des actes III et IV où Armide paraît sur fond de désert, le combat contre les monstres rappelle celui qui a lieu à l'acte IV (voir, pour un autre exemple, la note 1 à la page 236). Autre manifestation de cette influence de l'opéra, la fréquence des déplacements aériens dans *Le Nain Jaune* (voir sur ce point la préface, p. 26).

2. *Ambre gris* : «est une espèce d'ambre, ou de gomme qui a une odeur agréable et douce, qu'on trouve sur les bords de la mer. Les naturalistes n'ont su encore découvrir la nature de l'ambre gris [...]» (Furetière).

Page 235.

1. Ce sont là les trois Érinyes, ces sœurs au corps ailé et à la chevelure de serpents qui, dans l'Antiquité, étaient les ministres de la vengeance des dieux. Munies de torches et de fouets, elles parcouraient la surface de la terre à la recherche de coupables.

Page 236.

1. Le combat contre des nymphes «tenant de longues guirlandes de fleurs» rappelle la scène d'*Armide* dans laquelle le chevalier Renaud se trouve de même cerné par des démons changés en nymphes qui l'enchaînent de leurs güirlandes de fleurs.

Page 238.

1. Le conte devient, par ce brutal dénouement, récit d'une métamorphose à la manière d'Ovide (voir l'adaptation d'Ovide par La Fontaine dans «Philémon et Baucis», livre XII, fable 25). Il se trouve que cette image de deux palmiers entrelacés allait cette année-là recevoir une autre «application», comme l'on disait alors. À l'occasion du mariage du duc de Bourgogne avec Marie-Adélaïde de Savoie, Racine imagina un jeton sur lequel figuraient deux palmiers courbés l'un vers l'autre, avec cette devise empruntée à Virgile : «*Crescent Illae, Crescetis Amores*» (voir J. Dubu, «Sur deux jetons pour une princesse de la Maison de Savoie», *Studi Francesi*, n° 44, 1971, p. 266-269).

2. On reconnaîtra dans ces quatre vers l'argument d'une fable de La Fontaine, tirée d'Ésope, «Jupiter et le passager» (livre IX, fable 13), qui dénonce de même les promesses faites à la légère, dans la peur du danger. La conteuse met ainsi en regard deux illustrations différentes d'une même moralité.

LA BICHE AU BOIS

Page 239.

1. *La Biche au Bois* paraît en 1698 dans le premier tome des *Contes nouveaux ou les Fées à la mode*. Le titre de ce conte — nouvelle adaptation du conte-type « La fiancée substituée » — renvoie à un syntagme figé, une expression qu'utilise par exemple Mme de Sévigné dans une formule qui aide à en préciser le sens : « je suis une biche au bois, éloignée de toute politesse » (Mme de Sévigné, lettre du 15 juin 1680, *Correspondance*, « Bibliothèque de la Pléiade », t. II, p. 977). Il figure parmi les contes les plus connus de Mme d'Aulnoy, et les plus souvent réédités.

2. Le début du conte — la stérilité du couple royal, la fréquentation des eaux — rappelle l'ouverture de *La Belle au Bois dormant* de Perrault.

3. La mention de ces « étrangers » est-elle tout à fait anodine ? Rien n'est moins sûr. Ils réapparaîtront un peu plus loin, lorsque, l'absence de la reine se prolongeant, ses sujets craindront qu'elle n'ait été enlevée par « quelques étrangers audacieux ».

Page 241.

1. L'expression, pour poétique qu'elle soit en son sens littéral, fait évidemment allusion à Versailles, palais du Roi-Soleil, où œuvrèrent, au titre de premier architecte du Roi, successivement Louis Le Vau (1612-1670) et Jules Hardouin-Mansart (1646-1708). Ce dernier, au moment où écrit Mme d'Aulnoy, est au sommet de sa carrière : en 1699, il sera nommé à la charge de surintendant des Bâtiments du Roi.

Page 242.

1. L'insistance sur ces étrangers fréquentant les eaux fait peser sur la conduite de la reine un soupçon que le lecteur ne pourra entièrement dissiper ; comme en outre la conteuse, se souvenant peut-être de certain conte de La Fontaine (« Comment l'esprit vient aux filles »), suggère malicieusement qu'à son retour la reine fait preuve d'un esprit tout à fait nouveau, une seconde lecture de l'épisode semble autorisée. Il est certain qu'avant sa faute — l'oubli d'inviter la Fée de la Fontaine — la conduite de la reine n'est déjà pas exempte de reproche : sa gourmandise dans le jardin des fées la montre en proie à la

concupiscence et rappelle le geste de Toute-Belle cueillant les oranges du Nain Jaune, avec les suites que l'on sait.

Page 243.

1. L'original porte «canambour». Le terme est enregistré par Furetière à «Calamba» : «bois odoriférant et d'une odeur forte, fort rare même dans l'Inde d'où il vient, et où il est déjà très cher» (Furetière).
2. Tournure archaïque, qu'utilise également Perrault (voir sur ce point la note de J.-P. Collinet dans son édition des *Contes*, Paris, Gallimard, 1981, «Folio classique», p. 324).
3. Pour une lecture symbolique de cette description du présent des fées, voir la préface, p. 41-42.

Page 244.

1. À l'explication délivrée par la fée sur les raisons de sa métamorphose, s'ajoute peut-être le souvenir d'une fable de La Fontaine, «L'écrevisse et sa fille» (livre XII, fable 10), portant sur la force de l'exemple domestique, qu'il soit bon ou mauvais. Voilà qui conforterait l'hypothèse (voir les n. 3, p. 239, et 1, p. 242) d'une faute de la mère de Désirée, que reproduirait sa fille par son empressement, dénoncé dans la moralité, à vouloir épouser le prince Guerrier. D'autre part le symbolisme de l'écrevisse en fait un archétype maternel : «l'écrevisse [...] est un animal d'eau vivant sous une carapace protectrice. À l'esprit des eaux s'associe intimement une valeur d'interne, d'intime, ou d'intérieur, qui rappelle que les ébauches et préfigurations de la vie renaissante, germes, œufs, fœtus et bourgeons, sont entourées de coquilles, matrices, écorces et enveloppes, destinées à abriter le pouvoir de résurrection enfermé dans ces cuirasses» (*Dictionnaire des symboles*, article «cancer»). Le lien avec le conte est possible : non seulement la reine est venue à la fontaine soigner sa stérilité, mais l'enfant finalement attendue se verra imposer comme épreuve d'endurer diverses «enveloppes», celle de la tour, trop tôt brisée, puis celle représentée par le statut animal.

Page 245.

1. *Illustre* signifie ici «ce qui est élevé par-dessus les autres par son mérite, par sa vertu, par sa noblesse, par son excellence» (Furetière).

Page 246.

1. Louis XIV, évidemment.
2. Mars, dieu de la guerre

Page 247.

1. Allusion probable à Adélaïde de Savoie (1685-1712), qui était arrivée en France au mois de novembre 1696 pour épouser le duc de Bourgogne, petit-fils aîné de Louis XIV, un an plus tard, le 7 décembre 1697 (voir n. 1, p. 258).

Page 249.

1. *Paraître* : au sens de «briller».
2. *Célèbre* : voir n. 1, p. 212.
3. Un *beccafigue* ou *bec-figue* est un petit oiseau mangeur de figues.

Page 251.

1. L'exagération des nombres révèle l'ironie de la conteuse que nourrirait également l'intertextualité sous-jacente, décelée par N. Jasmin (Mme d'Aulnoy, *Contes des fées*, Paris, Champion, 2004, p. 697) : cette entrée avec ces «six cent mille mulets» semble se souvenir de la *Relation de l'entrée de la Reine à Monseigneur le Surintendant* de La Fontaine, dans laquelle le poète, décrivant les festivités sans précédent célébrées pour accueillir la toute nouvelle reine de France, ironise de même sur les mulets de Mazarin (voir La Fontaine, *Œuvres posthumes*, Paris, Chez Bachelu, 1696, p. 193 *sq.*).

Page 255.

1. «Les Éthiopiens ont la taille haute, les yeux beaux et bien fendus, le nez fin, les lèvres petites... alors que les Nubiens ont le nez écrasé, les lèvres grosses et épaisses et le visage fort noir», notait Charles Poncet, envoyé en 1698 à Gondar auprès du Négus (*Dictionnaire du Grand Siècle*, à l'article «Afrique»). Mme d'Aulnoy, comme beaucoup à cette date, semble confondre encore l'Éthiopie et la Nubie.

2. La *Porte*, ou la Sublime Porte : l'empire du Grand Turc, qui avait la réputation d'user de la bastonnade, même envers les représentants du corps diplomatique.

Page 258.

1. Nouvelle allusion, explicite celle-ci, à Adélaïde de Savoie (voir n. 1, p. 247) La paix dont il est question au vers final est

la paix de Turin (29 août 1696). Cette allusion à la duchesse de Bourgogne offre une possible clef pour interpréter un conte dont plusieurs détails ne sont pas sans rappeler en effet la destinée d'Adélaïde de Savoie : si Saint-Simon loue son instruction, si elle sut se faire aimer du roi son beau-père dont elle rajeunit en effet la Cour, on sait surtout qu'étant donné le jeune âge de la princesse à son arrivée à la cour de France, la consommation du mariage fut différée à octobre 1699, alors que la princesse allait fêter ses quatorze ans. N'est-ce pas du même interdit que traite le conte de Mme d'Aulnoy ?

Page 259.

1. *Impériale* : «le haut ou la couverture d'un carrosse» (Furetière).

2. «Dans les rêves d'une femme, la biche évoque généralement sa propre féminité, encore mal différenciée (parfois mal acceptée) à l'état primitif et instinctif, qui n'est pas pleinement révélée soit par censure morale, soit par crainte, soit par faute des circonstances, soit par infantilisme psychique» (*Dictionnaire des symboles*, à l'article «biche»).

Page 260.

1. *Gros* : «signifie un amas de troupes qui marchent ensemble» (Furetière).

2. C'était aussi la couleur préférée de Gracieuse.

Page 262.

1. La *pointe* désigne probablement ici le toit pointu d'une tour.

Page 264.

1. «Pour l'analyste moderne, par son obscurité et son enracinement profond, la forêt symbolise l'inconscient. Les terreurs de la forêt, comme les terreurs paniques, seraient inspirées [...] par la crainte des révélations de l'inconscient» (*Dictionnaire des symboles*, à l'article «forêt»).

Page 266.

1. Bizarrement, l'original propose la formulation inverse, que la suite révèle fautive, à savoir «aussitôt que la nuit laissera sa place au jour».

Page 267.

1. *Retirer* signifie ici «donner retraite chez soi», «accueillir».

Page 269.

1. Néologisme: voir la préface, p. 11-12.

2. La formule «contes nouveaux» désigne-t-elle de manière indéterminée les divers recueils de contes publiés dans ces années 1697-1698, ou bien l'allusion se veut-elle plus précise, renvoyant au titre exact sous lequel sont publiés les derniers contes de Mme d'Aulnoy, parmi lesquels *La Biche au Bois*, à savoir *Contes nouveaux ou les Fées à la mode*?

Page 270.

1. La pomme est un fruit merveilleux, symbolisant depuis la *Genèse* la tentation de l'interdit (voir l'article «pomme» du *Dictionnaire des symboles*). Sa présence, dans un conte où décidément les fruits constituent un motif récurrent — la reine ne se précipitait-elle pas au début du conte sur les abricots et les cerises des fées? —, invite le lecteur à la vigilance, ou au déchiffrement symbolique. Si le «profond sommeil» dans lequel sombre le prince est étrange en effet, la scène qu'il permet, où se manifeste, à travers l'érotisme discret des attitudes, l'éveil de la jeune fille au désir, ne l'est pas moins. Une scène qui n'est d'ailleurs pas sans rappeler le *Lai de Guigemar* de Marie de France, dans lequel le héros, Guigemar, chasseur aussi passionné que l'est ici le prince Guerrier, parvient à blesser la bête merveilleuse, mais se blesse du même coup et s'effondre à ses côtés.

2. Nouvelle indication se prêtant à un déchiffrage symbolique. Comment entendre ces «lieux écartés» qu'aime à fréquenter la Biche, si ce n'est comme une représentation des zones les plus obscures de l'inconscient?

Page 276.

1. Cette scène où la princesse Désirée élégamment vêtue est aperçue à travers un trou ménagé dans la cloison rappelle étrangement un épisode de *Peau d'Âne*, où le prince aperçoit dans le trou d'une serrure l'héroïne portant sa robe couleur de Soleil.

Page 277.

1. *Comme quoi*: «comment» (tournure vieillie).

Page 278.

1. *Guidon*: «Drapeau ou étendard d'une compagnie de gen-darmes, et de plusieurs compagnies de cavalerie» (Furetière).

Page 279.

1. Furetière ne connaît que «chasseresse» comme féminin de «chasseur».

Page 280.

1. Une générosité qui rappelle celle de Cendrillon pardon-nant de «bon cœur» à ses demi-sœurs, à la fin du conte de Perrault.

2. Le don de la fée reflète une réalité économique du temps: l'importation croissante à partir des années 1680 de métaux précieux en provenance du Nouveau Monde, et en particulier du Brésil.

BELLE BELLE
OU LE CHEVALIER FORTUNÉ

Page 282.

1. Ce conte paraît en 1698 dans le deuxième tome des *Contes nouveaux ou les Fées à la mode*, où il est enchâssé dans l'*Histoire du nouveau gentilhomme bourgeois*, nouvelle bouf-fonne, imitée des œuvres de Scarron et de Molière. Il relève du conte-type «les doués» (n° 513 dans le catalogue Delarue-Tenèze), conjugué au motif de la fille travestie en garçon: si ce thème apparaît chez Straparole (quatrième Nuit, fable 1), le traitement que lui réserve Mme d'Aulnoy fait également son-ger par certains détails à la nouvelle de Mlle Lhéritier, parue en 1695, *Marmoisan*.

2. Le nom de l'empereur rappelle le «royaume de Mata-quin» dans *La Belle au Bois dormant*.

3. «La *reine douairière* est la veuve d'un roi» (Furetière).

Page 284.

1. Une «*haie vive* est celle qui est faite d'arbres vifs et ayant racines» (Furetière), par opposition à la haie morte, qui est une simple clôture.

Page 288.

1. *Bossette* : « Petit rond doré et élevé en bosse, qu'on met aux deux côtés d'un mors de cheval » (Furetière).

2. S'agit-il d'une allusion humoristique à l'empereur Caligula, qui, dans sa folie, nomma son cheval consul ? L'enchantement de la féerie permettrait ainsi de donner corps et raison à la folie des hommes.

3. *Maroquin* : « Cuir de bouc, ou de chèvre [...] qu'on apporte teint du Levant » (Furetière).

4. « On appelle *peaux d'Espagne* [...] des peaux bien passées et bien parfumées » (Furetière).

Page 289.

1. *Plumet* : « se dit d'une simple plume qu'on met autour du chapeau. La mode a été de ne porter qu'un plumet, au lieu d'un bouquet de plumes » (Furetière). Ce coffre fait songer à la cassette de Peau d'Âne, don de sa marraine la fée, qui la suit de même sous la terre et renferme ses somptueuses robes.

2. Une nouvelle fois, le vert s'affiche comme la couleur favorite de Mme d'Aulnoy, celle dont se parent toutes les héroïnes de ses contes.

Page 290.

1. D'abord apparu dans un discours au style direct où il révèle l'efficacité du travestissement et l'erreur de l'opinion (« qu'il a de grâce à manier ce superbe cheval »), le masculin est ici repris par la conteuse à son propre compte, et ce jusqu'au dénouement où sera manifestée la véritable identité sexuelle du chevalier.

Page 291.

1. *Muid* : « Grande mesure de choses liquides. [...] Signifie aussi la futaille de même mesure, qui contient le vin ou autre liqueur » (Furetière).

2. *Verrines* : bijoux ou objets en verre.

Page 292.

1. Dans la mythologie, Pégase est ce cheval ailé, né du sang de Méduse, que dompta Bellérophon, tandis que Bucéphale fut le cheval d'Alexandre le Grand.

2. *Mazette* : « petit cheval, ou cheval ruiné qu'on ne saurait faire aller, ni avec le fouet, ni avec l'éperon » (Furetière).

Page 293.

1. De genre masculin, *ouvrage* se rencontre quelquefois au féminin.

Page 295.

1. «On appelle *petits pieds* la volaille, le menu gibier» (Furetière).

2. Comprendre «les chasseurs».

Page 297.

1. Issu évidemment de «trinquer»: «boire en débauche en choquant le verre et en se provoquant l'un l'autre» (Furetière).

2. «Le pain de Gonesse est un pain particulier qui excelle sur tous les autres, à cause de la bonté des eaux qui se trouvent à Gonesse, bourg à trois lieues de Paris. C'est un pain léger, et qui a beaucoup d'yeux, qui sont les marques de sa bonté» (Furetière).

3. De «gruger» qui «signifie simplement manger beaucoup» (Furetière).

Page 298.

1. *Pompeuse*: «qui se fait avec pompe et magnificence» (Furetière).

2. *Célèbre*: voir n. 2, p. 212.

Page 299.

1. La localisation vague, indiquée au début du conte («il y avait vers la frontière un vieux seigneur»), est devenue nom propre: c'est dire son caractère symbolique dans une histoire dont l'héroïne franchit à deux reprises la frontière entre les sexes.

2. «*Marraine*, est aussi la qualité qu'on donne à la sainte dont la fille baptisée porte le nom. Une fille nommée Catherine dit que sainte Catherine est sa marraine» (Furetière).

Page 300.

1. «Chez le roi le Grand Écuyer, qu'on nomme absolument Monsieur le Grand, possède une des premières charges de la Couronne. Il commande à la Grande Écurie, et aux pages du roi qui y apprennent leurs exercices» (Furetière).

Page 301.

1. *Déçue*: voir n. 1, p. 227.

2. «*Propre* se dit aussi de ce qui est bien net, bien orné» (Furetière). Belle Belle triomphe dans toutes les activités que propose la vie de Cour, y compris celles qui sont l'apanage des hommes, comme les tournois, cumulant prouesses physiques et qualités féminines.

3. Où l'on apprend que le roi non seulement a été vaincu par l'empereur Matapa, mais a cédé le pouvoir à sa sœur; comme le comte de la Frontière vaincu par la vie délègue ses pouvoirs — et son sexe — à sa fille.

Page 304.

1. *Déshabillé:* «Toilette, robe de chambre ou autres besognes dont on se sert, quand on est dans son particulier, quand on s'habille, ou quand on se déshabille [...]. Déshabillé, est aussi un habit de couleur que les femmes portent chez elles, et qui est opposé aux habits noirs qu'elles portent, quand elles vont faire des visites de cérémonie» (Furetière).

2. Le *chènevis* est une «petite graine qui est la semence dont on tire le chanvre. C'est un grain dont les oiseaux sont friands» (Furetière).

Page 306.

1. *Tablettes:* «Se dit aussi d'une espèce de petit livre ou agenda qu'on met en poche» (Furetière).

Page 308.

1. *Indiscret:* «qui agit par passion, sans considérer ce qu'il dit ni ce qu'il fait» (Furetière).

Page 310.

1. *Bien entendu:* bien fait et avec goût.
2. *Remarquer:* au sens de «critiquer».

Page 314.

1. La construction paraît ambiguë: elle est aujourd'hui incorrecte.
2. C'est-à-dire «agitée de diverses pensées».

Page 319.

1. Construction très libre. Entendre: «cela ne le fera pas» (le pronom «il» est sans doute neutre).

Page 322.

1. La locution conjonctive *premier que*, synonyme d'«avant», est sortie d'usage; elle était déjà vieillie à la fin du XVIIᵉ siècle.

Page 323.

1. La gondole fait inévitablement surgir l'image de Venise et justifie *a posteriori* la mention dans cette même ville d'une «Fontaine des Lions» (le lion de saint Marc étant le symbole de Venise).

2. *Ménager*: économe, et même, ici, avare.

3. *Prenant son temps*: saisissant l'occasion.

Page 324.

1. Atalante, abandonnée par son père à la naissance, fut recueillie par des chasseurs qui l'élevèrent et lui donnèrent le goût des exercices violents. Désireuse d'éviter le mariage, elle résolut de n'épouser que celui qui réussirait à la vaincre à la course, persuadée de toujours l'emporter. Mais y parvint un dénommé Hippoménès, grâce à une ruse dont semble se souvenir ici Mme d'Aulnoy: il dispersa dans la carrière où devait avoir lieu la course trois pommes d'or qu'Atalante, intriguée, ne put s'empêcher de ramasser. Ainsi ralentie, elle perdit la course et l'épousa. Les orangers que Mme d'Aulnoy mentionne à deux reprises ne font-ils pas écho aux pommes d'or du mythe?

Page 325.

1. Très luxueuse, cette dentelle était alors interdite en France.

2. L'original porte l'imparfait «montait», auquel nous préférons le passé simple.

Page 327.

1. Cette dispute entre les doués est un motif issu du folklore qui figure dans plusieurs versions du même conte-type (voir N. Jasmin, dans son édition des *Contes des fées*, Paris, Champion, 2004, p. 832, n. 16).

Page 328.

1. *D'ailleurs*: d'un autre côté.

Page 330.

1. Voilà qui rappelle d'assez près le sort du duc de Lauzun (1633-1723): lorsqu'en décembre 1670 Louis XIV apprit le

projet que nourrissait sa cousine, la Grande Mademoiselle, d'épouser ce simple gentilhomme que lui-même favorisait par ailleurs, il le fit jeter dans la prison de Pignerol, où il devait rester neuf ans.

Page 332.

1. On reconnaît, dans cette accusation de viol portée par une amante en fureur contre celui qu'elle aime sans retour, la ruse de Phèdre et celle de la femme de Putiphar (voir *Genèse*, XXXIX).

Page 334.

1. Sans doute s'agit-il de la reine Belle Belle, et non du roi : un lapsus qu'explique la nette prédominance dans le conte du genre masculin pour renvoyer au personnage de l'héroïne ; malgré le rétablissement de l'identité héroïque, la conteuse subit une dernière fois l'attraction du masculin.

Page 335.

1. *Canetille* : « Terme de broderie. Petite tresse qui sert à chamarrer ou à broder un habit » (Furetière).

Romans et nouvelles du XVIIᵉ siècle français dans Folio classique

Madame de LAFAYETTE : *La Princesse de Clèves*. Édition présentée et établie par Bernard Pingaud.

Jean de LA FONTAINE : *Contes et nouvelles en vers*. Édition présentée et établie par Alain-Marie Bassy.

Charles PERRAULT : *Contes*, suivi de *Le Miroir ou la Métamorphose d'Orante*, *La Peinture* et *Le Labyrinthe de Versailles*. Édition critique présentée et établie par Jean-Pierre Collinet.

Charles PERRAULT : *Contes*. Édition présentée par Nathalie Froloff. Texte établi par Jean-Pierre Collinet.

SCARRON : *Le Roman comique*. Édition présentée et établie par Jean Serroy.

Madeleine de SCUDÉRY : *Clélie*. Textes choisis, présentés, établis et annotés par Delphine Denis.

Charles SOREL : *Histoire comique de Francion*. Édition présentée par Fausta Garavini, établie par Anne Schoysman et annotée par Anna Lia Franchetti.

TRISTAN L'HERMITE : *Le Page disgracié*. Édition présentée et établie par Jacques Prévot.

Honoré d'URFÉ : *L'Astrée*. Textes choisis et présentés par Jean Lafond.

Composition Interligne.
Impression Bussière
à Saint-Amand (Cher), le 21 avril 2008.
Dépôt légal : avril 2008.
Numéro d'imprimeur : 081263/1.
ISBN 978-2-07-040072-0./Imprimé en France.

176840